It's Not Luck

ザ・ゴール2

思考プロセス

エリヤフ・ゴールドラット ▶著
三本木 亮 ▶訳 稲垣 公夫 ▶解説

ダイヤモンド社

IT'S NOT LUCK

by

Eliyahu M.Goldratt

Original English language edition published by
The North River Press Publishing Corporation, Great Barrington, MA, USA.
Japanese translation rights arranged with
The North River Press Publishing Corporation through Ryo Sambongi

『ザ・ゴール2』目次

●前作『ザ・ゴール』あらすじ

アレックス・ロゴは、機械メーカーであるユニコ社のベアリントン工場長を務めていた。長引く採算悪化を理由に、突然、本社から工場閉鎖を告げられる。残された時間は、わずかに三か月。それまでに収益体制を改善しなければ、工場は閉鎖され、多くの人が職を失ってしまうことになる。半ば諦めかけていた彼だったが、学生時代の恩師ジョナに偶然再会したことをきっかけに、工場再建へ向けて意欲を燃やし始める。ジョナは、これまでの生産現場での常識を覆す考え方で、アレックスの工場が抱える諸問題を次々に科学的に解明していく。そのヒントをもとに工場の仲間たちとたゆまぬ努力を続け、奇跡的に工場閉鎖の危機を切り抜けた。

それから一〇年。アレックスは、ユニコ社多角事業グループ担当副社長として手腕をふるっていた。その彼を再び難題が襲う。

●主な登場人物

アレックス・ロゴ……ユニコ社 多角事業グループ担当副社長
ジュリー……アレックスの妻
デイブ……アレックスの息子
シャロン……アレックスの娘
グランビー……ユニコ社 会長
ビル・ピーチ……ユニコ社 副社長
ヒルトン・スミス……ユニコ社 副社長
ジム・ダウティー……ユニコ社 社外取締役（株主代表）
ブランドン・トルーマン……ユニコ社 社外取締役（株主代表）
ピート……ユニコ社 多角事業グループ傘下の印刷会社社長
ボブ・ドノバン……ユニコ社 多角事業グループ傘下のアイ・コスメティックス社社長
ステーシー・ポタゼニック……ユニコ社 多角事業グループ傘下のプレッシャー・スチーム社社長
ドン……アレックスのアシスタント

It's Not Luck
ザ・ゴール2
思考プロセス

It's Not Luck

I

緊急動議

1

「さて、アレックス・ロゴ君のグループですが……」ようやくグランビー会長の話が、私のグループのところにさしかかった。私は椅子の背にもたれ、会長の一言ひとことを味わっていた。それも無理はない。スピーチ原稿をすべて書いたのは、多角事業グループ担当副社長の私なのだ。正確に言えば、全部ではない。会長が誇張していくつか言葉を勝手に変えた個所もある。ＣＥＯなのだから、そのくらいは許されるだろう。

朗々たる話し方にもよるが、低いバリトンの声が音楽のように聞こえる。数字でも立派にシンフォニーが奏でられ、いまやクレッシェンドに達するところだ。「……ということで、多角事業グループの昨年度の最終営業利益は合計一三〇万ドルでした」

会長の話はその後も続いたが、私はもうほとんど聞いていなかった。悪くないな、心の中でそうつぶやいた。一年前にこのグループを引き継いだ時、大赤字だったことを考えれば、大したものだ。グループ三社全部である。そう思っているうちに会長の話も終わり、今度は社外取締役の番だ。こういう時こそ、それらしい話をして存在価値を示さないといけない。周知のように我が社の取締役会は三つのグループで構成されている。まずは、我々トップマネジャーで、仕事をするのは我々だ。二番目は、取締役でも飾り物のようなもので、他の企業で要職に就くか、あるいは就いていた人間で、我が社の仕事は本業ではない。

最後は、株主代表のプロ連中で生産的な仕事は何もしない。

「よくやってくれた」元石油会社社長が気取った口調でそう言った。「今後、期待される市場回復を前に、よくぞユニコ社を建て直してくれた」

なかなかじゃないか、自分の自慢話にならずにちゃんと話ができるじゃないか。大したもんだ。次は株主代表の番だ。会長の話にケチをつけるのはこいつらだ。いつものことながら、要求ばかり多い。

「来年度の予算だが、もっと強気でなければいけない」彼らの一人が言った。

「そのとおりだ」もう一人が賛同の声をあげた。「業績予測は、期待されている市場回復をベースにしているだけで、会社側の努力が少しも盛り込まれていない」

予想どおりの展開だ。このプロ連中ときたら、奴隷監視人以外の何ものでもない。何をやっても彼らには不十分で、いつも鞭を振り鳴らしている。会長が何も答えないでいると、今度はジム・ダウティーが発言を求めた。

「ビジネスは常に流動的で、多くの努力が必要なことを忘れてはいけない」そう言いながら会長のほうを見やった。「七年前、あなたがCEOに就任した当時、ユニコ社の株価は六〇ドル二〇セントだったが、いまや三二ドル前後でいったりきたりしている」

二年前は二〇ドルだったのだから、それと比べればずっとましだ、と私は思った。

「さらに」ダウティーが話を続けた。「これまでの数多くの不良投資の結果、資産ベースがかなり縮小している。信用格付けも二ランク下がった、これはまったく容認し難いことだ。来年度の事業計画だが、ユニコ社の以前の姿を取り戻そうという経営陣の決意がもっと反映されていなければいけない」

ダウティーがこんなに長く話をするのを聞いたことがない。今度はどうやら本気らしい。確かに、彼の言っていることは的を射ている。もちろん、ユニコ社を取り巻く経済環境を無視すればの話だが。競争はこれまでになく激化し、市場の要求はますます厳しくなっている。こんな環境下での任務がいかに困難かを知っている私個人としては、グランビー会長の実績は賞賛に値すると思っている。彼が引き継いだ会社はかつて確かにブルーチップ（優良企業）だったが、赤字会社に転落していた。それをとりあえずは利益の出る状態にまで戻したのだ。

会議室のざわめきを静めようとブランドン・トルーマンが手を挙げた。これはまずい。もしトルーマンがダウティーの意見を後押ししたら、彼ら二人の思いどおりになってしまう。あの二人にはそれだけの力がある。

室内が静まり返った。トルーマンが我々マネジャー一人ひとりの顔を眺め、そしてゆっくりと口を開いた。「これが君たちにできる最大限の努力だというのなら、悪いが、後任を外から連れてこなければならない」

何ということだ。会長はあと一年で引退、次期ＣＥＯはビル・ピーチとヒルトン・スミスの争いだと、いまの今までみんな思っていた。二人とも副社長で、それぞれ異なる主要グループを任されている。私個人としては、ビルになってもらいたいと思っていた。ヒルトンは駆け引きがうまいだけで、それ以上の何ものでもない。しかし、いまや状況は一変しようとしている。

「もっと強気な計画も頭にあるんじゃないのかね」トルーマンがグランビー会長に向かって言った。

「ええ、確かに」会長はそう答えながら、ビルのほうを見やった。

「計画も立ててみましたが……」会長の視線に応えるようにビルが切りだした。「まだ、きちんとまとめ上がっていませんし、非常に微妙な内容ですので……。しかし会社全体をリエンジニアリングすれば、コストをさらに七パーセント程度削減できると思います。ですが正式に発表できるまでには、詳細をさらに詰めなければなりません。そんなにすぐにできることではありませんから」

またか。こんなことはとうの昔に卒業したはずだ。収益体制の改善が求められると、必ず最初に叫ばれるのがコスト削減、つまり人員解雇だ。馬鹿げている。すでに何千人も切ってダウンサイズしてきたではないか。脂肪だけでなく血や肉までも削ってきた。プラント・マネジャーとして、さらに部門マネジャーとして、従業員を守るために、いつもビルと闘ってきた。組織再編という名目で行われている努力を、市場獲得のための努力に振り向けることができれば、我が社はもっと繁栄しているはずだ。

そう思っていると、意外なところから助け舟が出された。「それだけでは不十分だ」ダウティーだ。トルーマンもすぐにこれに続いた。「それでは答えにならない。そんなことだけでは、ウォール街は喜ばない。最新の統計によると、従業員をレイオフした会社の半数以上で収益が改善していないそうだ」

私だけでなく、みんなが話の展開に当惑している。役員連中の意見が妙に一致している。きっと何かを企んでいるに違いない。だが、いったい何を?

「一段と中核事業に力を集中しなければいけないと思います」その時、ヒルトン・スミスが断固とした口調で言った。

ヒルトンの言うことは、どうせ無味乾燥なことに違いない。中核事業、つまりコア・ビジネスに集中できない理由でもあるというのか。それが彼の仕事ではないか。

トルーマンから同じ質問が投げかけられた。「コア・ビジネスを強化するのに、他に何が必要なんだね」

「さらなる投資が必要です」ヒルトンはそう答えると会長の許しを得て、オーバーヘッドプロジェクターに歩みより、何枚かのスライドを映し出した。目新しいことは何もない。これまでに何度も見せられたものばかりだ。高額の機械や研究開発へのさらなる投資、製品のラインアップを充実させるための他社買収をもっと行うべきだというのだ。そんなことをして、役に立つ根拠などどこにあるのだ。ここ数年、同じことをやって何十億ドルものお金を無駄にしてきたではないか。そんな私の意に反し、「確かに、投資が必要だ」とダウティーが言った。

「私も、そう思う」とトルーマンも賛成意見だ。「それに、ヒルトンが言ったように、コア・ビジネスに力を集中させないといけない」

ヒルトンの奴、最初から連中とグルだったのか。すべて仕組まれていたことだったのだ。しかし、いったい、どうやってそんなことをするのだ。投資に回す資金など、いったいどこにあるのだ。

「事業多角化戦略は間違いだったと思う」トルーマンはそう言うと、グランビー会長のほうを振り返って、言葉を続けた。「多角化を図った理由は理解できる。ユニコ社の事業ベースを拡大し、安定化を図ったわけだ。しかし事ここに至っては、間違いだったと会長も認めざるを得ないと思う。事業多角化には三億ドル近くもの資金を投入してきたわけだが、それを正当化できるほどの投資収益率は実現できていない。ここは一度、原点に戻ることが必要だと思う。買収した会社を売却し信用を回復して、コアの事業に再投資すべきだ」

会長がこれほど凄まじい矢面に立たされたのは見たことがない。しかし、そんなことはどうでもいい。重要なのは、会長への攻撃は、私の身をも滅ぼしかねないということだ。トルーマンが迫っているのは、私が担当しているグループ会社すべてを売却しろということなのだ。

この私にいったい何ができるのだ。

会長が黙っているはずがない。彼の長期戦略はすべて多角化をベースにしてきた。

しかし、ここから事の次第は、特急列車のごとく急速に展開していった。他の取締役連中もトルーマンの提案支持に回った。さっそく決をとるよう動議が出され、瞬く間に可決されてしまった。ほんの五分も経たない間の出来事だった。しかし、会長は一言も言わない。なんと彼自身、動議に賛成してしまったのだ。何か裏で取引があったとしか考えられない。そうに違いない。

「次の議題に移るところだが、その前にひとつ言わせていただきたい。コア・ビジネスへの投資にあたっては、計画策定に慎重を期してほしい」そう会長がみんなに向かって言った。

「了解だ」トルーマンがうなずきながら応えた。「もうすでにいくつか投資計画案を見させてもらったが、どれも新規性がなくリスクが大きすぎる」

私はヒルトンの顔を眺めた。彼から笑顔が消えていた。どうやら彼も連中に裏切られたようだ。期待していたCEOの座も、彼の掌中にはやってこない。どうやら次期CEOは外部から連れてこられることになりそうだ。ヒルトンよりは誰だってましだ。

2

家に入るなり、けたたましい音楽が耳に飛び込んできた。二階のデイブの部屋に上がると、息子は机に向かって宿題をやっていた。どうせ聞こえはしないのだろうから、わざわざ声をかけることもないだろう。そのまま黙ってドアを閉めると、騒音が一気に五〇デシベルも下がった。新しいステレオを買ってやった時に、デイブの部屋に防音ドアを取り付けておいてよかった。妻ジュリーのアイデアだ。

娘のシャロンは電話で誰かと話をしている。彼女に手を振って、キッチンに下りた。

ジュリーが自宅に事務所を開いてからは、みんな夜遅い夕食に慣れてしまった。結婚カウンセラーのジュリーにとって、いちばん忙しいのは夕方の四時から九時の間だ。クライアントにとって、その時間帯がいちばん都合がいいのだ。その間に、私と子供たちはジュリーが準備しておいてくれた夕飯を食べることになっている。ヨーロッパ型のライフスタイルとでも言おうか、それも悪くはない。

「パパ、土曜の夜に、特別なパーティーに招待されたの」

「それはよかったね」そう答えながら、私は鶏のレバーパイの最後の一切れを口に運んだ。「どうして特別なんだい？」

「二年生のパーティーなんだけど、そうじゃないのに招待されたのは四人だけなの」

「相変わらず人気者だな」私はシャロンにウィンクした。

「そうよ」そう言いながら、彼女は得意げにその場でくるりとターンしてみせた。子供たちが食べ残したらしいクリームチーズとオリーブのサンドイッチ一切れを見つけ、私はそれをふた口で平らげた。

「それじゃ、行っていいのね」シャロンが訊ねた。

「行っちゃいけない理由は、特に見当たらないけど」そう私が答えると、シャロンは私に向かって投げキッスをし、踊るようにキッチンから出て行こうとした。

「ちょっと待って」私は彼女を呼び止めた。「行かせちゃいけない理由でもあるのかな」

「別にないと思うわ。私だってもうすぐ一四歳よ」

「そうだね。でもまだ八か月あるから、もうすぐっていう表現はどうかとは思うけどね」

あることがふと気にかかった。「ところで、パーティーは何時に終わるんだい」

「さあ」さりげなく彼女は答えた。あまりにさりげなさすぎる。「少し遅くなると思うけど」

「少しって、どのくらい?」そう訊ねながら、私はビールを取り出そうと冷蔵庫を開けた。

「でも、パパ……」シャロンの声が急に思い詰めたような声に変わった。「一人だけ先に帰るなんてできないわ」


私は缶ビールを開け、リビングに向かった。「だから、どのくらい遅くなるんだい」私は質問を繰り返した。

「パパ、二年生のパーティーなのよ」シャロンはまだ私の質問に答えない。「わかってくれないの?」

「わかってるよ」そう言って、私はテレビのスイッチを入れた。「一〇時までに帰ってくれればいいよ」

「だって、デビーもキムもクリスもみんな行くのよ」そう訴えるシャロンの目から涙がこぼれ始めた。「どうして私だけ家にいなきゃいけないの」

「家にいなきゃいけないなんて言っていないよ。一〇時までに帰ってきなさいと言っているだけだよ」そう言って、私は特に当てもなくテレビのチャンネルを替えた。「ママは、何て言っていた？」

「パパに訊きなさいって」鼻をすすりながらシャロンが答えた。

「そうか、それで私に訊いたら、一〇時までに帰ってきなさいと言われたわけだな。そういうことだよ、シャロン」

「パパはわかってくれないってママに言ったけど、やっぱり思ったとおりだわ」シャロンは泣きながら自分の部屋に駆け上がっていった。

私はそのままチャンネルを替え続けた。時計は六時一〇分前を指している。もうすぐジュリーから夕食の段取りについて説明があるはずだ。こんなことで、シャロンを私のところにわざわざ寄こすとは、ジュリーも考えたものだ。

ジュリーは、私にいつも家庭や子供たちのことに関わっていてもらいたいのだ。もちろん、それで構わないが、責任の所在はあくまで彼女にある。そうでなければ困る。悪役にされるのは勘弁してもらいたい。シャロンが深夜に帰宅することを私が許すはずがないことくらい、ジュリーだってわかっていたはずだ。

「もう一度確認させてくれ。七時になったらオーブンの温度を一八〇度に合わせて、一〇分経ったら、ラザニヤを中に入れる」

「そうよ」ジュリーが答えた。「大丈夫よね？」

「ああ。シャロンだけど、今夜は一緒に食事してくれないと思うよ」

「あら、そう。すぐに駄目って言ったんでしょう。どうしたらよかったって言うんだい」

「ああ、そうだよ」私は毅然と答えた。「どうしたらよかったって言うんだい」

「ジョナに教わった交渉テクニックを使ってほしかったわ」

「自分の娘と交渉なんかできるかい」苛立ちながら私は答えた。

「親としての特権よ」ジュリーが落ち着いた口調で言った。「答えを決めるのは勝手だけど、それでどうなるか結果はちゃんと覚悟しておいてよ。少なくとも土曜までシャロンは冷たいと思うわよ」

私が黙っていると、ジュリーが言葉を続けた。「アレックス、もう一度考え直してみてくれないかしら。交渉ではよくあることでしょ。ジョナの交渉テクニックを使ってみてよ。〈雲〉を書くのよ」


私はテレビの前に戻ってニュースを見た。目新しい話題は何もない。セルビア人とイスラム教系住民、イスラエル人とアラブ人、誘拐事件……、世の中どこを見ても交渉事ばかりだ。

仕事でも、頑固で憎たらしくて無分別な連中と年がら年中、交渉していた。決して楽しい仕事ではない。そんな連中とばかり交渉していたものだから、ジョナの言葉も最初は受け入れるのに苦労した。当然と言えば当然だ。ジョナが言うには、責めるべきは交渉相手の性格ではなく状況なのだ。自分が望んでいることと相手が望んでいることが相容れない、適切な妥協点が見出せない……、そんな状況こそ責められるべきだと言うのだ。

そうした状況が容易でないことは認めたが、相手の性格も大きな原因であると言い張って私は譲らなかった。するとジョナがあることを提案してきた。交渉相手が頑固で無分別だと感じ始めたら、相手も自分に対してまったく同じ考えを抱いていないかどうか確かめろというのだ。

私はその言葉に従った。それ以来、仕事上のすべての交渉において、話が膠着し始めたら、このテクニックを使うようにしている。しかし、それを自宅でシャロンを相手に使えというのか？

ジュリーの言うとおりだ。シャロンと私のやり取りは確かに交渉に違いない。お互い相手の言うことが不合理だと思うに至ったのだ。シャロンの不機嫌な顔を見たくなければ、ジョナのガイドラインに従ったほうがいいのかもしれない。

「適切な妥協案が見出せないような交渉状態に陥ったら、すぐに対話《ダイアローグ》を中止しなさい。これが最初のステップだ」ジョナの声が頭の中に響いた。

シャロンのほうは、もうすでに対話を拒否している（互いが同時に言いたいことを言い合っているのを対話と呼ぶことができればだが）。

次は二番目のステップだ。これには頭の切り替えが求められる。つまり、いかに交渉が感情的になっても、相手を責めるのではなく、適切な妥協案を見出せない対立状況にお互いとらわれてしまったことが問題なのだということを認めなければいけない。

これは容易ではない。問題を引き起こしたのは私のほうではない。かといって、パーティーに行きたがっているという理由でシャロンを責めるのも馬鹿げている。

妥協点などあるのだろうか。私も特に一〇時という時間にこだわっているわけではない。一〇時半くらいまでだったら許すこともできる。しかし、それではシャロンが納得しないだろう。だが、深夜一二時はやはり問題外だ。

どうやら、次のステップに進んだほうがよさそうだ。正確に〈雲〉（対立解消図）を書く――それが三番目のステップだ。手順を詳しく書き取ったメモを取りに、自分の書斎に向かった。

メモは見つからないが、まあいいだろう。手順だったら、だいたい覚えている。私はメモ用紙とペンを手にすると、〈雲〉を書き始めた。最初の質問は、「自分は何を望んでいるか」だ。メモの右上に、『一〇時までに帰宅』と書いた。その下に、もう一つの質問「シャロンは何を望んでいるか」に対する答えを『一二時に帰宅』と書いた。一二時なんて、とんでもない！

私は気を静め、交渉テクニックに頭を戻した。私はシャロンに一〇時までに帰ってきてほしいと思っている。しかし、どんな必要性があるのだろうか。「娘の評判を守るため？」おいおいアレックス、パーティーに行かせるくらいのことでどんな害があるというのだ。私は自問した。近所の人が何を言うっていうんだ。だいたい、いったい誰がそんなことを気にするっていうんだ。

「デイブに認めなかったことを、シャロンにだけ許すわけにはいかない」こんな言い訳ができればいいのだが、ことデイブに関しては、深夜帰宅が問題になったことすらない。デイブがパーティーに出かけるようになったのも、ごく最近のことだし、深夜を過ぎて帰宅することなど滅多にない。それを女の子に許可しろというのか。男だったら、話はもっと簡単だ。

どうして、私はそれほどまでに一〇時にこだわっているのだろう？　一〇時までに帰宅してほしいというのははっきりわかっているのだが、その理由を問われると、明確に答えることができない。どうしてなんだ。

「子供の躾《しつけ》？」そんな言葉が一瞬、脳裏をよぎった。子供たちに、ものには限度があることを教えなければいけない。何でもやりたいことができるわけではないことをわかってもらう必要がある。ルールはルールだ。

だが、ちょっと待てよ。ルールには理由がある。道理に適っていなければいけない。でなければ、私が子供たちに教えている躾とは矛盾してしまう。誰がボスなのか誇示するだけになってしまう。そんな考え方は危険だ。きっかけさえあれば、子供たちはすぐに家を出て行ってしまうだろう。

道理に合わないルールを設けることには、ジュリーも私も慎重を期している。だとしたら、この一〇時帰宅というルールはいったいどこからきたのだ。自分がシャロンの年齢の時に、九時過ぎまで外で遊ぶことを許されていなかったからか。その受け売りなのか。過去の経験をなぞらえているだけなのか。そんな馬鹿な。

「安全?」これだ。だから一〇時にこだわっているのだ。ほっとした気分になった。

メモ用紙の上部真ん中あたりに、私は『**安全のため**』と書いた。さて今度は、シャロンだ。何のために一二時帰宅にこだわるのか、その理由を考えなければいけない。そんなことどうやって私にわかるのだ。一三歳の女の子が考えていることなんて、誰がわかる? しかし、実は私にはわかっている。同じようなことでシャロンが泣いたのは今回が初めてではない。彼女は人気者でいたいのだ。それだけでも十分な理由ではないか。私は、そうメモに書いた。さて次は、いちばん厄介な問題だ。シャロンと私の共通した目的だ。いまの私の気分から率直に言わせてもらえば、共通点は何もないように思える。相手は子供だ。親として自分の子供を愛することは当たり前だ。本能なのだ。しかし、だからといって子供たちの好きにさせてよいということにはならない。なんと頭の痛いことだ。

いいだろう、本題に戻ろう。我々の共通した目的は何か。どうして交渉しなければいけないのだ。何が理由で適切な解決策を見つけなければならないのだ。両者にとって適切でなければいけないのか。私たち

〈雲〉（Cloud：対立解消図）

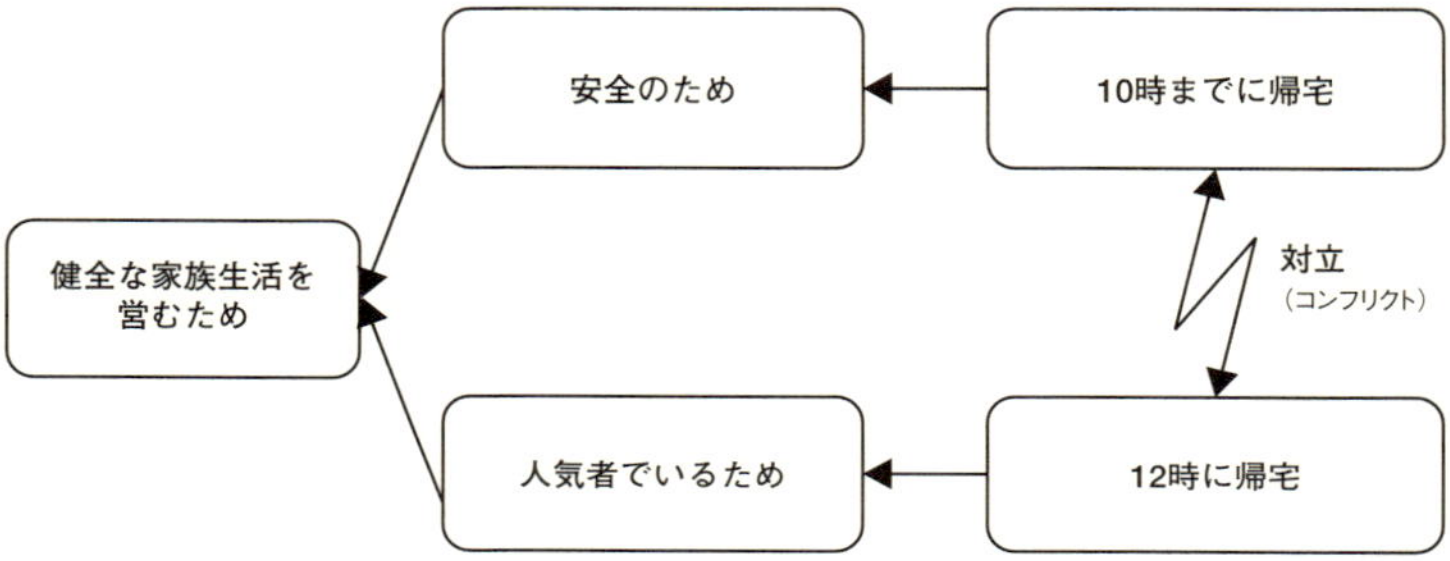

は家族だ。これからも同じ家に一緒に住み続けなければならない。だからなのか。メモ用紙の左側に私は、『**健全な家族生活を営むため**』と書いた。

ここまでの成果を私は確認した。健全な家族生活を営むためには、娘の安全を確保しなければいけない。確かにそうだ。しかしその一方、健全な家族生活を営むためには、シャロンは人気者でいなければいけない。なぜなのか、私にはよくわからない。やはり、一〇代の女の子の気持ちが理解できるふりはやめておこう。

次は対立点、つまりコンフリクトについて考えてみよう。シャロンの安全を確保するには、一〇時までに帰宅してもらわなければならない。しかし人気者でいるためには、深夜までパーティーにつき合わなければいけない。コンフリクトは明白だ。妥協点がないことも明らかだ。私が心配しているのは彼女の安全で、正直言って、騒々しい友達連中の間で娘が人気者であろうがなかろうが、そんなことはどうでもいい。しかしシャロンにとっては、まったくその反対なのだ。

ため息をつき、私はシャロンの部屋のドアをノックした。少しばかり気が重い。彼女は赤く腫らした目で私を見た。

「シャロン、話をしよう」

「何を?」そう言いながら、シャロンはまた泣き出した。「パパには、どうせわからないわよ」

「だったら、わかるように助けてくれないか」ベッドに腰を下ろしながら、私は言った。「いいかい、シャロンとパパには共通した目的があるんだ」

「そうなの?」

「ああ、そう願っているよ」そう言って、私はメモ用紙に書き出した〈雲〉を読んで聞かせた。「『**健全な家族生活を営むため**』っていうのはどうだい?」彼女は黙っている。

「シャロンにとって、健全な家族生活を営むためには、友達の間で人気者でいなければいけないことはわかっているよ」

「何言ってるの、全然わかってないじゃない。人気者かどうかなんて、そんなことはどうでもいいの。パパ、わからない? 私には友達がいるの。自分だけが例外なんてことはできないの。みんなに受け入れてもらうことが大切なの」

どう違うのか私には理解できないが、ここはジョナのガイドラインを思い起こして、彼女と議論するのはやめておこう。『**人気者でいるため**』を消して『**仲間外れにされないため**』と書き直し、「これでいいかい」とシャロンに確認した。

「まあね」

ここまでの段階としては、まずまずの成果だ。私はそのまま話を続けた。「仲間外れにされないためには、家に帰ってくるのは深夜一二時頃になるってわけだな」

「パーティーが終わるまで帰れないの。終わる前に一人だけ先に帰るなんてできない。そんなことしたら、『自分はまだ赤ちゃんよ。こんなパーティーに私を招待するなんて間違ってるわ。私には構わないで』って大きな声で言っているようなものよ。パパにはわからないの？」

「それじゃ、ここには何て書いたらいいのかな」私は訊ねた。

「そのままでいいと思うわ。パーティーは一二時前に終わるのよ。問題なんてないわ。私だってもう小さな子供じゃないことぐらいわかってくれてもいいんじゃない」

「ああ、シャロン、そんなことはわかってるよ。だけどパパにとって、健全な家族生活を営むためには、シャロンの安全を確保しないといけないんだ」

「ええ、それはわかるわ」

「だから、一〇時前に帰ってきなさいって言ってるんだよ」

「だけど、パパ……」

「わかってるよ。一〇時か一二時かで言い争うのは少しやめにしよう。本当の問題は、そんなことじゃない。本当の問題はシャロンの安全と、どうしたらシャロンが仲間外れにされないかということだ。ちょっと仮説を立てて考えてみようじゃないか。シャロンの安全のためには一〇時帰宅が絶対必要で、仲間外れにされないためには一二時帰宅が絶対必要だっていう仮説だよ」

「私の安全と遅く帰ってくることがどう関係あるの？　私にはわからないわ」シャロンが反論した。

「わからないかい？」

「ええ、わからない。きっと誰か男の子がクルマで私たちみんなを家まで送ってくれるもの」

「ほう？　いつから二年生でもクルマを運転できるようになったんだい？」

私の問いにシャロンは言葉を詰まらせたが、少し間をおいてためらうように言った。「パパが、クルマで迎えにきてくれない？」

「二年生のパーティーって、いったいどんな子たちが集まるんだい」彼女によると、みんなデイブのハイスクールの子供たちだ。それがわかって、私は少しほっとした。いい学校で、子供たちも悪くない。それなら、わざわざ彼女を連れ戻すこともなかろう。安全についても特に問題なさそうだ。

「じゃ、いいのね。ありがとう、パパ。きっとわかってくれると思ってた」シャロンは飛び上がって喜び、私に抱きついたと思ったら、さっそく電話に向かった。「デビーに電話をしてみる。きっと彼女のパパも許してくれると思うわ」

笑いながら、私はオーブンのスイッチを入れるために、階下のキッチンに駆け下りた。


私は、取締役会の結果のことをジュリーに話した。

「あんまり、いい話じゃないわね」ジュリーが言った。

「ああ」私も認めざるを得ない。「本物の雲の中に入ってしまった気分だよ。僕自身の目標は自分の仕事を守ることだから、その観点からすると、取締役会の決議に従って会社の売却に協力しなければならないんだろうけど……」

「でも一方では、仕事を守るためには、仕事が他のところにいってしまっては困るから、是が非でも、売却を阻止しないといけないんじゃないの」ジュリーが言葉を補った。

「そのとおりだよ」

「どうするつもり？」

「まだ、わからないよ。しばらくは成り行きを黙って見守るとするかな。少なくとも、もう少し状況がはっきりするまではそうしようと思っているよ」我ながら声が頼りない。

ジュリーが私の横に腰を下ろした。「ねえ、あなた」そう言いながら彼女が私の頬をなでた。「事態が悪くなって、そのまま放っておいたらどうなるかわかるでしょ」

そんなことはわかっている。放置しておいたら事態はますます悪くなるばかりだ。

私は腕をジュリーの背に回した。「君の収入だけでも暮らしていけるさ」私は話をそらした。

「私は構わないけど、あなたはそれでいいの?」

ジュリーにさっとキスをした。「君の言うとおりかもしれないな。会長にだけ任せておくわけにはいかないし、黙って事の成り行きを見ているわけにもいかない。何かできないか、僕も考えてみるよ」

3

「あんまり、いい考えじゃないな！」私は、ドンに向かって叫んだ。

「何ですか」唇の動きからすると、彼はそう言っているに違いない。

私の声が届かないのだ。この印刷機はデイブのステレオより始末が悪い。とにかく馬鹿でかくて見ているだけで恐ろしくなる。印刷機の中を紙が流れていくスピードは気持ちが悪くなるくらいだ。一、二分でも見ていようものなら、船酔いした気分になる。少なくとも私はそうだ。印刷機のマニアでもない限り、こんな機械は一回見れば十分だろう。

私は片手でアシスタントのドンの袖を、もう一方の手でこの印刷会社の社長のピートの袖をつかんで、いちばん近くの出口に向かった。外に出て、やっと声が聞き取れるようになった。この工場の操業ぶりを見せてくれとは頼んだが印刷機を見たかったわけではない、ピートにそう説明した。私には、どの機械もいつも同じに見える。

「では、何がご覧になりたいのですか」ピートが訊ねた。

「そうだな、たとえば刷り上がったものを保管しておく倉庫だ」

「でも倉庫でしたら、見るものなど何もありませんが」ピートが答えた。「私の報告書はご覧になっていないのですか」

「それを自分のこの目で確かめたいんだよ」

倉庫は残りの建物全部を合わせても、広さがその三倍、高さは二倍ほどある。多角事業グループ担当副社長に就任後一週間くらいして初めてここにやってきたが、その時、倉庫の中にはありとあらゆる印刷物が詰め込まれていた。副社長になって最初にやった仕事といえば、この倉庫だけでは足りないから倉庫を増やしてほしいという要求を却下することだった。そして次に、在庫に押し潰されることなく会社をどう運営したらよいのか、その方法をピートと部下のマネジャーたちにじっくりと時間をかけて説明した。これが実に楽しかった。

「この空になった倉庫をどうする計画なんだね。パーティーでも開くのかね？　飛行機を組み立てるのも悪くないな」ピートに訊ねた。

「売りましょうか」ピートがそう言って笑ったが、私は返事をしなかった。

「納期どおりに出荷できているのは何パーセントくらいですか」今度はドンが質問した。

「九〇パーセント台後半だと思う」ピートは誇らしげに答えた。

「在庫が減る前はどのくらいでしたか」ドンが訊ねた。

「それは訊かないでくれ。あの頃は、まだ誰も副社長の言うことを信じていなかった。刷り上がった印刷物の在庫を減らせば、もっと納期内に出荷できるなんて誰も信じなかったんだ。受け入れるのは楽じゃなかったよ。せっかくだから、この工場でいちばん著しく効果が現れたところを見ていってくれないか。製版室だよ」

現場に向かう途中、ドンはピートに細かい質問を繰り返した。ドンはこういうところが実に巧みだ。もっともっと学ぼうという貪欲な姿勢を持ち続ければ、この先さらに伸びることだろう。それに、私には細かいことを面倒見てくれる人間が必要だ。しかも、私のやっていることが理解できるだけでなく、その理由までしっかりと理解できる人間だ。ビル・ピーチの下で力を発揮できずにいたこの若いエンジニアを連れてきてから、はや一年半が過ぎた。大正解だった。これまで私の下した判断の中でも一、二を争うものだと思う。

私たちは製版室に足を踏み入れた。

製版室といっても、いわゆる普通の部屋ではない。ワンフロアまるまるの広さで、中は静かだ。ここがこの工場の中枢部なのだ。クライアントの要望をここで版下にしていく。そしてクライアントがオーケーを出せば、あとは印刷機にかけて大量に印刷するだけだ。一見すると印刷機の並んだ作業フロアと何も違いはないように見えるのだが、ピリピリとした雰囲気も、ドタバタと走り回ることも、作業員の緊張した面持ちもここにはない。

「のんびりとやっているな」私はピートに向かって言った。

「ええ」微笑みながらピートが答えた。「ですが、新しいデザインはどれも一週間以内で仕上げています。以前は四週間余りかかっていて、それが普通だったんです」

「品質面にもいい影響があったのでは?」ドンが訊ねた。

「もちろん」ピートが答えた。「リードタイムが短いことと品質が高いことが、いまの我々の最大の売り物なんだ」

「すごいな」私は言った。「それじゃ、君の部屋に戻って、どのくらいか数字を拝見させてもらおう」

ピートの印刷会社は私のグループの中では規模はいちばん小さいが、急速に業績が改善している。ピートや彼のスタッフを教育するためにずいぶん時間をかけて頑張ってきたが、どうやらその甲斐はあったようだ。わずか一年で、二流の印刷会社から一流の仲間入りを果たしたのだ。見方によっては業界ナンバーワンと言ってもよい。ただし数字で見る限り、まだまだだ。利益は出ているが、かろうじてといったところだ。

「ピート」答えはわかっていたが、あえて私は彼に訊ねた。「納期内に出荷する、迅速に顧客に対応する、品質もいいとパフォーマンスは申し分ないのに、なぜ価格をもっと上げることができないんだね」

「そうなんです。おかしいと思いませんか」抑揚のない調子でピートが答えた。「どのクライアントもリードタイムを短くしろ、パフォーマンスを上げろと要求してくるのに、いざこちらがそれを達成しても、以前より高い価格を払うことはよしとしないんです」

「値段を下げろといった圧力はありませんか」ドンが訊ねた。

ピートは、ドンの顔を見て答えた。「それは、ものすごいものだよ。競合会社の中に、圧力に負けて値段を下げてくるところもあるんじゃないかと心配だ。そうなれば、当然こちらも価格の引き下げを強いられることになる。実際には、もうすでに始まっているよ。小さなシリアルの箱なんだが、契約を取るために三パーセント値引きさせられた。副社長、その件については、メモをそちらに送りましたが……」

「ああ、もらった。それで、今期の予想への影響はどうなんだね」

「すでに織り込み済みです」ピートが答えた。「販売量は増えますが、そのほとんどが価格の引き下げで相殺されてしまいます。マーケット・シェアは増えますが、利益は伸びません」

「それは問題だ、深刻な問題だ。もっと利益を伸ばすために何かできることはないのかね」

「私の見るところ、一つしか方法はありません。内訳を見てください。パッケージ事業のほうは好調です。問題は菓子の包装事業です。昨年の総売上げ六〇〇〇万ドルのうち、菓子包装事業からの売上げは二〇〇

○万ドルありましたが、この二〇〇〇万ドルの売上げから四〇〇万ドルもの損失が発生しました。この部門のこれ以上の傷は何としても食い止めなければなりません。菓子包装事業のせいで、全体の利益は結局、九〇万ドルにまで縮小してしまいました」
「どうすべきだと思うかね」私は訊ねた。

「もっとボリュームの大きい仕事が必要です。いまやっている包装の仕事はほとんどボリュームの小さいものばかりです。販売量の少ない菓子ばかりなんです。人気の高い菓子の仕事はなかなか取れません。何億個も売れるような人気のあるやつです。でも利益を上げるには、そういったハイボリュームの仕事が必要です」

「オーダーを取るには何が必要なんだね」

「簡単なことです」ピートが答えた。「最新鋭の機械を導入すればいいんです」そう言いながら彼は私に分厚い報告書を差し出した。「詳しく調べてみたのですが、これがいちばんいい方法です」

どの程度のお金が必要なのか、報告書にさっと目を通すと、七四〇万ドルという数字が目に飛び込んできた。正気の沙汰ではない。私は表情を変えずにピートに告げた。「金は出せない」

「しかし副社長、いま使っている旧式の機械では競争できません」

「旧式の機械？　まだ五年も経っていないじゃないか」

「技術はどんどん進んでいるんです。五年前は確かに最新鋭の機械だったかもしれませんが、競合他社はどこもすでに新しい機械を導入しています。彼らを相手に競争しないといけないんです。いまはもうオフセット印刷ではなく、グラビア印刷の時代です。グラビアは、色の明暗、濃淡などの表現が優れていて、それにいまの機械では印刷できない銀や金色でも印刷できます。それから紙にしか印刷できなかったもの幅が広いことです。何といってもすごいのは、印刷幅が広いことです。幅が広いだけで、一時間当たりのアウトプットがこれまでの三倍になります。印刷する量が多い時に大きな力を発揮できます」

私はピートの顔を見つめた。確かに的を射ているが、そんなことはもうどうでもよくなってしまったのだ。取締役会の決定はもう下された。彼にそのことを伝えよう。グループ各社の社長にはいずれ伝えないといけないことだ。

「ピート、実は先日の取締役会で、我が社の戦略が一八〇度、方向転換されることになった」

「どういう意味ですか」

「事業多角化からコア・ビジネスへの集中化戦略へ切り替えることに決まったんだ」私はゆっくりとした口調で伝えた。

「というと?」

ピートは要点がつかめないらしい。きちんと説明しないといけないようだ。「つまり、我々多角事業グループのビジネスには、もう一セントたりとも投資はできないということだ。事実、うちのグループ会社はすべて売却されることに決まった」

「この会社もですか?」

「ああ、君のところもだ」

ピートの顔が青ざめた。「副社長、それは困ります」

「まあ、落ち着け。会社が潰れるわけじゃない。別の会社の傘下で働くことになるだけだ。これまでと何も変わることはない」

「何をおっしゃっているんですか、印刷業界のことがわかっていないんですか、副社長。別の会社が、これまでどおりのやり方でやらせてくれると思いますか。副社長から教わってきたやり方を続けさせてくれるとでもお思いですか。非ボトルネックがアイドル状態でいたり、完成品の組み立てを故意に遅らせたりするのを許してくれるとでも？　どの印刷会社でも、コスト削減が最優先なんです。これまでやってきたやり方の正反対のことをさせられることになるんです。そうしたら、どんな結果になるかおわかりですか」

もちろんだとも、私にはわかりすぎるくらいにわかる。これまで何度も見てきた。オーダーの七割しか納期内に出荷できなければ、クライアントもそれに合わせ、残りの三割に備えてそれなりの準備をしてくれる。しかし常に九〇パーセント台後半の割合で納期内に出荷して、客がそれに慣れてしまっている場合、ある日突然、その割合が低くなれば、在庫の蓄えのない客はお手上げになってしまう。そんなことにでもなれば、客は許してくれないだろう。パフォーマンスが低下することは、即、客を失うことにつながる。そうなればさらに人員解雇を行わなければいけないだろうし、パフォーマンスもますます悪化する。会社は加速度的に坂道を転がり落ちることになる。

だからといって、どこか他で自分の仕事を見つけようと言っているのではない。我がグループ会社の存亡の話をしているのだ。二〇〇〇人近くの従業員の生活がかかっているのだ。

私たちは腰を下ろしたまま黙り込んだが、しばらくして私はピートに訊ねた。「今期の利益を増やすために何かできることはないかね。それも大幅に」

ピートは口をつぐんだままだ。

「どうなんだ」私は返答を促した。

「わかりません」ピートが答えた。「本当にわかりません」

「それじゃ、一緒に考えてみよう。まず、取締役会の決定を覆せる可能性は皆無だ」

「グランビー会長はどうなんですか？」ピートが訊ねた。

「ああ、何かしてくれるかもしれないが、当てにはできない。我々に残された唯一の手段は、君の会社の利益を増やすことだ。そうすれば売却されたとしても、金の成る木だから仕事のやり方に口を出してはこないだろう」

「可能性は少ないですね」そうつぶやきながらも、ピートの顔に血の気が戻ってきた。

「包装事業の赤字は食い止めなければいけませんね。それだけははっきりしていると思います」ドンが言った。

「ああ」ピートがうなずいた。「しかし必要な資金を回してくれなければ、包装事業部門全体を閉鎖するしかありません」

規模の大小こそあれ、どこも同じだ。本部レベルでは工場閉鎖を、各グループ会社レベルでは部門の閉鎖を検討している。もっといい方法が何かしらあるはずだ。「いや、やはり無理です」ピートが言った。「利益は増えるかもしれませんが、金の成る木にはなり得ません。可能性が小さくなるだけで、どうあがいても無理です」

どう答えていいのかわからなかった。解決策も思いつかなかったが、とりあえずピートに言った。「私が教えたことを覚えているかね？　必ず何かしら解決策はあるはずなんだ。ここ一年、君たちがそれを何度も証明してきたじゃないか」

「ええ、でも技術やロジスティックな面ででしたから。今回のような場合はどうしていいのか……」

「ピート、よく考えるんだ。ジョナのテクニックを使ってみるんだ。そのうち見えてくるはずだ」そうは言ったものの、私は自分の言葉にあまり確信を持てなかった。

「いまになってやっと取締役会の決定がいかに大変なことなのかわかりました」クルマに戻るとドンが言った。「自分たちは常識を用いているのに、業界がまだ非常識を用いていると、こうした危険に陥るんですね。自分の手の届かないところで状況が変わって、元に引き戻されてしまうわけですね」

私は返事をしなかった。ハイウェイに戻る道を探すのに気を取られていたからだ。ハイウェイに乗ってからドンに言った。「これはピートだけの問題じゃない。我々の問題でもあるんだ。もしピートの会社が二束三文で叩き売られるようなことになれば、私たちの責任にさせられる。だから包装事業部門を閉鎖するなどもっての外だ」

しばらくしてからドンが言った。「どんな関係があるのか、よくわかりませんが……」

「いいかね、帳簿上、あの馬鹿でかい印刷機は一〇年かけて減価償却される。もし包装部門を閉鎖したら、印刷機の価値はそれこそ二束三文だ。そのせいで会社の資産ベースがますます下がってしまう。ということは会社の売却価格もそれだけ下がるということだ。ドン、まずいな、どうやらコンフリクトにはまってしまったようだ」

「ええ、そのようですね。コンフリクトに直面した時は、妥協して問題を回避してはいけない……。副社長が教えてくれたことです」そう言いながら、ドンはブリーフケースを開けてホルダーを取り出した。「まずは、コンフリクトを正確に言葉で表してみる、そうすれば解決方法を見つけることができる」ドンはそう言って、〈雲〉を書き始めた。「目標は『**ピートの会社を高い値段で売却する**』こと」ドンが言った。

ドンの目標に賛成ではなかったが、あえてコメントは控えた。

〈雲〉（Cloud：対立解消図）

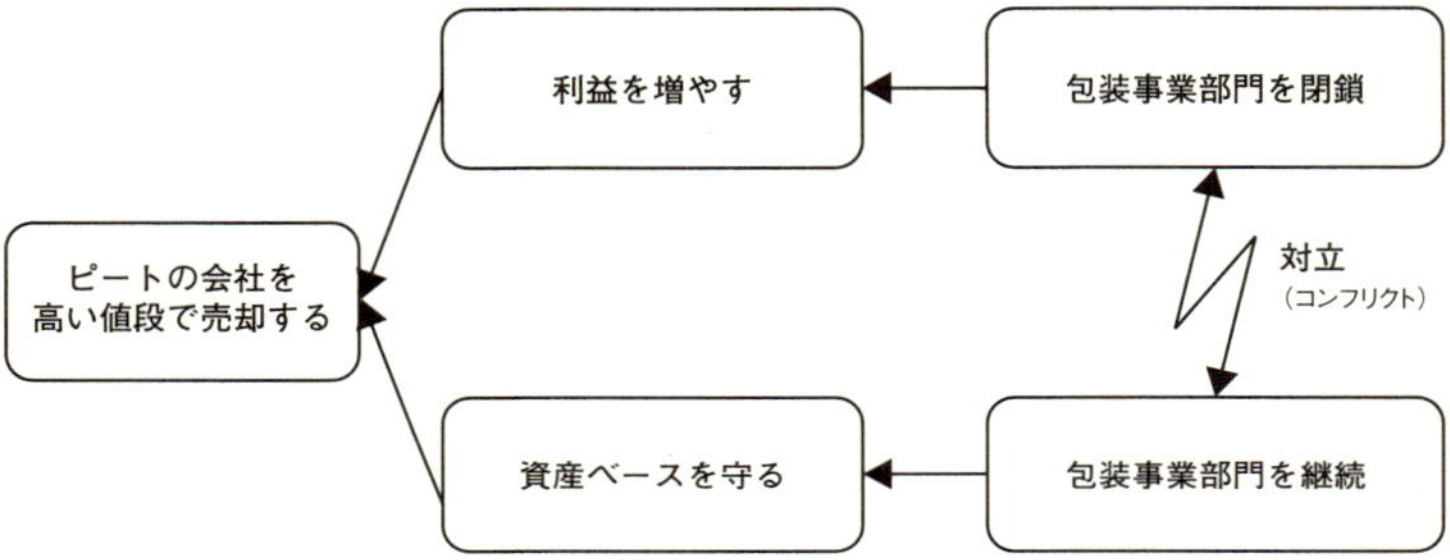

「そのための必要条件は、『**利益を増やす**』こと。そのためには『**包装事業部門を閉鎖**』しないといけない。もう一つの条件は『**資産ベースを守る**』ことで、そのためには『**包装事業部門を継続**』しなければいけない。完璧に対立していますね」ドンが書き出した〈雲〉に、私はさっと目をやった。

出発点としては悪くない。「よし。ドン、今度はいま言った必要条件の背景にある理由を挙げて、本当にそうか検証してみるんだ。ただの思い込みかもしれないからな」

「高い値段で売却するには、利益を増やさないといけない。なぜなら……?」

「なぜなら、利益がどのくらいあるかによって会社の価値が決まるからだ」私は答えた。

「ええ」ドンが言った。「でも、これはどう検証したらいいのか、特にピートの会社の場合、特にそうですね。将来性のある新しい技術や特許でも持っていれば、いまは利益が少なくても構わないかもしれませんが、そんなものはありません」

「続けたまえ」

「高い値段で売却するには、資産ベースを目減りさせるわけにはいかない。なぜなら、さっきと同じですが、資産がどれだけあるかによって会社の売却価格が決まるからです」

私が黙っていると、ドンが話を続けた。

「利益を増やすためには、包装事業部門を閉鎖しなければいけません。なぜなら……損を出しているからです……。そうかっ！」急にドンが声を張り上げた。「包装事業部門を金の成る木に変えればいいんです」

「おいおい」私は冗談につき合っているような気分ではない。

「わかりました」ドンが話を続けた。「資産ベースを目減りさせないためには、包装事業部門を継続しなければいけません。機械は簿価のほうが売却価格より大きいからです」これは検証するまでもない。「最後の矢印ですが……包装事業を閉鎖することと包装事業を継続することは、互いに相反しています。なぜなら、包装事業部門だけを切り離して単独で売却できないからです。いや、もしかしたら、できるかも」

「ああ、もちろんできるとも。そんな買い手を連れてきてくれたら、ついでにブルックリンの橋を二つくらいつけて一緒に売ってやるさ」

「やっぱり駄目かあ」ドンはお手上げといった顔をしている。

「もう一度矢印を辿ってみよう。それぞれの矢印には、たいてい二つ以上理由を挙げることができる。いちばん気に入らない矢印に的を絞ってみるんだ」

「気に入らないやつですか？　それだったら間違いなく『**利益を増やす**』には、『**包装事業部門を閉鎖**』しなければいけない。これでしょう。なぜ閉鎖しなければいけないのか……。なぜなら、損を出しているからです。どうして損を出しているのか……。なぜなら、ボリュームの大きいオーダーを取ってこれないからです。ちょっと待ってください。大きなボリュームで高速印刷機に対抗できないのに、どうして小さなボリュームだったら勝負できるんですか。どこか矛盾しています」

「何かが矛盾しているということではない」私は答えた。「我々のまだ気づいていないことがあるだけだ。悪いが、ピートに電話して探してみてくれないか」

ドンはさっそくピートに電話をかけた。しばらく「はい。はい。そうですか」といったお決まりのやり取りがあった後、ドンが電話を切って「謎は解けました」と言った。「ピートのオフセット印刷機にはメリットが一つあります。セットアップ（段取り）の時間がずっと短いことです。だからボリュームの小さい仕事なら競争できるんです。ボリュームの大きい仕事は、他社の最新鋭機械のスピードに太刀打ちできないので、このメリットも失せてしまいます」

残りの帰り道、私もドンも黙っていた。どうやってピートの〈雲〉を解消したらいいのか、見当がつかなかった。いや、実はわかっている。ピートの会社の利益を増やすには、もう一つ方法がある。業績予測を書き直すのだ。価格が引き下げられて利益が相殺されてしまう可能性はあるが、そんなことはここでは無視すればいい。これだったら利益を倍増させることができる。しかし、そんな汚い手を使うわけにはいかない。

ピートの〈雲〉をどうやって解消したらいいのか、やはりわからない。私も個人的な〈雲〉を抱えている。わかっていることは一つ。これらの〈雲〉を解消しないといけないことだ。しかし、いったいどうすればいいんだ。

4

「ちょっと、上がってきてくれないか?」グランビー会長から内線が入った。

「はい、すぐに参ります」私は足早に会長の部屋に向かった。取締役会の決定にどう対応するつもりなのか、ようやく会長本人の口から話が聞けそうだ。会長がこのまま黙って言いなりになるつもりなどないことはわかっている。

「やあ、アレックス」そう言いながら立ち上がると、会長はデスク脇のソファに私を手招きした。このほうがいい、私は思った。少しはリラックスして話ができそうだ。私はソファに腰を深く沈めた。

「コーヒーか、紅茶でもどうかね?」会長が訊ねた。

「コーヒーをお願いします」ということは、話は少なくとも五分以上はかかるということだ。

「さて、まずはおめでとう。君のグループの業績だが、よく頑張ってくれた。あれだけの赤字を、まさかたったの一年で払拭してくれるとは思っていなかったよ。だが、君の実力を考えてみれば、そう驚くほどのことでもないのかもしれないな。プラント・マネジャーの時にも奇跡を起こしてくれたし、部門マネジャーの時はもっと大きな奇跡を起こしてくれた」

そのとおり、私は奇跡を起こしたのだ、私は心の中でつぶやいた。しかし何の奇跡も起こさず、そここの仕事しかしてこなかったヒルトン・スミスは、私より二年も早く副社長に昇進している。

「それが、私たちの仕事ですから」私はグランビー会長に言った。

「教えてくれないか、アレックス。今年は君に何を期待していいのかな。今度は、どんな奇跡を起こして我々を驚かしてくれるのかね」

「いくつか考えていることはありますが……」私は答えた。「まずボブですが、面白い流通システムに取り組んでいます。うまくいけば、大きな成果が期待できます」

「そうか、それはいい。で、利益のほうはどうだね。どのくらいの利益を予想しているんだね」

「がっかりさせて申し訳ないのですが、今年はいま現在の予想ですら達成できるかどうか疑わしい状況です」

「何と？」そう会長は言ったものの、さして驚いた様子もない。

「市場の価格引き下げ圧力がものすごいんです。こんなプレッシャーはいままで経験したことがありません。すでに予想には織り込み済みですが、実際にはもっと大変なことになりそうです。競争がどんどん激化しているので、全速力で走ってやっと現状を維持できるといった感じです」

会長の秘書がコーヒーを注いでくれなかったら、話はここで終わっていただろう。秘書が部屋から出ていくのを待ってから、会長に訊ねた。「質問させていただいてもよろしいですか。取締役会の決定ですが、どうされるおつもりですか」

「どういう意味だね」

「会長が買収してきた会社を売却しようというんですよ。何とかしないのですか」

「アレックス」会長が言った。「私は、あと一年で引退だ。君に名案でもあれば、何とかできたかもしれないが、いまとなっては、協力するしかないだろう」

ある程度は覚悟していたものの、私はすっかり驚いてしまった。会長が考えていた切り札が、この私だったとは。あの壊滅的な決定を食い止める方法は、もう何もないのか？　そう考えていると、会長の声がぼんやりと聞こえてきた。「トルーマンとダウティーが直接、君の会社の売却にあたることになった」私の表情を見て、会長は話を続けた。「アレックス、実は私にも抵抗しようという気力ぐらいはまだ残っている。一年くらいだったら先延ばしすることはできるかもしれない。だが、それでどうなるというのだ。来年になったら、いずれ会社は売却される。そして私がいなくなったところで、すべて私のせいにされるだろう。どうせ銃弾を撃ち込まれるのだったら、いまのうちに受けておいたほうがましだ。せいぜい撃ち殺されないよう願うよ」

「それで、私はどうしたらいいのですか。これまでどおり、仕事を続ければいいのですか」

「会社のほうはいままでどおりでいいだろうが、君個人にはやってもらうことが山ほどある。トルーマンとダウティーだが、今月末にヨーロッパでミーティングをすでにいくつか予定している。君にも一緒に行ってもらいたい」

「どうしてヨーロッパなんですか」

「投資家の半分はヨーロッパだし、それに国内で売却交渉を始める前に、海外市場だったらどの程度の額で売却できるか目安をつけておいたほうがいい」そう言い、会長は立ち上がった。「君がまた何か驚くようなことをやってくれるかと期待していたのだが、残念だよ。しかし、まあ仕方がない。市場もますます混沌としてきているし、引退するにはちょうどいいタイミングかもしれない。現在の市場に対応できる力は、いまの私にはもう残っていないよ」

ドアに向かう私に寄り添いながら会長が言った。「君も私も多角事業グループの売却に反対なのは同じだ。陰でいろいろ考えている連中もいて、きっとこの時ぞとばかりにいろいろ言い始めるだろう。まあしかし、売却が終わった時に、多少なりとも私にまともな評判が残っているように願っているよ」

会長の部屋を出て、ビル・ピーチの部屋にその足で向かった。彼からもっと詳しい情報を得るためだ。

ビルは笑顔で私を迎えてくれた。「アレックス。ヒルトンの策略には気づいたか？　だけど、いい気味だ。裏目に出て、自分で火の粉を浴びていやがる」

ビルには、彼なりにヒルトンが気に食わない理由がある。ついこの間までヒルトンはビルの部下だったが、いまでは横並びになってしまった。ヒルトンも副社長に昇進して、担当しているグループもビルと同じくらいの規模だ。

「ええ、気がつきました。でも、彼に何か期待していたのですか」

「彼は頭が切れる。実によく切れる。グランビー会長の才覚が衰えてきたのを見て、今度は自分がCEOの座に就こうと、狙いを切り替えたんだ。それくらいのこと、私もちゃんと気がついていなければいけなかったのだが」そう言いながらも、ビルは感心した様子だった。

「ええ、ただ今度はウォール街のプロ連中が相手ですからね。相手にもされないと思いますよ」

「確かに相手にされないだろうな」ビルが声をあげて笑った。「連中にうまく操られて、思いどおりの決議を勝ち取ったと思ったら、すぐに背を向けられて知らんふりだ。奴が考えていた投資計画も目の前でばっさり切り捨てられた。いいざまだ」

「ですが私は、ヒルトンがCEOの座を狙えるような器だとはもともと思っていませんでしたから」私は言った。「ビル、あなたのほうが序列から言えば上だし、それに実績も勝っている」

ビルが私の背を叩いた。「私の実績と言っても、ほとんどは君のおかげだよ。だがなあ、アレックス、私もそれほど馬鹿じゃない。自分がＣＥＯの器でないことぐらいわかっているさ。いまとなっては、そんなチャンスすらないがね」

「どういう意味ですか」私は当惑して訊ねた。

「だってそうだろう。君のグループ会社の売却だが、その買収にあたっては私も大きく関わっていた。だからその非の多くは私にも向けられるんだよ。少なくともＣＥＯの候補に挙がらないことは保証するよ」

これには参ってしまった。「どうして私のグループが、そんな責任の擦《なす》り合いの原因にされなければいけないのですか。以前のような泥沼の赤字状況ではありません。去年は少なからず利益を出しました」

「アレックス」そう言ってビルが微笑を浮かべた。「君のグループ会社を買収するのに、どれだけ金がかかったか知っているのかい」

「いいえ。どのくらいかかったのですか」

「呆れるような金額だよ。会長は多角化にやっきになっていたし、それに覚えていると思うが、買収したのが八九年で、当時は市場が好転すると期待されていた。だがその後、マーケットがどうなったかは君も知っているだろう。好転するどころか、暴落したんだ。いま、売却して手にできる金額の少なくとも倍の金額は払ったと思う。アレックス、買収に関わった人間はみんな多かれ少なかれ砲撃を浴びることになるんだ」

「ビル、ちょっと待ってください」私は言った。「売却されるまでは、帳簿上、会社の価値は買収価格のままです。でも売却したら、その瞬間、その差額全部を損失として計上しなければいけません。おそらくトルーマンもダウティーもそこまで考えていないでしょう」

「馬鹿なことを言うな」ビルが笑い飛ばした。「金のことなら、連中が見落とすはずがない。やっていることはすべて計算済みのはずだ。今年中に売却を済ませ、手元のキャッシュを増やして、来年になったら新しい有能なCEOを外から連れてきて、そして株価を吊り上げる。まあ、そんな段取りだ」

私はしばらく考え込んでしまった。しかし、一つだけ腑に落ちないことがある。「ビル、どうしてそんなに平気な顔でいられるんですか」私は声高に訊ねた。

「リラックスできるからだよ」私の困惑した表情を見て、ビルが言葉を続けた。「自分が次のCEOになれないことぐらい、ずっと前からわかっていた。だけど、ヒルトンがなったらどうしようかとそれだけが心配だった。誰の下で働きたくないかと訊かれたら、ヒルトンの下だけは勘弁してもらいたい。外からやってくる奴の下で働くほうがましだ。ヒルトンの奴、今度の策略でグランビー会長の後押しは絶望的になったし、トルーマンやダウティーがヒルトンを推すこともあり得ない。奴もこれでおしまいさ」

私は自分の部屋に戻るなり、すぐドンに多角事業グループ各社の買収に関する資料を集めるよう指示した。二人でこれを分析した。ビルが言っていた以上に状況は芳しくない。

我々の推測では、ピートの会社の売却価格は高くて二〇〇〇万ドル。実際の買収価格は五一四〇万ドルだった。ステーシー・ポタゼニックが社長をしているプレッシャー・スチーム社の売却価格は、最高で三〇〇〇万ドル。こちらの買収価格はほぼ八〇〇〇万ドルだった。

最悪なのがボブ・ドノバンの会社、アイ・コスメティックス社だ。いまも若干赤字であることを考慮して、資産価値を多少楽観的に見積もったとしても、三〇〇〇万ドル以上の売却価格は望めないだろう。こちらの買収には一億二四〇〇万ドルも払った。そう一億二四〇〇万ドルだ。

グランビー会長がどうして自分の在任中に売却を実行したいかが、ようやく理解できた。買収を言い出したのも、許可したのも会長本人だからだ。合計約二億五五〇〇万ドルだ。それ以降も、他に三〇〇〇万ドルほど買収に費やした。買収以降、これらの企業からだけで、新たに合計八六〇〇万ドルの損失が発生している。それなのに売却して回収することができるのは、わずか八〇〇〇万ドル程度なのだ。確かに大きな誤算だった。

「いいか、ドン。マーケットを読み間違えると、こんなことになってしまう。グランビー会長もそうだが、なぜみんな黙って避難所に逃げ込んでいるのかがわかった。下手をすると自分が潰されてしまうからだ」

「私たちはどうなるのですか」

「心配するな。最悪の事態になっても、君にはちゃんとした仕事を見つけてやる。心配はいらない。とりあえず自分たちのことは少し横に置いておこう。いま、心配しないといけないことが他にあるからな」

「派手なギャンブルは、ラスベガスやウォール街だけの話だと思っていましたが」ドンが驚いた表情で言った。

「ああ、でもとにかく、その話もいまは横に置いておこう」そう言って、私は近いうちにヨーロッパに出張に行くことをドンに伝えた。

「出張の前にグループ各社の社長とミーティングをされてはどうですか」ドンが訊ねた。

「そうだな。ミーティングは各社、間隔をあけてセットしてくれ。一社当たり半日は時間をとりたい。さてと、まずは出張にどんな資料が必要か考えないといけないな」

出張までにドンに用意してもらうもののリストを書き出したのだが、二人で二時間近くかかってしまった。今回の出張は、いろんな意味で身軽な旅というわけにはいかないようだ。

5

「二週間後に、ヨーロッパに行くことになったよ」私は努めてさりげなく言った。

「すごーい！」シャロンが椅子から飛び上がった。「お土産にハードロックカフェのTシャツ買ってきてね」

「何日ぐらい行ってくるの」ジュリーはあまりいい顔をしていない。

「一週間ぐらいだよ」私は答えた。「うちの会社を買ってくれそうなところに行くんだ」

「そうなの」そう言うと、ジュリーの顔はなおさら渋くなった。

「ねえ、私のTシャツは？」

シャロンには、探してみると返事はしたものの、もちろん、私のスケジュール次第だ。

「デイブ、おまえはどうなんだ。何か買ってきてほしいものはないのか」私は訊ねた。

「何もないよ」そう言って、デイブは微笑んだ。「その代わり、父さん。使わせてほしいものがあるんだけど……。出張している間、父さんのクルマを使わせてもらえないかな」

意表を突かれた。デイブは私のクルマに熱を上げていて、運転させてもらえるチャンスを狙っている。正当な理由があれば、私も許可している。しかし、まるまる一週間貸してくれだと？　とんでもない。

「ガソリン代はちゃんと払うからさ」慌ててデイブは付け足した。

「それは、どうも」

「一万マイルの点検ももうすぐだろ、それも僕がやっておくよ」

懸命に訴えてはいるもののあまり説得力はない。一年ちょっと前に運転免許を取って以来、デイブはクルマに夢中だ。勉強しているより、自分のポンコツを分解しては組み立てている時間のほうが長いだろう。とりあえず、せっかくの夕食が台無しにならないように、「考えておくよ」とだけ答えると、それ以上デイブはねだってこなかった。デイブはいい子だ。後の時間は、出張で行くフランクフルトとロンドンについて話が弾んだ。子供たちが生まれる前に、ジュリーと二人で行ったことがあった。子供たち、特にシャロンは、私たちのロマンチックな思い出を聞きたがった。

夕食後、私はテレビをつけたが、特に面白いものもなかったのですぐに消した。ジュリーは鼻歌を歌いながら、仕事のファイルの整理をしている。

「退屈だな」私は言った。「どこかに出かけないか?」

「もっといい考えがあるわよ」そう言いながら、ジュリーが微笑んだ。「あなた、やることがあるでしょ」

「やること?」

「ええ、デイブに約束したことがあるでしょ。『考えておく』って言ったじゃない」

ジュリーに任せておけば、どんな潜在的な問題でも円満にWin‐Win(ウィン・ウィン=双方にとって都合がよい状況)に解決してくれる。「考えておく」と相手に答えたら、その時点で相手に対して義務を負ったことになる、そうジュリーは言っているのだ。考えておくことがどんなことであっても、しっかり時間をとって考えると約束をしたことになるのだ。

「確かに、いい考えだな」人に言われなければ、デイブのリクエストなどちゃんと考えもしないだろう。

もう一度デイブのほうから話を持ち出さない限り、この話はそれで終わるはずだった。仮にまた持ち出してきたとしても、西部劇に出てくるガンマンのように、軽く撃ち倒して終わりにするだけだ。だが、私はジョン・ウェインではない。軽く撃ち倒すどころか、下手をして自分の足を撃ち抜きかねない。

妙なものだ。私は人との約束は真面目にとりあう人間だ。「考えておく」などと言ったら、たいてい相手が後から返事を求めるぐらいのことは、ちゃんと承知している。しかし、恥ずかしいことに、わざわざ時間をとって本当に真面目に考えたりすることなどめったにない。

自分が何を考えているのか、それを言葉ではっきり相手に伝えるのが難しいということだけではない。他人の考えを批判するのが、どうも苦手なのだ。人の考えを批判すれば、相手から逆襲を受け、しこりが残る。単なる批判より建設的な批判のほうが厄介だ。人をさらに苛立たせる。

こうした微妙な状況をWin-Winシチュエーションに変える方法をジョナから教わった。それなりの努力と検証が必要とされるが、確かに効果はある。ジョナの手法は魔法のようにうまくいくのだが、そう簡単ではない。だから、私も「考えておく」という言葉は慎重に使うようになった。ただ、まだまだ慎重さが足りないようだ。

「じゃ、ジョナに教えてもらったとおりにやってみるか」私は言った。「私の出張中にデイブにクルマを貸して、何かいいこと、ポジティブな面は？　何も思いつかないな。デイブは運転はうまいし、あの年齢にしては責任感もあるほうだが、だからといって私の新車を使わせてくれというのは、やはり……」そう言いながら、私は半ばやけっぱちに『**点検が予定どおり行うことができる**』と書いた。

「もっと説得力のあること、何かないの？」ジュリーは面白がっている。

「はっきり言って、ないな」私も笑った。しかし、他に何かあってもよさそうなものだ。でなければ、デイブにはっきり駄目と言っていただろう。

ジュリーが同じことを言った。「だったら、どうしてあの時、はっきり駄目って言わなかったの」

「デイブの反応が気になったからだよ。きっと傷ついただろうし、子供扱いされているって感じたかもしれない」

「そうね」ジュリーが答えた。「あの年頃って、父親に自分が信頼されているって感じることが大切よね」

「そこまでデイブを信頼しているかどうかはわからないがね」と言いながらも、私は『**親子の信頼関係を強める**』と書いた。

「他には？」

「それだけで十分だろう。理由としては十分だ。さて次は、悪いこと、ネガティブな面だな。こっちはもっと簡単だ。きっと、たくさんあるぞ」

ジュリーが笑った。「こういう時、たいていどういう結果になるか知ってる？　書き出す前はいくらでも理由があるように思えるけど、いざ書き出してみると意外に少ないものよ。たいていは取るに足らない言い訳にすぎないの」

「よし。本当にそうか、やってみよう。僕は違うと思うけどね」

「じゃ、書いてみて」

私は迷うことなく、最初に頭に浮かんだ理由を二つ書き出した。『**一、クルマが傷つくリスクが高い。二、事故を起こしてデイブが怪我をするリスクが高い**』

「ちょっと待って」ジュリーが言った。「さっき、デイブは運転がうまいって言ってなかった？　時々、クルマを運転させてあげてるじゃない。それに、クルマに傷がつくのがそんなに心配なら、どうしてダウンタウンなんか運転するのよ」

私はしばらく考え込んだ。確かに、そんなことが心配なら空港の駐車場にでもクルマを置いておけばいい。「君の言うとおりだ、ジュリー」私は最初の理由を消した。

次は二つ目の理由だ。私のクルマのほうが、デイブのポンコツよりずっと安全であることは認めざるを得ない。私はこちらの理由も消した。

ジュリーが私に向かって微笑んだ。「ほらね。理由を書き出して、一つひとつ検証してみると、多くは根拠もない偏見だっていうことがわかるのよ」

私はまだ納得していない。デイブに自分のクルマを使わせるのには、やはり抵抗がある。誰か他の人と共有することなど嫌なのだ。あのクルマは私の物だ。「もう一つある、今度は間違いない」私は大きな声で言った。「『**デイブが私のクルマを使うのに慣れてしまう**』。いや、この言い方は十分じゃないな」これを消して、『**デイブが私のクルマを使って当然だと錯覚してしまう**』と書き直した。

「そうね、子供ってすぐに何でも当たり前と思ってしまうわね」ジュリーも同意した。「一週間も自由に使わせたら、もう一人オーナーが増えたようになるかもしれないわね」

「それは、大きなマイナス面だ」

「もう一つあるわよ」ジュリーが付け足した。「あの子、メキシコまでドライブしていくっていう夢を持っているの知ってた？ あなたがヨーロッパに出張する週だけど、ちょうど学校が春休みよ」

「私のクルマでメキシコまで行くって言うのかい？」私は椅子から飛び上がった。「そして向こうで動けなくなって、私が救援に行かないといけなくなる」私の頭の中にそんなおぞましい光景が生々しく浮かび上がった。

「何て書くの」ジュリーが訊ねた。

「出張を切り上げて、デイブの救援に戻る」

「大袈裟よ」

「ジュリー、万が一、デイブがメキシコのどこか片田舎で身動きが取れなくなって、親のサインでも必要になったら、君が行ってくれるかい。デイブはまだ、未成年者なんだ」

「遠慮させてもらうわ」

メキシコか、まったく大したことを考えてくれるもんだ。「他には？」

「いちばん大切なことがあるでしょ」ジュリーが言った。「『**親子の関係が悪化する**』っていうのがあると思うけど？」

私は書き出した理由を一通り眺めてみた。数は少ないが、これで用は足りる。ここからがお楽しみだ。ネガティブな理由をいくつか予想してみたわけだが、デイブにクルマを貸すと、どうしてそのネガティブにつながるのか、その原因と結果の因果関係を証明しなければいけない。

ジョナはこれを〈ネガティブ・ブランチ〉（Negative Branch）と呼んでいるが、その構築がなかなか楽しい。表現も書き直してみた。後でデイブに見せるつもりだが、彼に屈辱感を与えないようにソフトな表現で、なおかつ説得力もなければいけない。この書き直し作業がまた楽しかった。おかげでいい感じで夜のひとときを過ごすことができた。これでデイブとの対決準備オーケーだ。

会社のほうも、こう簡単に問題を解決できればいいのだが……ふと私は思った。

It's Not Luck

Ⅱ 昔の仲間

6

「今日の予定は?」私はドンに訊ねた。

「ボブと八時半に、ステーシーと一二時に打ち合わせがあります。二人ともお待ちです」

「二人とも? いや、いい。二人とも中に入れてくれ」

ボブ・ドノバンとステーシー・ポタゼニックはよき友人だ。私がプラント・マネジャーだった時、二人とも私の下で働いてくれていた。ボブは製造課長、ステーシーは資材マネジャーだった。共に工場の建て直し方を学び、共にジョナから会社の経営手法を学んだ。部門マネジャーだった時も、二人は私の下でキーメンバーとして働いてくれた。多角事業グループを任された時は、各社のあまりの惨澹たる状況に、ボブをアイ・コスメティックス社の社長に、ステーシーをプレッシャー・スチーム社の社長に、私が推薦した。二人とも私より年齢は若干上だが、それが互いの関係に影響を与えたことはない。

ステーシー、ボブの順に部屋に入ってくると、ボブが後ろから笑顔で言った。「副社長! ヨーロッパ出張の準備はできましたか」

「いや、まだだよ。でも君たちが助けてくれれば、すぐに準備オーケーだ」私も微笑み返した。

「何か必要なものがあれば、おっしゃってください。すぐに用意しますから」ステーシーが言った。

信頼できる古きよき友はいいものだ。「それじゃ、奇跡でもひとつ頼むかな」冗談めかして私は言った。

「軽いもんじゃないですか」ボブが高笑いした。「奇跡と言えば、私たちの代名詞みたいなものじゃありませんか」そう言うと、ボブはステーシーに向かって話を続けた。「副社長だったら、きっといい方法を思いつくって言っただろ」

「私だって、これっぽっちも疑ったことないわよ」彼女が応えた。「それじゃ、副社長、聞かせていただきましょうか」

「聞かせていただきましょうって、何を？」

「副社長の計画です」二人が声を揃えて言った。

「多角事業グループを売却しないように、どう取締役会を説得するかです。ドンは何も教えてくれなかったので……」ステーシーが続けて言った。

二人の顔を見つめた。二人とも私に絶大な信頼を寄せている。どう答えていいのかわからず、訊き返した。「何をそんなに心配しているんだい」

「決まってるじゃないですか」ステーシーが微笑んだ。「私たちは保守的な人間で、変化が嫌いなんです」

「そのとおり」ボブも言った。「それに、どこに副社長のような上司がいるというんです。副社長のように何でも自由にやらせてくれる、そんな太っ腹な上司なんかそうはいませんよ」

「お褒めにあずかり、どうも。だが、真面目に答えてくれ。何でそんなに心配しているんだ。君たちは超一流のマネジャーで、ジョナのテクニックも熟知している。どんな上司がきたって、口出しさせないで、これまでどおり自由にやらせてもらえるはずじゃないか。それとも納得させる自信がないのかね」

「これは何かのテストですか？」ステーシーが単調な声で訊ねた。

「まあ、落ち着けよ。ステーシー」ボブが言った。「副社長が何を言いたいのか、わからないのかい。私たちにがっかりしてるんだよ。副社長が何を考えているのか、訊かないと答えがわからない私たちにがっかりしてるんだよ」ボブは私のほうを向いて、話を続けた。「さて、それでは、質問していただきましょうか。私たちが自分たちで答えを見つけるまで、これから私たちにいろいろ鋭い質問をされるわけですよね、いいでしょう」

ドンが身を乗り出した。彼にも、どんな計画があるのか何度も訊ねられたが、そんな計画などないと言っても信じてもらえなかった。

「もう一度、さっきの質問を言ってもらえませんか」ステーシーがにっこりした。

本当に計画などないのに、まずいことになってきた。簡単に逃れられそうにない。「ユニコ社で働くことが、どうしてそんなに特別なのかね」私は訊ねた。「もしユニコ社が君たちの会社を売り飛ばすことに決めたら、何が心配なんだ?」

私の質問に二人は、しばらく考え込んだ。しばらくしてステーシーがためらうように答えた。「副社長が私たちの上司でいてくれる限りは、確かに何も心配なんかありませんが……」

「お世辞はよしてくれ。もっと真面目に考えてくれないか」

「私は真面目です。いいですか、副社長も私たちの置かれている状況はわかっているはずです。会社を任されたのもほんの一年ほど前で、その時の会社の状態もご存じでしょう。しかしそんなことは知らない、どうでもいいと思っている人間や、私たちの仕事のやり方を理解できない人間が上にきたら、チャンスなんかあると思いますか」

ボブが続いた。「数字を見れば、私の会社がまだ損を出していることや、ステーシーの会社にしてもやっとのことで利益を出している状態であることはわかります。そうしたら、どういうことになるかおわかりですか。一斉にコスト削減に走り、私たちもコスト至上主義の世界に引き戻されてしまいます。私たちは辞めさせられ、そして会社はなくなるという次第です」

　ドンもうなずいている。みんな、私にいったい何を期待しているのだ。何をしてくれというのだ。彼らのボスというだけで、答えをちゃんと用意していると思っている。どうして、そんなふうに思い込めるのだ。

「もし私たちの会社が十分な利益を上げていれば、まったく別の話になっているんでしょうが」ステーシーが続けた。「私たちのことは、放っておいてくれると思います。儲かっていれば、誰も口出ししないはずですから。でもボブが言ったように、いまはまだそんなところまでいっていません」

　彼女の言うとおりだ。「もっと利益を上げていればだ……」私はステーシーの言葉を繰り返した。

「もっと利益を上げていればって、それが解決策ですか？」ステーシーが驚いた口調で言った。「もしかしたら本当に奇跡が必要なんですか」

「時間はどのくらいあるんですか」ボブが訊ねた。

「どのくらいとは、いつまでのことだ」私は訊き返した。

「会社が売却され、オーナーが変わって、別のボスの下で働き始めるまでです」

「三か月以上ある」私は答えた。

　ステーシーが笑った。「どこかで聞いたことのあるような話ですね」

「ああ、しかし今度のほうがましだ。前より多少時間はある、三か月以上あるからな」ボブが皮肉っぽく言った。

　前とは、みんなでベアリントンの工場で一緒に働いていた時のことだ。当時、ベアリントン工場は、ひたすら赤字を垂れ流す状態で、その工場を建て直すのに、きっかり三か月だけ時間を与えられた。建て直すことができなければ……。そんな時、ジョナに会って彼から〈思考プロセス〉（Thinking Process）を学んだ。そして不可能を可能にした。わずか三か月で本当に工場を建て直したのだ。

「私たちにできるでしょうか」ドンがおずおずと訊ねた。

自信はないが、ボブとステーシーにチャレンジしてみる気があるのなら、私も全力を尽くすつもりだ。いずれにしても、我々には他に選択肢がない。

「ドン、あなたは副社長と働き始めてから、まだそれほど長くなかったわね」ステーシーはそう言うと、私のほうを向いた。「それじゃ副社長、最初は何からですか。現状確認ですか」

「そうだな」私は答え、ボブの顔を見た。「君からだ」

私に促されて、ボブが話し始めた。「流通の方法について〈論理ツリー〉を構築しましたが、覚えていますか。あれを実際に導入してみたんですが、意外にも、これまでのところ特に大きな問題は起きていません。中央に流通センターを作って、各地のストックの再編も開始しました。これまでのところ、特に問題なしです」

「よし、そうか。よかった。製造のほうはもう対応済みで、流通もオーケーか。で、次は何だね」

「技術です」ボブが自信満々に答えた。「だけど三か月では無理です。もっと時間がかかります」

「次は販売じゃないんですか」横で聞いていたドンが、驚いた声で訊ねた。

「いや、販売じゃない」ボブが答えた。

「どうしてですか。市場が制約条件のはずでは？　改善努力もうまくいって、生産高を倍増させるに十分な余剰生産能力ができたと思っていましたが。今度はいかに販売するかが問題なのでは？」

「ドン、君の言うとおりだ」私が口を挟んだ。「ボブの問題はいかに販売を増やすかで、制約条件は市場にある。しかし市場に制約条件があるからといって、コアの問題が販売にあるということにはならない。販売の伸びを妨げている大きな原因は、社内の別のところにあるのかもしれない」

「そのとおり」ボブが言った。「だから次は技術なんだ」

ボブはこちらを向き、話を続けた。「いいですか、我々の化粧品ビジネスでは販売を増やすためには、いや現状を維持するだけでも、常に新しい商品を開発していかなければなりません。以前でしたら、いい商品であれば四、五年はもったのですが、いまじゃそうはいきません。現在はまるでラットレースのように、毎年一つは新商品を出さないといけません」

「そんなに？」私は言った。

「これでも控えめなほうです。おそらく今後は、もっとひどくなるでしょう。とにかく、新商品をそれだけのペースで出していくには大きな問題があります。研究開発が思うようなペースで進まないし、それにあまり当てにできないんです。たとえ、製品が完成して生産を開始したとしても、技術の連中が言う〝完成〟と製造の連中が言う〝完成〟の意味が違うんです。実際に生産を始めてから、いろいろな問題が浮き彫りになってくるんです。

技術の連中もいまは研究室にいるより製造フロアにいる時間のほうが長いと思います。こんな状況なので、販売にもいろいろ影響が出てきています。販売店で実際に販売している商品と、新商品の宣伝の歩調を合わせるのに苦労しています」

「それだったら、どうして流通なんかに時間をかけていたの」ステーシーが訊ねた。

ボブがステーシーのほうを向いて言った。「販売店が抱えている在庫を入れないで、完成品の在庫が三か月分もあってね。そんな状況で既存の商品に取って代わるような新商品を出したら、どういうことになるかわかるかい、どれだけの在庫を無駄にしないといけないか」

「想像がつくわ」ステーシーが答えた。「既存商品の在庫が全部無駄になる。いつ新商品を出したらいいのか、あるいは果たして新商品を出すべきかどうか決めるのも大変な仕事ね。こっちはそんなこと心配しなくていいから、助かってるわ。私のところの商品はそう頻繁には変わらないから」

「前からそう言っているじゃないか」ボブが笑った。「俺がプレッシャー・スチームの社長になればよかったんだ。そのほうが似合っている」

性格だけではない。ボブの風貌もそうだ。まるで蒸気機関車のような風貌だ。

「ステーシー。どうだい、交代しないかい」

「ボブ、こっちだってそれなりの苦労はあるのよ。そんな気軽に言わないで、本気にするわよ」みんな笑った。

「よかったら、もっとあなたのところの流通システムについて話を聞かせてくれないかしら」私がうなずくと、ステーシーが続けた。「一方で流通センターを作って、もう一方で在庫を減らすためにいろいろやってきたわけでしょ。もう少し、よく理解したいの」

「いいだろう」ボブが答えた。「私のところでは、全国の何千もの販売店に対し約六五〇〇種類の商品を提供している。以前は約三か月分の在庫を用意していたんだが、それでも十分ではなかった。販売店がうちに注文を入れる時は、一アイテムだけでなく何種類ものアイテムを一度に注文してくるけれど、だいたいいつも在庫を切らしていて足りないアイテムがいくつかあってね。全アイテムをまとめて出荷できるのは、注文全体の三〇パーセントぐらいだけだった。不足したアイテムは後から出荷するんだが、そのためにどれだけコストがかかるか想像してみてくれよ。

でも新しいシステムを導入して、いまでは販売店からの注文に一日以内で対応できるし、注文全体の九〇パーセント以上については、注文されたアイテム全部を一度で出荷できるようになった。在庫は急激に減っていて、いずれ六週間分程度の在庫で落ち着くと思う」

「どうやって、そんな奇跡を起こしたの」ステーシーが驚いた顔をして訊ねた。

「簡単なことだよ。以前は在庫を全部、各地の倉庫に置いておいたんだ」

「なぜだね」今度は私が訊ねた。

「例の部分最適化のせいですよ。工場もプロフィットセンターとして扱われ、それぞれ採算を問われていたんです。各工場にしてみれば、一度出荷した在庫はもう自分の管轄外で、あとは流通部門の問題になるんです」

「正式な評価基準で言うと、そういうことになりますね」ドンが言った。

「ああ、だがそのせいで厄介な問題が起きるんだ」ボブが答えた。「製品が工場から出荷されたその瞬間、工場の帳簿上は売上げが立つ。だから、工場で製品が完成したその日のうちにいずれかの倉庫に出荷されるのは想像してもらえると思う」

「当然、そういうことになりますね」ドンがうなずいた。「それをどう変えたのですか」

「在庫を作った工場にそのまま置いておくことにしたんだ。各地の倉庫には、二〇日以内に販売が予想されるものだけを置く。各地の倉庫へは三日おきに在庫を補充するから、それで十分なんだ」

「ちっともわからないんだけど」ステーシーは当惑顔だ。「どうしてそれで、在庫が減るのに、注文が納期内に出荷できるようになるの。私には関係がよくわからないわ」

「簡単なことだよ」今度は私が答えた。「統計だよ。一軒一軒の販売店が各アイテムをどれだけ販売するかは、おおざっぱにしかわからない。一〇〇個売れたかと思ったら、次の日はゼロのこともある。我々の予想は平均値を基準にしているんだよ」

「ええ、それならわかります」

「それじゃ、一軒の販売店の販売予想と一〇〇軒分の販売店の販売予想を合計した数字のどちらのほうが正確かな」私は訊ねた。

「一〇〇軒分合計したほうです」ステーシーがすぐに答えた。

「もちろん、そのとおりだ。数が多ければ多いほど、予想精度は増す。数学的な理論で言えば、販売店の数が多ければ多いほど、予想値の精度は合計する販売店数の平方根に比例して増す。つまり、在庫の多くを二五ある各地の倉庫から工場に移すことで、予想精度は五倍増すことになる」

「副社長、ずいぶんと統計学に詳しいんですね」ボブが言った。「私には少し難しすぎるので、私なりの方法で説明させてもらいます。ステーシー、いいかい。いままでのように各地の倉庫に出荷する方法だと、平均して三か月分の在庫が存在することになる。つまり在庫は工場から出荷されてから、平均して三か月後に販売されることになる。違うかい？」

「売れる製品を作ればだけど。でなければ三か月以上かかるわ」ステーシーが言った。「でも、わかった。工場で製品が完成してすぐに出荷していた時は、三か月後に各地で何が売れるか予想を立て、それを基準に倉庫に出荷していたわけね。でもその予想はあまり正確じゃないし、それに六〇〇以上の商品を扱っていたわけでしょ。どんなことになっていたか、だいたいの想像はつくわ」

「商品の数が多いだけじゃない。各地に倉庫が二五もあるんだ」ボブが言った。

みんながうなずいたところで、ボブが話をまとめてくれた。「販売店からの注文を倉庫から出荷しようとすると、いつも必ず足りないアイテムがある。しかし、実はちゃんとあるんだ。それもたくさんある。だが、あるのは別の倉庫なんだ。それからが大変だ。倉庫からは工場に、すぐ出荷してくれとリクエストが出る。しかしすぐ手に入らない場合は、別の倉庫に問い合わせる。こうした倉庫と倉庫の間のクロスシッピングが信じられないくらい多い。これが恐ろしく多いんだ」

「信じられるわよ。三か月先の商品を工場から出荷していたら、どんなことになるか、そんなことすぐにわかるじゃない。同じ商品が、ある倉庫には山ほどあるのに、別の倉庫にはほとんどない。なるほどねえ。地区ごとで予想を立てるのはやめて、在庫は製造した工場にそのまま置いておこうっていうことね」

「在庫の合計が大きくなるからだよ」私が言った。「そのほうが、予想精度が増す」

「だけど、各地に倉庫はやっぱり必要よね」思慮深げにステーシーが言った。

「ああ」ボブが答えた。「販売店からの注文には迅速に対応しないといけないし、配送コストも抑えたいからね。さもなければ、注文を一つずつ工場から販売店に直接、出荷しないといけない。配送業者は喜ぶだろうがね」

「そうね。でも倉庫にどのくらいの在庫を抱えておくかは、どうやって決めたの」ステーシーが訊ねた。

「いい質問だ。タダじゃ教えられないな」顔を緩ませながら、ボブが言った。「でも実は、とても簡単なんだ。物理的な制約条件にどれだけのバッファーを用意しないといけないか、前に一緒に苦労して考えたじゃないか。あの時の考え方を参考にしたのさ。ステーシー、君も私と同じくらいボトルネックの前に在庫のバッファーを置くことには十分すぎるほど神経をつかうほうだと思う」

「ええ、そうね」

「それじゃ、ボトルネックのバッファーサイズはどうやって決めるんだい」

「そんなこと、ベアリントン工場時代、一緒に考えたじゃない」ステーシーが微笑んだ。「バッファーのサイズは二つの要因によって決定される。予想消費量とそれを補充するためにかかる時間よ」

「そのとおりだ」ボブが言った。「うちの流通システムでも、まったく同じことをやったんだ。各地の倉庫を物理的な制約条件、つまり販売店に対するバッファーと見なしたんだ。各地域のストックのサイズは、君の言うように、それぞれの地域の販売店による消費量と、その補充に要する時間によって決定される。この場合は、工場からの配送時間、あるいは出荷の間隔のいずれか大きいほうの約一・五倍になる。ベアリントンで一緒に考えたのは製造現場のためだったけど、それを今度は流通に使ってみたわけだよ。もちろん必要に応じて修正させてもらったけど」

「それで?」ステーシーが言った。

「工場から倉庫への出荷は三日おきにして、ほとんどの地域の場合、配送に要する時間は四日だから、各地区の倉庫には翌週の実際の売上げをカバーするのに十分な在庫が必要になる。ただ、四日先に何が売れるか正確にはわからないし、地域によっては販売店の売上げもずいぶんとバラツキがあるので、気をつけないといけない。覚えていると思うけど、在庫を持っていない損失のほうが、在庫を必要以上に持っている損失よりも大きい。だから各地の倉庫には、それぞれの地域における平均販売高の二〇日分の在庫を用意しておくことにしたんだ」

「多少、神経過敏になるのはわかるが……。一週間分を三週間分に増やすのは神経質というより、ほとんどヒステリーだな」私は言った。

「私のことは、よくご存じじゃないですか」ボブが笑った。「これまで、ヒステリーだなんて言われたことはありませんよ」

「だったら、どうして二〇日分なんだ」

「販売店の注文の仕方のせいです。一度にたくさん注文してくるんです」ボブが答えた。「以前は、うちも他の会社も約束どおりに納品できないことがしょっちゅうだったので、販売店もそれに慣れていたんでしょう。在庫不足で売上げを逃すわけにはいかないので、すぐに売れる商品だけを最低限用意しておくだけでは駄目なんです。六か月先の分まで注文してくるところもあるし。こういう時はもちろん、倉庫からの需要が急激に増えます。でも各地には販売店がたくさんあるので、結局、一週間ごとの合計消費量はそう急激に変動することはありません。でなければ二〇日分でも足りないかもしれません」

「もし販売店が、実際に売れた商品の補充分だけを注文してくれたら、あなたももっと楽よね」ステーシーが同情するように言った。「販売店は説得してみたの?」

「もちろん」ボブが答えた。「流通担当のマネジャーから販売店に手紙を出して、商品は毎日補充できることも伝えたんだが、まだほとんど利用されていないよ。新しいことを始めるのは、やはり時間がかかる。何十年もやってきた仕入れ方法を変えさせようっていうんだから、そう簡単にはいかないよ」

「それじゃ、どうして二〇日分で十分だってわかるの」ステーシーが訊ねた。

「ただの経験じゃなくて、計算をもとに出した数字なんだ」ボブが説明した。「販売店からの注文のパターンを考えると、二〇日分の在庫で九割方の注文に迅速に対応できるんだ。いまはまだ新しいシステムへの移行途中なんだが、すでに各地の倉庫は一週間に二回補充している。しかしまだ倉庫には在庫がたくさん残っていて完全には減っていないので、注文の九九パーセント以上はすぐに出荷できる。だけど、本当はそこまでは必要ないんだ。注文した商品の九〇パーセント以上をすぐに納品できれば、残りの一〇パーセントの商品は、販売店のほうも一週間ぐらいは待ってくれる。

これまでに比べれば、販売店にとってはまさに天国だよ。事実、販売店をあまり甘やかさないように、わざとパフォーマンスを九〇パーセント程度に落としたこともあるんだ」ボブが胸を張った。「まあ、とにかく在庫を二〇日分まで減らしても危険なことはない。いずれにしても、あと四、五か月したらちゃんと結果が出るよ」

「いま現在は、各地の倉庫にどのぐらいの在庫があるのですか」ドンが訊ねた。

「もう四〇日程度にまで減っているが、いまもまだ減り続けている。もちろん時間が経てば、そのペースもスローダウンするがね。以前の収拾のつかない状態の時は、九か月分以上の在庫を抱えていた商品もあったよ」

「悪くないな」私は言った。「納期内の注文出荷率を三〇パーセントから九〇パーセントに増やす一方、在庫は九〇日分から四〇日分に減らした。それがいまもなお減り続けている。なかなかじゃないか」

「四〇日分というのは、いま現在、倉庫にある在庫のことです」ステーシーがご丁寧にも教えてくれた。わざわざ教えてくれなくても、わかっていることだ。「各倉庫への商品の補充時間が、配送時間だけで済むように、中央の流通センターである工場にも完成品を余分に用意しておく必要があります。在庫を切らしていて補充時間が長くなるようなことは避けなければ」

「そうなんです」そう言いながらボブが笑った。「完成品の総在庫が二〇日分だけで済めばいいんですが、そうはいきません。工場の在庫ですが、ここでも同じことをやっています。この場合の補充時間は、工場の生産能力によって決まります。去年は改善努力もあって、この時間を大幅に短縮することができました。工場に置いてある完成品の在庫はおよそ二〇日分ですが、これで十分です」

「なるほど」ステーシーが話のまとめに入った。「以前は、三か月先の予想に頼って、製品が完成したらすぐに出荷していたわけね。必要な商品が必要な場所にないのも無理はないわね。それをいまは販売店が実際に商品を売った時にだけ、その地域に補充商品を出荷する。賢明ね。でも、もうちょっと考えさせて」彼女はまだ完全に消化できていないようだ。「もっと詳しく〈論理ツリー〉を説明してくれないかしら」

「ああ、もちろん喜んで」ボブの顔が輝いた。

その傍らで、ドンはすっかり面食らっている。まったく理解できない話なのだろう。ボブの〈論理ツリー〉の話は聞いたこともないし、ステーシーのようなロジスティックスのエキスパートでもない。

「何か、質問はあるかね」私はドンに訊ねた。

「たくさんあります。特に配送コストがどうなったのか興味があります」

「いまは定期的に各地の倉庫への補充を行っている」ボブが苛立ちを抑えながら説明を始めた。「おかげで、配送はトラックだけで済むようになった。それに、少ない量をわざわざ飛行機で倉庫まで配送する必要もないし、倉庫間で製品をやり取りする必要もなくなった。当然、配送コストは下がったよ」

「なかなか話が尽きないな」私は横から口を挟んだ。「どうだ、このへんで昼食でも？　ステーシー。昼食の後、今度は君の会社の番だ。いいかな？」

「もちろんです。副社長」

7

結局、彼らとは昼食を共にしなかった。考える時間が欲しかったからだ。ボブのところではすでに在庫が三〇日分も減って、いまだに減り続けている。工場の運営面から見ると、まったく理に適ったことなのだが、実は大きな問題がある。完成品の在庫を減らすと、短期的ではあるが利益が減ってしまう。

帳簿上、在庫はそのコストで計上されている。コスト会計でいうコストのことだ。つまり原材料のコストだけではなく、原材料コストに付加価値（作業費と間接費）を合計した金額が記される。完成品の在庫が減少する際、減少した在庫のこの付加価値部分が損失として扱われるため、利益が縮小してしまうのだ。

ボブの会社の場合、この損失はどの程度の金額になるのだろうか。売上げ約五〇日分の在庫が減るとして、年間の売上高が約一億八〇〇〇万ドルということは、五〇日分でおよそ二五〇〇万ドル。帳簿上、完成品は販売価格ではなくコストで計上されるため、在庫が二五〇〇万ドル減ったとは記されない。在庫の減少額は約一七〇〇万ドルということになる。利益は、この数字から原材料に支払った金額を差し引かないといけない。仮にそれが七〇〇万ドルだとしたら、なんと一〇〇〇万ドルも損失が発生することになる。

私は努めて冷静さを保った。もちろんこれは数字上の話で、コスト会計によって歪曲されているだけだ。この損失は、後で本物のお金によって十分埋め合わされることになる。在庫の無駄が減った分節約できるし、売上げも増えるであろうから、その分埋め合わされるはずだ。しかし、そんなことをどうやって買い手に説明したらいいのだ。理解してもらえたとしても、そんな素振りは見せないだろう。理解できないふりをすることで、買収価格を大幅に引き下げることができるからだ。

何かプラス面はあるだろうか。まずは余分な古い在庫が減る。在庫が減れば、新しい商品を投入しても、すぐに旧モデルの商品の在庫を償却する必要がなくなる。金額にしたらどの程度だろうか。私はボブたちが作成した予算表にざっと目を通した。償却しなければいけない完成品の在庫は一八〇〇万ドルという予想だ。なるほど、しかし、この金額は在庫が減った場合のシナリオを織り込んだうえでの数字だろうか。昨年の実績を見てみよう。同じ一八〇〇万ドル、織り込まれていないようだ。昨年の数字をそのままコピーしただけのようだ。

在庫が約五〇パーセント減れば、余分な旧モデルの商品はそれ以上の割合で減る。特に、在庫が各地の倉庫に分散されているのではなく一個所にまとめられている場合のほうが、新製品の投入具合をモニターするのが容易なためだ。

それがいったい何を意味するのかだが、償却しなくていい分だけ利益が増える。仮に一か月当たり一〇〇万ドルとすると、年間では一二〇〇万ドルになる。会社の売却を先送りにすればするほど、この金額は増える。もし年末まで先送りできれば……それは無理な話だが。

いずれ買収側は拡大鏡を使ってでも、細かいところまでチェックしてくるに違いない。どんな手を使って先に引き延ばそうとしたところで、二、三か月後にはどうせやってくる。クソッ、最悪のタイミングだ。ちょうど在庫が減って、その効果がまだこれからっていう時じゃないか。

いったい、どうしたらいいのだ。あと一息でブレイクイーブンという会社と、一億八〇〇〇万ドルも売上げがあるのに損失を一〇〇〇万ドル以上も出している会社を売却するのとでは、まったく話が別だ。以前の流通システムに戻せとでも、ボブに言ったらいいのか。とんでもない、そんなことをしても何の役にも立たない。ボブとステーシーの言うとおりだ。会社が売却されるまでに、利益を大幅に増やす方法を見つけなければ、我々の命運はそこで尽きてしまう。私も彼らも、それにこの会社もだ。すべてが葬り去られてしまう。

いますぐ販売を増やす方法を見つけなければいけない。それしか手はない。しかも正攻法では駄目だ。ピートは、最新鋭の印刷機が必要だと言っているが、それは無理だ。ボブのところでは、技術の改善が必要だと言っているが、そんなことをやっている時間もない。もっと即効性のある手を打たないと駄目だ。しかし、とんでもないプレッシャーを背負わされたものだ。どうして放っておいてくれないのだ。

みんなが昼食から戻ってきた。

「副社長」ドンがまず話を始めた。「昼食を食べながら、みんなでボブのところの新しい流通システムが利益にどういう影響を及ぼすか話し合ってみたんです」

「大変なことになるな」私はさりげなく言った。

「知っていらっしゃったんですか?」先を越されたとでも思ったのか、ドンはややがっかりした表情を見せた。

「おいおい、副社長が気づかないとでも思っていたのか」ボブはドンを一蹴すると、私のほうを振り返った。「どうしたらいいと思いますか。無視すべきか、あるいは中央の流通センターの在庫をもっと増やすべきか。生産能力は余っているので、増やすことは簡単にできますが」

私はしばらく黙って考え込んだ。各地の倉庫とは異なり、流通センターの在庫を増やしても、販売店のニーズには迅速に対応できる。新製品の投入には多少影響があるかもしれないが、さほどでもない。一方、帳簿上も特に影響はなさそうだ。いまの歪められた在庫評価方法でも、特に悪影響はない。

「いや駄目だ、ボブ。やっぱりやめておけ」私は言った。

「そう言われるだろうと思っていました。副社長が、楽な方法を選んだり、数字だけで見せかけをよくしようとするような人でないことはわかっていますから。一応、聞いておこうと思っただけです」

「そうか、ありがとう。よしステーシー、次は君の番だ」

「意外かもしれませんが、全体的には、ボブのところと大差ありません」彼女は説明を始めた。「私のところにも余剰生産能力がずいぶんあります。ボブのところよりも多いと思います。問題はやはり販売ですね。

ご存じとは思いますが、私の会社の販売先は、販売店ではなく、高圧蒸気を使用するメーカーなどの企業です。この業界でも新しい技術が次々と開発され、新しい製品も投入されていますが、化粧品業界とは比較になりません。一〇年前からデザインがまったく変わっていないものもあります。問題は、競争が非常に激しいため、顧客を獲得するためにはまず設備本体を原材料のコストだけで客に提供しなければいけないことです。利益は追加設備やスペアパーツの販売で上げています。それでも結構な儲けにはなりますが」

「スペアパーツの在庫はどうですか。在庫の量は適切ですか」ドンが訊ねた。

「いいえ、全然」ステーシーが首を横に振った。「工場中がスペアパーツで山積みになっているんだけど、必要なパーツが必要な所になくて、クライアントにいつもせっつかれているわ」

「ボブの流通システムを真似てみてはどうですか。少しは役に立つのでは？」

「ええ、だからさっき〈論理ツリー〉について訊いたのよ。ボブのところとは状況がずいぶん違うから、変えないといけないこともたくさんあるけど、でも使えると思うわ。たとえば、クライアントのリクエストに九〇パーセントすぐ対応できたとしても、それではまだ不十分なの。クライアントがこの部品が必要だと言って、すぐにそれを届けることができなければ、クライアントの仕事を止めてしまうことになるわ。いまのところ九五パーセントは迅速に対応できているけど、これを一〇〇パーセントに限りなく近づける必要があるの。

私たちなら、できるはずよ。まずは各地の倉庫の在庫レベルをもう一度検証してみないといけないわね。ボブのやり方を参考にすれば、大幅に改善できるはずよ」そう言うとステーシーは私のほうを振り返った。

「でも、スペアパーツのサービスを改善しただけでは、販売の問題解決にはなりません。強力な打開策が必要なんです」

「スペアパーツは結構儲かると言いませんでしたか?」ドンが遠慮がちに訊いた。

「ええ、そうよ」ドンの様子を見て、ステーシーが急かした。「どうしたの、言ってみなさいよ。こういう時は、あなたのような部外者のほうが結構いい考えを思いつくものよ。私たちは、いまのやり方に慣れすぎていて気づかないのよ」

「大したことではないんですが」ステーシーに促されてドンが話を続けた。「設備本体を原材料コストで販売するのは、まず顧客を獲得するためだと思うんですが……」

「それもあるわ」

「ということは、クライアントに設備本体を販売した会社が、スペアパーツの販売についても、その客を独占できるということですか」ドンの声には自信が増していた。

「そのとおりよ」ステーシーが答えた。「どのメーカーもデザインが違うから、一度、設備本体を購入したら、追加設備やスペアパーツも同じメーカーから買わないといけなくなるの」

「競合会社のデザインを手に入れることはできないんですか。技術的には他社の製品を作ることも可能だと思うのですが。それほど大差ない製品を作ることができると思います」

「言いたかったのはそんなこと?」ステーシーは失望感を露わにした。「質問の答えだけど、他社のデザインを手に入れることは可能よ。それにそんなことはとっくの昔に考えたわ。それでどうしろと言うの?」

「他社のクライアントにスペアパーツを販売できないかと思って」ドンの声から自信が失せていた。「でも、それもとっくに考えられたんでしょうね。何かうまくいかなかった理由でもあるのですか」

「簡単なことよ。どうして他社のクライアントが、わざわざ私たちから買わないといけないの。値段が安いから?」

「ええ、まあ」ドンが答えた。「でも、もし値段を下げたら、他社も同じことをしてくる、そして最後は価格戦争に突入ということですね」

「価格戦争だけはなんとしても阻止しないといけないわ」ステーシーがきっぱりと言った。

「すみません、くだらないことを考えて」

「別にくだらなくはないわ」ステーシーがドンに微笑んだ。「ボブの流通システムと同じようなシステムを導入して、スペアパーツの供給でも確固たる評判を築くことができれば、あなたの考えも使えるかもしれないわ。でも、そうした評判を築くには何年もかかるわ。三、四か月では無理よ」

「みんな、聞いてくれ」私はゆっくりとみんなに向かって言った。「いまの私たちに必要なのは、強力なマーケティングの方法だ。他社と差別化を図って、我が社の製品をより魅力的なものにしないといけない。

そのためのアイデアが必要だ。ただし、すぐに実行に移せるものでなければいけない」

「そうですね」ステーシーがうなずいた。「でも、価格を下げるようなリスクはとれません」

「つまり……」私はステーシーの言葉を補った。「いまある製品をそのまま活かしたアイデアでなければいけない。多少の変更なら加えても構わないが、大きな修正を要するものは駄目だ」

「そうです」ボブが言った。「何かいい打開策が必要です」

「そのとおり」そう言って、私は心の中でつぶやいた。それも三つだ。グループ三社それぞれに一つずつ要る。

8

夕食がもうほとんど終わりかけた頃、デイブが例の話を持ち出した。「父さん、それでクルマは？」デイブが訊ねた。

家に帰ってきたらすぐに訊かれると思っていたのだが、少しは忍耐力もあるようだ。おそらくジュリーに、一休みして夕食が終わるまでは待ちなさいとでも言われたのだろう。なぜだか、私は苛立ちを感じた。

「クルマがどうした？」私は答えた。

「父さんがヨーロッパを旅行している間、クルマを使ってもいい？」

「旅行？」

「ごめん、旅行じゃなくて出張だったね。父さんがいない間、クルマを使ってもいい？」

どうも息子の口ぶりが気に入らない。お願いしているというよりは、使わせろと命令するような口調だ。

「使わせなければならない理由を教えてくれないか」

デイブは黙ったままだ。

「どうなんだ？」デイブに答えを急かした。

「使わせたくないんだったら、いいよ」デイブは、つぶやくように言って視線を皿に落とした。

これで一件落着だ。デイブにクルマを使わせるのはやはり抵抗があるし、使わせる義務もない。これでいいのだ。

　ジュリーとシャロンは別の話題で盛り上がっているが、デイブと私は黙ったまま食事を続けた。まずい、これでいいわけがない。心配していたとおりの結果になってしまった。息子は顔をしかめ、傷ついている。いちばん厄介なのは、父親とコミュニケーションをとるのは不可能だと思い込んでしまうことだ。デイブはまだティーンエージャーだ。

「ガソリン代は自分で払ってクルマの点検も済ませておいてくれるんだったな？」少し間をおいてから私は言った。

　うつむいていたデイブは視線を上げて、私の顔を見た。

「ああ、言ったよ」ためらうように答えた。それからデイブはまるで息を吹き返したように私にまた訴え始めた。「母さんがシャロンをどこかに連れて行かないといけない時も、僕が代わりに運転するよ」

「なかなか考えたな」私は笑った。「そうやって母さんとシャロンを味方につけて、父さんを孤立させる作戦だな」

「そんなつもりはないよ」デイブの顔が赤くなった。

「ちょっと待って」こんな機会をシャロンが見逃すはずがない。「兄さん、本当に運転してくれるの？　やったー！　デビーにも教えてあげなくっちゃ。でも、信じないだろうな」

「おい、おい、まだ当てになんかするなよ」デイブが冷めた口調でシャロンに言った。「まだ、クルマを貸してくれるって父さんは言ってないもん」

「パパ、お願い。ねえ、いいでしょう」まさにデイブの期待どおりの援護だ。

「そうだな、どうするかな」

「でも、考えるって約束したじゃないか」デイブが不満げに言った。

「ああ、言った」

「だからさあ……」

「心配していることが、いくつかあるんだ」

「心配って？」デイブの表情に落ち着きがない。

「デイブ」私は堅い口調で言った。「確かに考えると約束したし、それにちゃんと考えたよ。でも、おまえにもわかると思うが、父さんは心配なんだよ。その心配をなくしてくれれば、クルマを使わせてもいいんだが、父さんの心配なんて自分には関係ないというなら、考える余地もない。父さんの言うこと、わかるかい」

「ああ、父さん」デイブが小さな声で答えた。「それで、心配ってどんなこと？」

「見せたいものがある」そう言うと、私は書斎にメモを取りに行った。キッチンに戻ってきて私は最初のページをデイブに手渡した。「これはおまえにクルマを貸してどんなメリットがあるのか、ポジティブな結果を書き出したリストだよ。これにもう一つ足さないといけないな」私は言った。「シャロンの運転手になるって約束したんだったな」

「ああ、でも僕にとってポジティブかどうかはわからないけど……」ぼそりとつぶやき、デイブはリストを大きな声で読み上げた。「『親子の信頼関係を強める』」しばらく考え込んだが、少し間をおいてから言った。「つまり約束したことは、どんなことがあっても守らないといけないっていうことだね」ため息をついた。「正しいと思うよ。それで父さん、心配なことって何なの」

「最初のは、もう解決済みだけど、一応もう一度見ておこうか。父さんがヨーロッパに行くのはちょうど春休みの時で、おまえがメキシコに行きたがっていることはみんな知っている」

「パパ、それは心配いらないわ」シャロンが横から口を挟んだ。「兄さんは毎日、私の運転手になるって約束したんだから。私に任せておいて、私がちゃんと見張ってるから」

「おい、シャロン、そんなこと言うなよ」デイブが言った。「でもわかったよ、父さん。遠出はしないから。約束するよ」

ほっと一息ついて、私は次のページを開いた。「読んでくれ」デイブに言った。「いちばん下の枠の中のステートメントから」

「『**出張中、デイブはクルマを自由に使うことができる**』」デイブが声を出して読み上げた。

困惑した顔でシャロンが訊ねた。「もう、兄さんにクルマを貸すことに決めたの?」

「そうじゃないよ」デイブが言った。「もし僕にクルマを貸したら、どんなデメリットがあるのか、ネガティブな結果について考えてみようっていうだけさ」

「そうなの?」

「続けて読んでくれないか」私はデイブを促した。

「『**父さんは長い間家を留守にする**』」リストを読み上げながら、デイブが言った。「一週間じゃ長くないよ」

「あなたにとっては長くなくても、お父さんとお母さんにとっては長いのよ」ジュリーが言った。

「わかった、余計なことは言わないよ。じゃあ次にいくよ。『**長い間、デイブは好きな時にクルマを使うことができる**』」

「いや、そうじゃない」私は言った。「ただリストを読み上げるだけじゃ駄目だ。〈論理ツリー〉なんだか

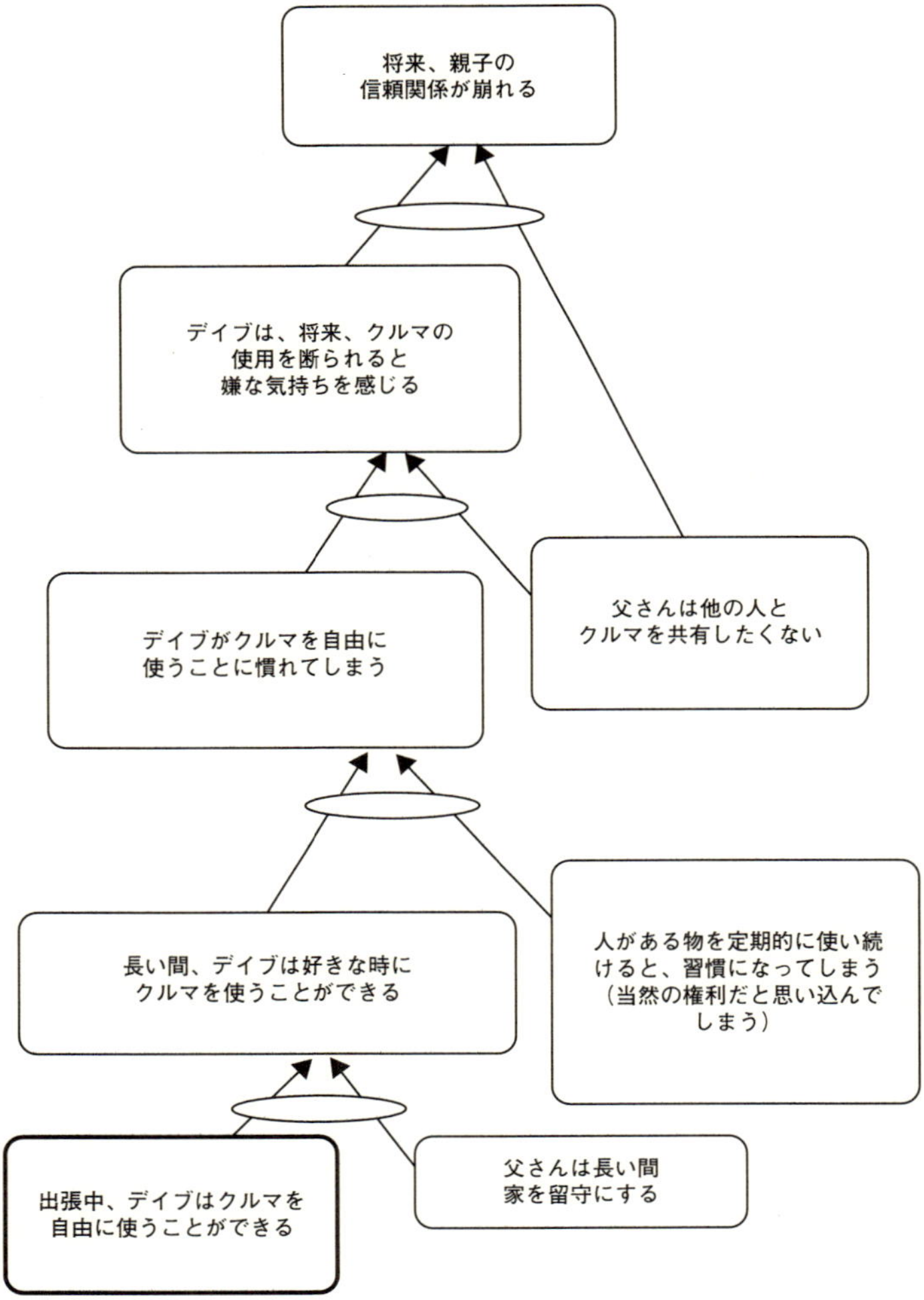
将来、親子の
信頼関係が崩れる
デイブは、将来、クルマの
使用を断られると
嫌な気持ちを感じる
デイブがクルマを自由に
使うことに慣れてしまう
父さんは他の人と
クルマを共有したくない
長い間、デイブは好きな時に
クルマを使うことができる
人がある物を定期的に使い続
けると、習慣になってしまう
（当然の権利だと思い込んで
しまう）
出張中、デイブはクルマを
自由に使うことができる
父さんは長い間
家を留守にする

ら、矢印の順に『もしこれこれならば、なになにだ』っていう、“If－Then”の読み方をするんだ」私はいちばん最初のステートメントを指さして、正しい読み方を披露した。「もし『**出張中、デイブはクルマを自由に使うことができる**』かつ……」そう言ったところで、私は二つ目のステートメントに指を移した。「……かつ『**父さんは長い間家を留守にする**』のであれば……」ここでまた私は指を一つ上のステートメントに移した。「……『**長い間、デイブは好きな時にクルマを使うことができる**』」

「当たり前だね」デイブの反応はそれだけだった。

「じゃあ、その先を読んでくれないか」デイブにそう言って、ジュリーの顔を見て微笑むと、彼女もにっこりしてきた。私もジュリーもジョナの言葉を思い起こしていたのだ。「相手が『当たり前だ』とか『常識だ』などと答える時は、ちゃんと相手とコミュニケーションがとれている証拠だ」

デイブが先を続けて読んだ。「『**人がある物を定期的に使い続けると、習慣になってしまう（当然の権利だと思い込んでしまう）**』」

「違うかな？」私は訊ねた。

「まあ、普通はそうだね……。次を読んでもいい？」

「ああ、でも原因と結果の因果関係がわかるように、ちゃんと読んでくれないか。“If－Then”を使って読むんだ」

「もし『**長い間、デイブは好きな時にクルマを使うことができる**』かつ……」デイブはゆっくりとした口調で読み始めた。「……もし『**人がある物を定期的に使い続けると、習慣になってしまう（当然の権利だと思い込んでしまう）**』としたら、『**デイブがクルマを自由に使うことに慣れてしまう**』。父さんの心配はわかったよ。でも……」

「デイブ」私は息子の言葉を遮った。「そんなことはないってすぐ約束するんじゃなくて、これがどんなに重要なことなのか、よくわかってほしいんだ。ちゃんと最後まで読んでくれないか」

「わかったよ。じゃあ次のを読むよ。**『父さんは他の人とクルマを共有したくない』**」

「ちゃんと、"If－Then"を使って読んでくれ」

「もし**『デイブがクルマを自由に使うことに慣れてしまう』**……」デイブは気の抜けたような声で読み続けた。「……かつ**『父さんは他の人とクルマを共有したくない』**としたら、**『デイブは、将来、クルマの使用を断られると嫌な気持ちを感じる』**」

「間違っているかい？」

「間違ってないよ」デイブはうなずいた。「どうしてそうなるか、わかるよ」

「それで、どう思う？」

「べつに」デイブは答えた。「いま何を言っても、父さんには僕が問題を無視しようとしているようにしか聞こえないだろうから」

わざわざ時間をかけてこんなに詳しく書いたのに、これが息子の返事か。まあ仕方ない。デイブに解決策を提案しようと思った時、ジュリーが私に目配せした。喉まで出かかった言葉をのみ込んで、代わりに「ゆっくり考えればいい、デイブ。出張は来週だから」とデイブに告げた。

デイブは、何か言いたいことがあるのか、魚のように口を開けては閉じ、開けては閉じを何度か繰り返した。しばらく間をおいてから意を決したのかデイブが言った。「だったら、しばらく父さんのクルマを使わないって約束したら？　たとえば二か月」

二か月は長すぎる。それにデイブがそんな約束を守れるとは思わない。とにかく息子は、私のクルマに夢中なのだ。

「どうしてそんなことをして、問題解決になると思うの」ジュリーがデイブに訊ねた。

「簡単なことだよ」デイブが答えた。「一週間、クルマを自由に使って慣れてしまったとしても、二か月も乗らなければ、また元に戻るんじゃない？」

「あなた、どう思う」

「二か月は長すぎるだろう。一か月で十分だよ」

ジュリーは自分の仕事のファイルを取り出して、〈論理ツリー〉作りの作業をしている。クライアントの問題を理解したり解決したりするのに役立つのだそうだ。ツリーを使えば、クライアントと三、四回会うだけで、危うくなった夫婦関係を修復できることもあるし、何か月も問題を引きずらなくてすむのだ。カウンセリング料を一件いくらでなく、一時間いくらで貰っているのだから、早く問題を解決してしまうと、それだけ儲けが少なくなるのではと私が指摘すると、ジュリーは笑いながら、長々と埋め尽くされたクライアントの順番待ちリストを見せてくれた。

彼女も仕事でずいぶん忙しそうだが、ストレスは溜まっていない。いつも忙しいが、必要な時間は取ってくれる。

仕事の愚痴をこぼすジュリーの横で、私は書類の整理をしている。こんな穏やかな夜が私は好きだ。ステレオからは、サイモン&ガーファンクルの音楽が流れている。子供たちは、それぞれの部屋でもうぐっすりと寝込んでいることだろう。

「デイブのことだけど、見事に裁いたわね」ジュリーが私ににっこり微笑んだ。

「ただの取引さ」私は微笑み返した。

「どういう意味？」ジュリーは怪訝な顔だ。

「ジュリー、勘違いしないでくれよ。デイブの件は、自分の決定に満足している。デイブは私にクルマを貸してくれと頼んだ、それで私はクルマを貸すことにした。それだけのことだよ」

「あなた、本当は後悔しているんじゃないの？」ジュリーがやんわり訊いてきた。

「いいや、全然。満足しているよ」

ジュリーは私の頬にキスをして言った。「でも、〝それだけのことだ〟なんてことはないと思うけど」

私はしばらく考え込んだ。息子に欲しがっているものを与えたくないということではない。心配しているのは、それ以外のことだ。デイブが私のクルマを使うのに慣れて自分の物のように思ってしまうとか、そういったことだ。一応は手を打ったので、その心配はもういらない。メリットもある。ジュリーの雑用は減るし、シャロンも別にうらやましがることなく賛成してくれた。

「君の言うとおりにしてよかったよ」ジュリーの肩を軽く抱いた。「まさかデイブが自分から二か月もクルマを使わないなんて言い出すとは思ってもいなかったよ。二週間だって無理だと思っていた。解決案をこっちから無理やり押しつけないで、ネガティブ・ブランチをはっきりと示すだけでいい。ジョナのアドバイスが的中したわけだ。もしこっちから提案していたら、きっとデイブはアンフェアで屈辱的な要求だと受け取ったに違いない」

ジュリーはにっこりうなずいた。「ジョナの手法は確かに効果があるわ。いつもWin-Winで解決できるもの」

「僕も君のように考えられればいいんだけど」私は静かな声で言った。「会社でもいっぱい問題があって

〈雲〉だらけだよ。Win-Winで解決できるのが、一つでもあるのかどうか」

「もっと会社のこと、話してくれない」ジュリーも静かに言った。

私は何と言っていいのかわからなかった。ここでわざわざ会社の愚痴をこぼすこともないだろう。ジュリーに余計な心配をかけても、惨めになるだけだ。

「それで、会社を守る方法は思いついたの？」

「いや、まだだよ」ため息まじりに、今日ステーシーやボブと話し合った計画について説明した。「藁にもすがる思いだよ」私はそう締めくくった。

「どうして？」

「ジュリー、そんな短時間に売上げを劇的に増やすマーケティング方法が見つかると思うかい？」

「必ずしも無理とは思わないけど」何とか私を励まそうとしてくれている。

「ああ、確かに」私はうなずいた。「でもやっぱり無理だろうな。新商品があるわけでもないし、宣伝にかける予算も全然ない」一呼吸おいて話を続けた。「それに一つだけじゃない。グループ三社それぞれのマーケティング方法を考えないといけない。不可能だよ」

「そんなことないわ、まったく不可能なんてことはないわよ」ジュリーはきっぱりと言った。「難しいとは思うけど、まったく不可能なことではないでしょ」

「おいおい……」

「ねえ、聞いて。ジョナが教えてくれた手法は、そういう時のためのものじゃないの？　もう何も打つ手がないと思った時のためでしょ。もう諦めるしかないっていう時の」

「アレックス」ジュリーは続けた。「私にはわかるわ。私も毎週そんな問題ばかり目にしてるのよ」

「ほう、そうなのかい、少しも知らなかったよ」大きく出たねえ、お嬢さん。私は眉を吊り上げてみせた。

「私じゃなくて、クライアントのことよ。もう夫婦関係の修復なんか不可能に思えるカップルだっているわ」ジュリーは私の顔をじっと見つめて言った。「あなたと私の違いがわかる？　あなたはまだジョナの手法をこれまでほとんど使ったことがないでしょ」

私は抵抗したが、ジュリーは手を緩めない。「ええ、部分的には毎日使っていると思うわ。でもフルに使ったことはあるの？　ジョナの手法をフルに使って、困難な状況を分析したり、Win-Winに問題を解決したことがあるの？」

先月、流通システムの問題解決に使ったばかりだ、と言いたいところだが、やったのは私ではない。ボブと彼のスタッフだ。

「私は仕事でいつも新しい問題に直面するから、〈思考プロセス〉はいつもフルに使っているわ」ジュリーは執拗に迫ってくる。「だから、どれだけ効果的かわかっているの。簡単じゃないわよ。一生懸命努力しないといけないけど、効果はあるわ。あなたもわかってるでしょ」

私が返事をしないのを見ると、ジュリーは畳みかけるように言った。「アレックス、前に作り出したソリューションがいまでも使えると思っているかもしれないけど、それは違うわ。いまの状況に適したソリューションをもう一度作り上げないと」

「どういう意味だい？」じりじりしてきた。「新しいマーケティングの方法を見つけるための手法でもあると言うのかい？　そんな手法を僕が開発できるとでも言うのかい？」

「ええ、そのとおりよ」

私は黙ったまま答えなかった。

9

「包装事業の利益をパッケージ事業の利益より多くする方法を思いつきました」ピートは興奮を隠し切れない。私も同じだ。

昨年、包装事業は四〇〇万ドルの赤字を出した。その影響で、会社全体の利益は一〇〇万ドル未満に落ち込んでしまった。もしピートの言うように、包装事業部門の利益を他の部門と同じくらいにまで引き上げるマーケティング方法が見つかったなら……、いやブレイクイーブンできるだけでもいい、そうしたら利益は五〇〇万ドルだ。

信じられない。そんなうまい話があるのか。何としても会社を売却させるものかとピートが無理やり考えた案で、リスクも大きいに違いない。

「最初からちゃんと説明してくれないか。ゆっくりでいいから」私はピートに向かって言った。「じっくり吟味させてもらうよ」

「ええ、お願いします」ピートは大きな笑みを浮かべた。「きっかけはドンとの電話です」

「私の電話？」ドンが訝るような顔をした。「大して参考になるようなことは言わなかったと思いますが……」

「そんなことはない」ピートが声を高めた。「大いに参考にさせてもらったよ」

「そう言ってくださるのは嬉しいのですが……」ドンの顔にはありありと当惑の様子がうかがえた。「副社長の前で褒めてくれるのは、ありがたいのですが……。でも覚えているのは、大きなボリュームで高速の印刷機に勝てないのに、どうして小さなボリュームで勝てるのか、訊いたことぐらいです」

「それだよ！」ピートはドンがとまどっているのを楽しんでいるかのようだ。「あきらかに勝てないとわかっている勝負のことでくよくよしてもしょうがない、自分たちのメリットを活かすしかない、と君が気づかせてくれたんだよ」

「はあ」とうなずいたものの、少し間をおいてドンが言った。「いや、やっぱりわかりません。セットアップを速く行うことができても、どうやって大きなボリュームで競争できるのですか」

「ドン、そういうことじゃない」私は言った。「大きなボリュームで勝負しようということじゃなく、自分たちのメリットを活かせるマーケットに集中しようということだ。とにかくよかったじゃないか、ピート。大きなボリュームでなければ利益を上げられない。その考えさえ拭い去ることができれば、小さなボリュームでも十分利益を得られるマーケットがあることに気づくと思っていたよ。それで、どんなマーケットなんだ？」私は喜び勇んで訊ねた。

ピートは黙ったまま、気まずそうな顔をして咳払いした。私は思わず笑い出してしまった。ピートが言わんとしていることがよくわかっていないのはドンではなく、どうやら私のようだ。それも大きく外してしまった。「わかった。ピート、君のその画期的なアイデアとやらを聞かせてもらおうじゃないか。セットアップの速さを活かして、どうやって大きなボリュームのマーケットで勝負できるんだ。相手はハイスピードの最新鋭の機械だ」

「簡単なことなんです」ピートが答えた。「いや、実際にはそう簡単なことではありませんが、まずはクライアント側の〈雲〉をボードに書いてみます。いいですか」

「ああ、やってみてくれ」

ピートはホワイトボードにクライアントの〈雲〉を書き始めた。「客は、それぞれ自分の会社の購買方針に沿って仕入れ活動をします。つまり、できるだけコストを抑えて買い付けようとします。ただし、大がかりなセットアップが必要な場合、購入コストを抑えるには大量に注文するしか方法はありません。コストを抑えるには大量に注文するしかないわけです」

「当然だな」

「しかしその一方で……」ピートが話を続けた。「在庫も減らさないといけません。どの企業も在庫をたくさん抱えることについては、だんだん厳しくなってきていますから。これについては特に説明する必要もないと思いますが……」

「ああ、結構だ」私は答えた。

「つまり、在庫を減らすためには、一度に注文する量は少なくして、注文する回数を増やさなければいけません」これで〈雲〉が完成だ。

「コンフリクトは明らかですね」ドンが言った。「でもやはり、安い値段で購入するほうが優先されるのでは」

「そのとおり」ピートが答えた。

「それを変えなければいけない理由でもあるのですか」ドンが続けて訊ねた。

「おそらく」ピートが答えた。「我が社のクライアントの場合、市場の競争が激しくなればなるほど、将来の予想が難しくなってその精度も落ちる。その結果、大量に注文すると、大きなリスクを抱えることになる。政府の規制も、我々にとっては大きな助けになる。たとえば、食品メーカーだが、食品の内容物を包装に表示しなければいけない。しかしその表示規制が変わると、その度に抱えている包装の在庫すべてが使えなくなってしまう。それともっと重要なことだが、激しい競争にさらされて、メーカーも何とか消費者に訴えようと頻繁に新しいマーケティング・キャンペーンを実施している。そういったキャンペーンの場合、たいてい包装の印刷内容に何らかの変更があるんだ」

「社内の情報伝達がそんなに悪いんですか？　購買担当者に新しいマーケティング・キャンペーンについて情報が伝えられないんですか？」ドンが訊ねた。

「情報伝達がいいとか悪いとかいう問題じゃなくて、市場の変化に迅速に対応しなければいけないということなんだ。新しいマーケティング・キャンペーンを立ち上げるのに、準備期間が二、三か月しかないこともしばしばだ」

「つまり、今後は少ない量を注文することについてもクライアント側の抵抗感が減ってくるかもしれない、それを期待しているわけですね」ドンが言った。

「イエスともノーとも言える。実は、この傾向はもうすでに始まっていて、今後さらに増えてくると思う。しかし、増えてくるのを悠長に待っている時間は私たちにはないんだ。自分たちから打って出ないといけないんだ」

「どうやるんだね」私は訊ねた。

「クライアントの〈雲〉を私たちが消してあげればいいんです」ピートが答えた。

なるほど、もっともなアプローチだ。「それで、〈雲〉のどの矢印を崩せばいいんだね」私は訊ねた。

「**『低コストで仕入れるには、大量に注文しなければいけない』**というところです」ピートが答えた。

「そうか、わかった。説明を続けてくれ」ピートを促した。

「ちょっと待ってください」ドンが割って入った。「とりあえず、いまの矢印を試しに消してみて、ピートのソリューションを検証してみませんか」

「いい考えだね」ピートが微笑んだ。「他にもいろいろソリューションを出して検証してみれば、私の考えが正しいことをわかってもらえると思うよ」

ピートはよほど自信があるようだ。頼もしい限りだ。

「この矢印の仮定は、**『セットアップ時間が長いため、低コストで仕入れるには、大量に注文しなければいけない』**ということですが、この仮定をどう崩したらいいのですか」ガイドラインに従ってドンが〈雲〉を消す作業に取り掛かった。「ピートのところはセットアップ時間が比較的短いし……、ちょっと待ってください、どうして他の人と同じような考え方をしないといけないのですか、どうして印刷にかかる時間によって価格を決めないといけないのですか。余剰生産能力が大量にあるわけですから、原材料コストを上回る価格であれば、リソースに何もさせないで遊ばせておくよりいいのでは？」

「ドン、価格競争でもやれと言うのかい」ピートは信じられないといった顔をしている。

「いいえ、とんでもない。そんなことは言っていませんよ」ドンは興奮を隠しきれない。「私が言っているのは、大きなボリュームだったら他社の価格に合わせることができるのではということです」

ピートが何か言いかけようとしたが、ドンが間髪入れず話を続けた。「確かに印刷機のスピードは遅いかもしれませんが、余剰生産能力を大量に抱えているわけですから、できないことではないでしょう。うまくいくと思います。クライアント側では、注文するバッチのサイズを小さくしろというプレッシャーがますます強くなっているわけですから、きっとうまくいくはずです。あとどのくらい利益を増やすことができるか計算してみましたか？　余剰生産能力にも上限があることは頭に入れておいてください」

「答えはそんなことじゃないな」私はドンに向かって言った。

「どうしてですか？」

「まず、大きなボリュームで他社の価格に合わせたとしても、どうしてクライアントが小さなボリュームで注文するようになるのかわからない。単価はやはり、大きなボリュームのほうが小さなボリュームより低いはずじゃないのかね」

「確かに、そうですね」ドンが間違いを認めた。「しかし、それでもいまのソリューションでうまくいくと思います。大きな注文で競争できて、なおかつ小さなボリュームで他社より安い価格を提供できれば、大きなメリットになるはずです。買うほうにしてみれば、仕入れ先が少ないほうがいいわけですから」

「ドン」私は苛立ちを抑えながら言った。「君のソリューションでは、クライアントの〈雲〉を消すことはできない。ピートのソリューションはもっと別のことのはずだ。それに余剰生産能力があって値段を引き下げることができるからそれを使って問題を解決しよう、などとピートがわざわざここまで説明しにきたとは思えない。彼だったらもっといいソリューションを考えているはずだ。違うかね、ピート」

「ええ、もちろんです」そう答えると、ピートはドンのほうを振り返った。「価格を他社に合わせて下げるのは大きなリスクを伴うし、それに私のところには包装事業から利益を出すに足る余剰生産能力もない」

「価格を他社に合わせて下げるのが、どうして大きなリスクを伴うのですか」

ニヤリとしながらピートが答えた。「ドン、あるクライアントが人気商品のお菓子の包装を大量に注文するとしよう。このクライアントがあまり人気のないお菓子の包装も少量注文するとしよう。どういうことになるか考えてみてくれ。同じクライアントだよ」

ドンは黙ったまま考え込んだ。ピートも私も彼の反応を待った。

しばらくしてドンが口を開いた。「そうですねえ、買う側はボリュームが大きければ大きいほど、単価も下がると思うはずです」

「そのとおり」ピートが言った。「それが鍵だよ」

「つまり、買う側は我が社の価格と他社の価格を比べるだけでなく、我が社の大量注文の単価と、小さい注文の単価も比べる。なるほど、わかってきました。大量注文の単価を下げれば、クライアントはそれに応じて小さい注文の価格引き下げも迫ってくる。すでに他社より価格が低い場合でも、そうなるわけですね」

「やっとわかったな」そう言って、ピートが微笑んだ。「買う側は、価格を一つ下げたら他も下げろと言ってくる。そんなことにつき合っていたら、商売にならない」

「確かにそうですね」ドンが言った。「でも私には、他のソリューションが思いつきません。副社長はどうですか」

「そうだな……。いま検証しているのは**『低コストで仕入れるには、大量に注文しなければいけない』**というやつだな。大量になればなるほど価格を引き下げることができる、その結果、利益が増える。この仮定をどうやって崩すかだな」

しばらく考えてもいいアイデアは思いつかなかったが、ふとある言葉が頭に浮かんだ。〝利益〟だ。利益は企業にとってパフォーマンスを測る一つの指標にすぎない。しかし、もう一つ重要な指標がある。キャッシュフローだ。時として利益より重要な役割を果たすことがある。

「ピート、君のクライアントの中にキャッシュフローで苦しんでいるところはないかね」私は訊ねた。

「あります。もちろん全部ではありませんが、キャッシュフローで苦しんでいるクライアントは何社かあります。それを利用して高い価格を払わせろというのですか？　どうやるのか、私にはまったく見当がつきません」

「わからないのかね？　少しずつ回数を分けて注文すれば、在庫に眠るキャッシュも少なくてすむ。少量の注文に高い値段を払わないといけないとしても、キャッシュフローを考えれば、このほうが楽なはずだ」

「しかし、それは短期的なことでは？」ピートは納得していない。

「ピート、キャッシュフローで本当に苦しんでいるクライアントにとって、重要なのは目先をどう生き延びるかだけなんだ」

ピートは黙って考え込んだ。「なるほど、うまくいくかもしれません……。クライアントによっては確かにうまくいくかもしれませんね。ただ全部のクライアントを対象にするわけにはいきませんが。いずれにしても、顧客によっては説得力があるかもしれません。ありがとうございます」

「とんでもない」

「他に何かよいアイデアはないですか」ピートが訊ねた。

「いや、もうないな」私は笑った。「たとえあったとしても、今度は君の考えを聞かせてくれ」

「私のソリューションは、大量に注文すれば単価が安くなるという仮定そのものを衝くものです」

「でも、それが現実では？」ドンが訊ねた。

「いや、そんなことはない」驚いたことにピートは否定した。

「どうしてなんだ」私も困惑した。

ピートは意気揚々とした顔をしている。「最近あったことなのですが、クライアントを競合相手に奪《と》られてしまいました」そう言いながらピートは資料を何枚か取り出し、いちばん上のページを示した。「これは、うちが提示した見積もりです。いちばん左が数量で次が値段です」紙をめくり、次のページを示しながらピートは話を続けた。「これが相手の見積もりです」

私たちは二つの見積もりを比べた。いちばん上は数量が小さい場合で、こちらはピートの見積もりのほうがかなり安い。しかし数量が多くなると、これが少しずつ変わってくる。見積もりの下のほうにくると、ピートの価格は一五パーセント近く相手よりも割高になっている。少ない量ではピートのほうがセットアップ時間が短いので安いのだが、量が大きくなると、相手は高速印刷機を持っているのでピートのほうが割高になってしまう。

「言っていることがさっぱりわかりません」ドンが言った。「量が多くても単価は安くならないと先ほど言われたばかりなのに、今度は実際の価格表を見せて、まったく正反対のことを証明しようというのですか？　両方の見積もりとも、注文が大きくなればなるほど、単価が下がるという点は共通しているじゃないですか」

「説明を続けてくれ」私はピートに言った。

「実際にクライアントが注文したのはこの数量です」見積もりの下のほうの数字を指さしながらピートが言った。「もちろんこの数量では相手のほうが安かったので、注文は相手に奪られてしまいました」なぜかピートは勝ち誇ったような口調で話を続けた。「重要なのは、この数量はこのクライアントにとって六か月分の必要量だということです」

「それで？」ドンが訊ねた。まったくしょうがない奴だ。

「さっき、ちゃんと説明したじゃないか」からかうようにピートが答えた。「クライアントの予想が正確でないことや、新しいマーケティング・キャンペーンを次から次へと打ち出さないといけないので、包装の印刷内容を頻繁に変更しないといけないって、さっきちゃんと言っただろう」

「ええ、確かに。でもそれとどう関係があるんですか」

「注文した在庫をクライアントが全部使い切る可能性はどのくらいあると思うかね」ピートが訊ねた。

「半年分の在庫だ。それまでにどれだけ変更があると思うんだ」

「わかりません」ドンが答えた。「でもそれは、あなたにもわからないのでは」

「君にはわからないかもしれないが、この業界の人間なら大方の目安はつく」ピートはドンをからかうのをやめない。「業界誌にはいろんな統計が出ているし、これを見てくれ」

そう言うと、ピートは次のページを私たちに見せた。何かの雑誌からコピーした資料だ。その中のグラフを指さして彼が言った。「平均して六か月分の在庫を使い切る可能性は三〇パーセントしかない」

じっくりとグラフを眺めた。こうしたグラフは前にも見たことがあるが、いまさらながら驚いてしまう。私はちらっと腕時計に目をやった。あと一時間足らずで別のミーティングが始まる。ピートはソリューションを見つけたのか、まだ見つけていないのか、いったいどっちなんだ。彼の自信に満ちた態度からすると、きっと見つけたに違いない。しかしこんなゆっくりしたペースでは、次のミーティングに遅れてしまう。いまのうちに時間をずらしておいたほうがいいかもしれない。

「もう少しですから……」私の焦りを察知したのか、ピートが言った。「注文する量を二か月分に減らした場合、在庫を全部使い切ることができない確率はぐんと減るんです。私のソリューションは、このことを利用しています。このグラフによると、その確率はたったの一〇パーセントです。つまり無駄になる分のことを考えれば、我々に二か月分注文したほうが、他社に六か月分注文するより単価は安くなります。そのことをクライアントに納得させないといけないんです」

「つまり……購入した在庫全体の単価ではなく、実際に使うであろう在庫の単価を考慮すべきだと言いたいわけだな。なるほど、もっともだ」

さっきの見積もりをもう一度見直した。二か月分としたのもピートにはちゃんとした根拠がある。この数量（実際に注文された数量の三分の一）なら、相手よりこちらのほうが価格が低い。なるほど、賢明な判断だ。

「でも、大きな問題があると思います」ドンが訝しげに言った。「コンセプト自体はいいのですが、影響については疑問が残ります。在庫を全部使い切れないといっても、実際にどの程度使われないのですか。その量によると思います」

「どういう意味だ、量によるとは？　もちろん、量によるさ」ピートは身を起こして、自らを弁護した。

「勘ですが、ほとんどの場合、はっきりとどれだけ節約できるかを証明するのは難しいと思います」今度はドンの逆襲だ。

いつもだったら、こうしたドンとピートのやり取りを私も楽しむことができるのだが、今日は時間がない。それに、この件は二人だけに任せてはおけない。それだけ重要なことだ。「ドン、二つの場合を比べてみるんだ」私は多少苛立っていた。「六か月分を注文した場合、そのうち一〇パーセントの場合については、三分の二以上が無駄になることは、はっきりしている」

性格なのだろう、ピートはこんなときも先を焦らない。むしろ、ドンがわかるまで徹底的に説明しようとする。「二か月分を注文した場合、予想外の事態が発生して在庫が無駄になる確率は一〇パーセント。

この一〇パーセントの場合に限って言えば、あと四か月分の在庫は全部無駄になる」

「なるほど」ドンがうなずいた。「そのロジックに基づいて、実際に使われる在庫について単価を計算したわけですね」

「そうだ」

「それで単価は、他社よりどの程度安くなるんだね」私はピートに訊ねた。

「僅かではありますが、〇・五パーセントほどまだこちらのほうが割高です」ピートが答えた。

「それで、どうしてそんなお祝い気分でいられるのですか」ドンが訊ねた。

「クライアントは、原材料の在庫を減らすよう強い圧力を受けているし、在庫を無駄にするのも嫌がっている。それを考慮すれば〇・五パーセントの価格差があったとしても、勝算はあると思う。それだけじゃない。二か月分を注文してもらって、それを二週間に一度、数回に分けてクライアントに納品することも考えている」

「つまり……、価格は二か月分の数量をベースに決める。ただし、クライアントは注文した数量を一度にまとめて受け取らないで二か月間、二週間に一度、少しずつ受け取る。そういうことだな」

「そのとおりです」私の問いにピートが答えた。「それから、一回目の納品の後、いつでも残りの注文はペナルティーなしでキャンセルすることができます」

「それはずいぶん親切ですね」ドンが言った。「やりすぎでは?」

「いや、そんなことはない」私は言った。「賢いやり方だ。クライアントは二か月分の数量の価格を支払う。しかし在庫が必要なくなったとしても、無駄になるのは多くて二週間分。実際に使用できる在庫の単価でいったら、それでも間違いなくいちばん安くなるはずだ」

「それに、在庫の量も大幅に減らすことができます。これまでの五パーセント以下です」ピートの顔が輝いた。

「クライアントの〈雲〉はこれで完全に消すことができるな」私は言った。「クライアントが支払う実質的な価格は、いま彼らが大量の注文に支払っている価格よりも安くなるし、同時に、在庫も減らすことができる。価格が下がり在庫も減る、この二つを同時に実現できるわけだ」

ピートは満足げな表情だ。「何か不都合なことはありますか」

「いくつかあるが、君ももうすでに考えていることだと思う」

「そんな、あまり私をかいかぶらないでください。おっしゃってみてくれませんか」

「一つあります」ドンが言った。「いま言われたのは、まだ出荷しない残りの注文は自分のところに置いておく、それもこっちのリスクで置いておくということだと思うのですが、それで採算が取れるのですか。在庫が使い切れない確率は一〇パーセントあるわけですから、多かれ少なかれ在庫が残ってしまうのでは」

「ドン、それは大して心配いらない」私は言った。

「どうしてですか」

「まず、ピートのアイデアを実行したとしても価格戦争には結びつかないが、これはわかるかね」

「はい、他社は競争できないと思います。価格を引き下げるには、ボリュームを増やさないといけませんが、クライアントの在庫を自分のところで抱えるのはリスクが高すぎます」ドンが次第に興奮してきた。その表情がありありとうかがえる。「つまり、中規模なボリュームの価格で大きなボリュームのマーケットを獲得できる。

なるほど、多少無駄が発生したとしても、その損失を吸収するだけの余裕があるわけですね。それに損失自体それほど大したことはない。それから、無駄になる在庫を抱えるリスクはクライアントより私たちのほうがずっと少ないという点も重要だと思います。クライアントにとっては販売価格全体がリスクになりますが、私たちにとっては余剰生産能力があれば原材料コストだけですみます。なるほど、なかなかのソリューションですね。気に入りました」

「そのリスクだったらもう計算済みだよ」ドンの言葉にピートは気をよくしている。それを隠そうとするのだが、彼の表情にはにじみ出ている。「そういった注文の場合、我々のコストは平均二パーセント未満だ」

「しかし、クライアントに悪用される恐れもあると思うのだが」私は訊ねた。

「どういう意味ですか」

「本当は少ししか必要でないのに、安く買うためにわざと大きな注文を入れて価格を下げさせ、最初の納品を受け取った後に残りを全部キャンセルしようと考える客もいるのではないのかね。そういうのはどうやって防ぐんだ。いまの君の説明では、クライアントにはペナルティーはまったく課されないし、それに説明も求められない」

「確かに……、それはまだ考えていませんでした」ピートはしばらく間をおいてから言葉を続けた。「回避する方法は何かあると思います、客に嫌な気分を与えることなく」

「私もそう思う。価格はいちばん安く、キャッシュフローは改善し、在庫は減って無駄がなくなる。さらに注文はほとんど予定どおり納品される。品質も高い。客にしてみれば夢のような条件だ。こっちの利益にはどんな影響があるのかね」

「最初に言ったように、余剰生産能力を全部使ってその価格で販売することができれば、包装事業の利益は他の事業より多くなると思います。概算で約九〇〇万ドル、大きな利益になるはずです。どう思われますか、副社長。何か問題はありますか」

「いいじゃないか、気に入ったよ。ただ一つ問題がある。確かにいいアイデアなのだが、あまりに斬新で画期的すぎるので、かえって難しいかもしれない」

「どういう意味ですか」ピートは心配そうな顔をして訊ねた。

「君のソリューションは話がうますぎるし、説明するのには複雑すぎる。本当なのだ、こうしたメリットは全部実現可能なのだ、とクライアントに納得させるのに苦労するだろう。たとえ全部理解できたとしても、話がうますぎると逆に警戒心を持たれてしまう。そうなったら厄介だ」

「それだけですか？」ピートの声には安堵感があった。

「そうだ」

「副社長、心配しないでください。大丈夫だと思います。副社長より私のほうが客のことをよくわかっているからかもしれませんが、問題なく販売できると思います」

「君の言葉を信じるよ。なんだかうまくいきそうな気がしてきた。話を進めてくれ」

「任せておいてください。しばらくしたらどの程度うまくいくのか、もっとよくわかると思います」ドアのところまできてピートが言った。「明日、見積もりをクライアント二社に出して、来週、営業部長と私でそのクライアントに会いに行くことになっています」

「さすがだな」そう言って私はピートの手を握った。なかなかの仕事ぶりだ。彼のソリューションはまさにWin-Winだ。しかし本当に彼がそれで販売できるかどうか、私にはまだ疑いがあった。実際に注文が入るようになるまでは、その疑いは消えないだろう。

ややを間をおいてから、ピートがドンのほうに身を乗り出し言った。「ところで、余剰生産力が大量にある間は、二か月分の在庫を一度に印刷してどこかに保管しておくようなことは考えていないから、心配しないでくれ」

It's Not Luck

III

ロンドンへ

10

大西洋をファーストクラスで渡るのはこれが初めてだ。副社長なので出張の時はファーストクラスを利用できるのだが、昨年はヨーロッパに行く機会などなかった。今回も本当は私が行く必要などなかった。選べるものなら、きっと断っていただろう。会社の売却には反対だからだ。むしろ誤った判断だと思う。思うに、売却を決定した理由は、何らかの対応策を用意していることをウォール街の連中に示したい、それだけだろう。実に馬鹿げている。会社を売却して得たお金で、何をするのかもまだわかっていないではないか。

その最大の推進者であるトルーマンは、私の隣の席だ。大人二人がゆうに座れるほどの大きな革張りのシートに深々と腰を沈ませている。世界で最も高価なシートだ。フライトは七時間、料金は三〇〇〇ドルを超える。

ディナーが始まった。前菜は実に多彩だ。フォアグラ、ロブスター、カスピ海産のキャビア。前菜にキャビアを食べたことなどあるだろうか？　私は今回が初めてだ。小さな黒い粒々は、一オンス五〇ドルもする。まるで純銀でも食べているかのようだ。

しかし味は最悪だ。ウォッカと一緒に食べる理由がわかった。私には、ピザにビールのほうがよっぽどいい。

しかしトルーマンは、キャビアは食べ慣れているようだ。小さな三角形のトーストにのせると素早く伸ばした。実に手慣れたものだ。仕事では何も生産せず、何も貢献しない人間がどうしてそんな贅沢な暮らしをできるのだ。なぜ、いつも奴隷より奴隷監視人のほうがいい暮らしをしているのだ。

「何社ぐらいの取締役を務めていらっしゃるのですか」私はトルーマンに訊ねた。

「いまは一二社だけだ」

一二社だけ？　先月は一社閉鎖、二社売却……どうせ、そんなことだろう。

「なぜだね？」コンソメスープから視線を移し、私の顔を見た。

気をつけろよ。飛行機が揺れて、浅底のスプーンからスープがこぼれ、大事なシルクのネクタイが汚れてしまうぞ。

「ただ思っただけです」私は答えた。

「何を？　全部の会社のことがちゃんとわかっているのかって思っているのかね。それとも、私がどんな仕事をしているのか知りたいのかね」

「そのどちらもです」

「アレックス」トルーマンが私に向かって微笑んだ。「君は、会社の売買は初めてかね。取締役会では一言も発言しなかったと思うが」

トルーマンには力がある。もし会社が売却されて職を失ったら、彼の力が必要だ。新聞の求人広告ではいい仕事は見つからない。コネが必要だ。グランビー会長のおかげで、いまそれを作るチャンスに恵まれた。一週間もあれば十分だろう。トルーマンにいい印象を与えて、もっと私のことをよく知ってもらおう。

「口だけの人もいますが……」ヒルトン・スミスのことを思い浮かべながら言葉を続けた。「自分自身はどちらかと言うと、実行するほうが好きです」

「なるほど」トルーマンの顔に笑みが広がった。「つまり、私の仕事は言うだけで行動は伴わない、そういうことかね」私が正そうとするのを制して、先を続けた。「君の工場で毎日八時間、機械に縛りつけられて働いている従業員たちも、君のことを同じように思っているかもしれないぞ」

無理に微笑んでみせた。しかし、あえて相手に話を合わせることはしなかった。「そうは思いません」

私は淡々と答えた。

「ほう、どうしてだね。何が違うのかね」

違う、大違いだとも。だが、なぜかそれをうまく言葉で表現できない。いったい、彼は何を考えているのだ。取締役会に出席して好き勝手な発言をしているだけで、会社を経営しているつもりにでもなっているのだろうか。会社を建て直すのが、どれだけ大変な仕事かわかっているのだろうか。

「去年、私は会社を三つ建て直しましたが、そのことはご存じですか」

「アレックス、誤解しないでほしいな。君が取締役会でそんなことを自慢するのを聞いたことはないが、ダウティーも私も君の実績はよく承知している。報告書は、いつも行間まで詳しく見させてもらっているよ」

「そうですか、それで?」

「そうだな。その前に、私の質問に答えてもらおう。君の仕事と私の仕事の違いは何かね。君は自分の手で何かを作り出しているかね。君の仕事もしゃべることだけではないのかね」

「ええ、まあそうですが」私は自分の考えをうまく表現できない自らの能力のなさに苛立ちを感じた。

「私は自分で考え、話し、そして決定します。それが私の仕事です」

「それが私の仕事とどう違うと言うのかね」トルーマンは冷静かつ紳士的な態度を崩さない。「私も自分で考え、話し、決定するんだが」

〝話し〟〝決定する〟のは間違いない。取締役会でそれは見せてもらった。多角事業グループを売却すると決めたのも彼だ。ただ、彼が本当に考えているかどうかは疑問だ。多角事業グループ売却の決定はまったくナンセンスだ。その時、ふと気づいた。トルーマンと私の仕事には違いがある、大きな違いだ。どう言ったらいいのだろうか、彼の気分を害してはいけない。

「たぶん……」私はゆっくりとした口調で答えた。「まだ、あなたの仕事のことがよくわかっていないのだと思います」

「たぶん、そうだろうな」

「私の仕事は会社を経営することですが、あなたの仕事は?」

「お金を管理することだよ」トルーマンが答えた。

私は考えた。彼の言うとおりかもしれない。しかし、どのようにお金を管理するのだろうか。おそらく投資して、それから……。

「つまり、あなたの仕事は投資した会社を監視する番犬ということですか」あっ、まずい言い方をしてしまったか。

トルーマンが噴き出した。「ああ、そんな言い方もできるな。どの会社に投資するか決めて、投資した後は監視する。それが私の仕事だ。部分最適化を探している、と言ったらいいのかな」

これが私の好奇心をあおった。「部分最適化?」トルーマンの言葉をなぞった。

「アレックス、会社の目的は金を儲けることだ。企業の経営者はみんなそれを忘れてしまっている。生産やコストや戦略といったことばかりに気をとられて、それらが単なる手段にすぎないということを忘れてしまっている。そんなものは本当のゴールではない。ユニコ社も同じだ。まるで人を雇うことが会社の目的みたいなことを繰り返してきた。会社は株主のもので、経営者のものではないんだ。それをみんな忘れてしまっている」

私は黙ったまま答えなかった。

「君のグループもそうだ。三億ドル近くも投資したが、これまで見返りはゼロだ。その半分の金額でもい い、売却できればラッキーだ。いったい、誰の金だと思っているのかね。誰が払ったと思っているのかね」

「しかし、私のグループはもう赤字ではありません」私は反論した。「もう少しだけ時間をくれませんか。きっともっと利益の出る会社にしてみせます。なぜいま、売却しないといけないのですか」

「アレックス、どれだけの利益を出せるというのかね。君の今年の予想は見せてもらったが、インフレがあることはわかっているのかね。投資した金の価値を守らないといけない、それにリスクも考慮しなければいけない。そうなると着実にインフレを上回るだけの儲けを実現してくれる会社にしか投資するわけにいかないんだ」

彼の言うことも理解できる。インフレを上回るだけの利益を出せと言われても、私には保証できない。しかし……。

「自分の仕事でいちばん嫌なのは、それだよ」トルーマンは話を続けた。「時として経営者はミスを犯す。それは避けられないことだ。しかしそのミスを認めず、言い訳ばかりしていては、我々も見過ごすわけにいかない。それが私の仕事だ。いいかね、会社の目的は金を儲けることだ。アレックス、君の会社は売却せざるを得ない、避けられないことだ」

会社の目的がお金を儲けることだということぐらい、言われなくてもわかっている。プラント・マネジャーになって以来、それが私のモットーだ。しかし私は、その目的を従業員をクビにすることなく達成しようと頑張ってきた。組織を犠牲にすることを、お金を儲ける手段にしていいと思ったことはない。それはヒルトン流のやり方だ。少しばかりのお金を惜しむために、それ以上の犠牲を求める。

「私の場合」慎重に言葉を選んだ。「ミスをしたから、その言い訳をさせてくださいと言っているわけではありません。言い訳することなど何もありません。事業多角化の意思決定には私は関わっていませんでしたから。それでも売却という手段が正しいかどうか、私には疑問があります」

「どうしてかね」

「相手はお金だけではありません。経営者は、株主だけではなく従業員に対しても責任を負っています」

なぜ、自分で自分の首を絞めるようなことを言っているのだ。しかしそれが何だ。相手のマネーゲームにつき合うにも限度がある。この際だ、言いたいことは全部言ってしまおう。「いつもしわ寄せを受けるのが従業員というのはフェアではありません。彼らも人生を会社に捧げているわけです。一部の金持ちをもっと金持ちにするための手段に彼らが利用されるのはフェアではありません。確かに会社の目的はお金を儲けることですが、でもそれがすべてではありません」

トルーマンは驚いた様子もなく平然としている。こんなクレームはいつも聞かされているのかもしれない。ただ自分の会社の経営幹部から聞かされたことは初めてかもしれない。もしそんな勇気のある奴がいたとしても、もうクビになっているはずだ。

「一部の金持ちをもっと金持ちにする?」トルーマンが私の言葉をなぞった。「アレックス、私が投資した金がどこからきているのか知っているかね。金持ちの投資家? 銀行? 投資しているのは、ほとんどが年金資金だ。知らないのかね」

私は急に気恥ずかしくなった。言われて思い出した。もちろん知っている。

「老後のために、みんな何年もかけてお金を貯めている。二〇年後、三〇年後に安心して老後を迎えられるよう、みんないまからお金を貯めているんだ。それを手伝うのが私の仕事だ。一ドル預かって一ドル返すだけでは駄目だ。インフレに対応できるだけの購買力を用意してあげなければいけない。私が番犬を務めているのは金持ちの利益のためじゃない。君が心配している人たち、つまり従業員たちのためだ」

「なるほど」言い返せなかった。

私の反応に、トルーマンは落胆の表情を見せた。「軽く聞き流さないでもらいたい。私の言っていることは事実だ」

口で説明するのはやめ、私はペンを取り出してナプキンに〈雲〉を書き始めた。「目的は『**会社関係者の利益を守る**』こと。違いますか、問題ないですか」

「問題ない。ただ、その目的を忘れている連中には問題があるがね」

「この目的を達成するには、条件が二つあります。一つは『**株主の利益を守る**』こと、もう一つは『**従業員の利益を守る**』こと」異議を唱えるに違いないと思ったが、トルーマンはうなずいた。

「株主の利益を守るために、多角事業グループの売却が必要だと、あなたは考えている」

「君はそう思わないのか」トルーマンが私に訊ねた。

「いまの環境下で、株主の利益を守らないといけないということであれば、仕方ないことだと思います。しかし、だからといって売却に賛成ということではありません」

「アレックス、まるで政治家みたいだな。賛成なのか反対なのか、どちらなんだ」

〈雲〉（Cloud：対立解消図）

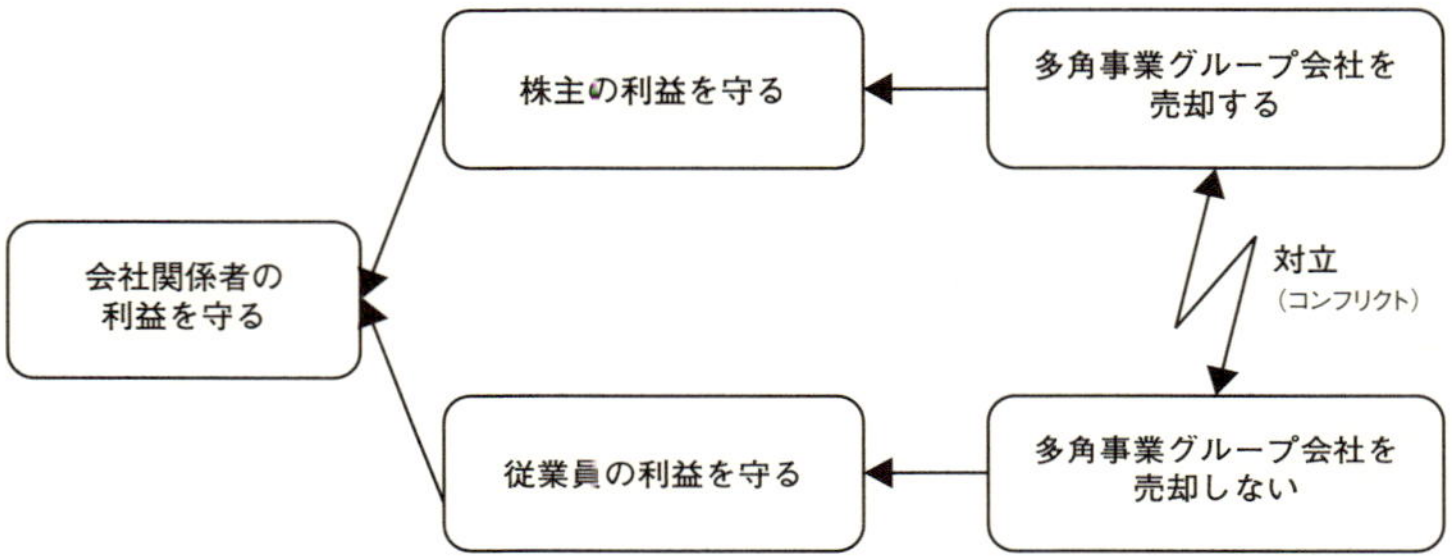
株主の利益を守る
多角事業グループ会社を売却する
対立
（コンフリクト）
会社関係者の利益を守る
従業員の利益を守る
多角事業グループ会社を売却しない

「ちょっと待ってください。もう一つ考えないといけないことがあるじゃないですか。従業員の利益も守らなければいけません。しかしそのためには、多角事業グループを売却すべきではありません」

トルーマンは今度こそ異議を唱えるに違いない。会社の売却と従業員の利益は無関係だと唱えるに違いない。しかし彼は一言も言わずに、ナプキンを手に取って〈雲〉を眺め始めた。

「あなたにとって答えは簡単かもしれません。利益や予想の数字を見れば、売却するしかないでしょう。利益は少ないし、将来も期待できない。となれば売却するしかない。株主の利益を考えれば無理もないことです。逆の立場ではありますが、従業員や労働組合も同じです。自分たちの利益のためには売却に反対します。最も辛い立場に置かれるのは、板挟みになる私たち経営者です。双方を満足させなければいけません。私の立場になって考えてみてくだされば、そう簡単に答えを出せないことがわかっていただけると思います」

トルーマンは〈雲〉に視線を落としたまま言った。「ちゃんと双方のことを考えているよ。以前は確かに偏った見方をしていたかもしれないが、いまは違う。賢明な投資家だったら、数字だけを見て投資したりはしない。人間がいちばん大事だということは、私たちも苦い経験を通して学んできた。従業員が自分の仕事に満足していなかったり、自分の会社を誇りに思うことができなければ、会社が損失を出すのは時間の問題だ」

「組合も同じでしょう。会社が赤字であれば、我々経営者がどんな約束をしようと、何の保証もないことぐらいわかっています。会社側との交渉でも、譲歩する前に、まず投資計画を見せろと最近は要求してきます」

〈雲〉を眺めていたトルーマンが目を上げ、私を見た。「今回は、やはりそうかもしれないな」

「何がですか」

「やはり会社を売却しなければいけない。はっきりしている。君の気持ちはわかるが、私の話を聞いてくれ。我が社の格付けだが、いまどんな状態だか知っているかね。もうこれ以上落ちようがないところまで落ちている。君も知っているはずだ」

そのことは知っている。銀行から融資を受ける時の金利には、プライムレートに二パーセントも上積みされる。

「景気がいいから大丈夫だ、とみんな励ましてくれるのだが、市場は常に変わる。好景気の後には不況がやってくる。この間の不況の時は、ユニコ社本体がほとんど潰れかかった。もう一度同じような不況に襲われたら、生き延びる余裕などまったくない。いまのこの景気が続いているうちに十分な蓄えをしておきたいところだが、それもあまり期待できない。この景気がいつまで続くか誰にもわからないし、価格引き下げの圧力が強すぎて、この時期にさえ大きな蓄えを作ることもできないと、みんな言っている」

だんだん彼の言い分がのみ込めてきた。

「アレックス、もし株主のことなど忘れて従業員の利益だけを考えたとしても、私は同じ結論に辿り着くと思う。一部を犠牲にして他を救うしかない。犠牲にするのは多角事業グループ以外にはないんだ。コアのビジネスは守っていかなければいけない」

「でもどうしていま、売却しないといけないのですか。景気がいいうちに、利益をもっと蓄えたほうがいいのでは」

「会長の引退と関係があるのではと思っているかもしれないが、それと売却の時期は関係ない」口には出さなかったが、私の心配をトルーマンは見事に見抜いていた。「いちばんいい値で売却するには、みんながまだ将来について楽観的に考えているいまがベストなんだ」

「確かユニコが多角事業グループ各社を買収した時も、同じような状況でした。一九八九年、市場がこれからよくなるぞとみんなが期待していた時でした。しかし、それにしても払い過ぎたと思います」

「私が言いたいのも、そのことだ」トルーマンがため息をついた。


「これはなかなか面白い」間をおいてからトルーマンが言った。「こんなプレゼンテーションのテクニックをどこで学んだのかね」

「気に入っていただけましたか。半ページもあれば、問題の全体像を表すことができます」

「確かに。何が問題なのか、コンフリクトをはっきり認識できる。なかなかパワフルなプレゼンテーションだ」

「単なるプレゼンテーションのテクニックではありません」私は言った。「安易な妥協に走ってはいけないことを教えてくれます。コンフリクトを解消するには、それぞれの矢印の仮定をよく検証しなければいけないことを教えてくれるんです」

「というと?」

ジョナは、どんな〈雲〉でも消すことができると言っていたが、それは違うと思う。もし私がこのコンフリクトを解消する方法を見つけることができるとすれば、会社を売却しなくてもいいことになる。それは無理だ。しかし、いまはジョナのテクニックを弁護しなければいけない。

「いいですか、たとえばこの矢印ですが」私は説明を始めた。「『**株主の利益を守る**』ためには、『**多角事業グループ会社を売却する**』。ここの仮定は、会社に十分な利益がない、ということです。しかし、もっと利益の上がる方法を見つけることができれば、もし経費を増やすこともなくもっと多くの製品を販売できる方法を見つけることができれば、この〈雲〉を消すことができます。つまり会社を売却する必要はなくなるわけです。株主の利益と従業員の利益を同時に守ることができるわけです」

「いったいどうやって見つけるのかね。経費を増やさないで売上げを伸ばす方法など、どうやって。何かいい考えでもあるのかね」

「いいえ」

トルーマンがニヤリと笑った。「つまり、理論上はコンフリクトを消すことができても、現実には無理ということか。都合のいい理論と厳しい現実の間には大きな隔たりがあるわけだな」

返す言葉もなかった。

11

ロンドンのタクシーは外見からしてユニークだが、車内はもっとユニークだ。二人がゆったりと座れる大きめのシートの他に、運転席と客席を隔てる仕切りに二席分の補助椅子がついている。列車でもそうだが、進行方向に背を向けて座るのはどうも気持ちが悪い。タクシーに乗ってトルーマンとダウティーと顔を見合わせながらでは、なおさらだ。

ピートの会社の売却交渉から戻る途中だ。いや、これはあまり正確な表現ではない。実際には交渉などせず、ただ話をしただけだった。話をしたのもほとんど私だった。相手方は四人、数多くの質問を受けたが、質問の内容上、私が答えざるを得なかった。質問は、ほとんど操業パフォーマンスのよさに集中した（財務パフォーマンスとは混同しないでいただきたい）。

在庫が少ないにもかかわらず、納期遵守率は高い……。その理由を説明するのにひと苦労した。もともとの考え方が異なる人に説明するのは、容易なことではない。部分最適化こそがマネジャーの仕事だと考えている人たちだ。そんなことをしたら、全体のパフォーマンスを無意識のうちに危険にさらすことになることなど知らない人たちだ。パフォーマンスを上げようと、セットアップの回数を減らしたり、製版室の技術者一人ひとりの作業を最大化しようとすると、まったく正反対の結果につながってしまう。つまり、気がつかないところでアイドル状態が発生したり、全体的なパフォーマンスが低下したりしてしまうことを証明しなければいけなかった。

彼らは関心をもって私の話に耳を傾け、質問も多くしてきた。私の細かい説明に注意深く聞き入った。トルーマンとダウティーも同様だった。二人の前で、いくらか点数は稼げただろう。

五時間のミーティングの後、私たちは会社の財務状態を記した分厚いレポートを先方に残し、辞去した。売却の条件について話し合われるのは、次回のミーティング以降だ。だがそれはトルーマンとダウティーの役目で、私は参加する必要はない。もし基本的な部分で相手が同意すれば、先方から監査を行う人間が送られてくる。その時は、ピートが頭を悩ませる番だ。

「三〇分後に、バーで待ち合わせるというのはどうかな?」ホテルに近づくとトルーマンが提案した。いい考えだ。軽くビールを一、二杯やりたい気分だ。部屋に戻って、ドンに電話をかけた。ヨーロッパのホテルでは通常の電話料金の四倍ものサービス料がとられるので、私は自分のプリペイドカードを使った。長い番号をかけるのに二度ほど失敗し、三度目にようやく電話がつながった。

「何かあったかい?」

「何から聞きたいですか」ドンの声は弾んでいた。「いいことからですか、悪いことからですか」

「そうだな、悪いほうから聞かせてくれ」

「それでは悪い知らせからですが、新しい取引条件を客に説明するのにピートが苦労するだろうと副社長はおっしゃっていましたが、残念ながらその予想が外れました」

「いや、説明するのに苦労するなどとは思っていなかったよ。そうじゃなくて、ピートの説明を理解するのに客が苦労するだろうって言ったんだ」私は笑った。「悪い知らせが、私が間違っていたことなら、いい知らせはピートが正しかったことかね」

「図星です。ピートの話では、クライアントもかなり興味を示していたそうです。ずいぶんうまくいったようで、副社長に早く伝えたくてうずうずしていましたよ。一度、ピートに電話を入れてみてはいかがですか」

ダイヤルの手順を間違えていたため、なかなか電話が通じなかったが、ようやく興奮気味のピートにつながった。

「正式な注文はまだ入っていませんが、それよりもっといいことがありました」

「注文よりいいことと言ったら、お金しかないじゃないか」私は皮肉った。「二件ほど感触のいい客がいるそうだが、もう少し詳しく説明してくれないか」

「あの〈雲〉を見せて説明したんです。覚えていますか、買い手側の〈雲〉です。安いコストで購入することと在庫を減らすことの間には、コンフリクトがあることを説明したんです」

ピートが客とどんな取引をしたのか、私は早く聞きたかった。これまでにない斬新な取引条件だ。客はどんな反応を示したのか。しかし急かしたせいだろう、結局、ピートから詳細を全部聞かされる羽目になってしまった。相手がピートの時は、黙って聞いているのがいちばんのようだ。とりあえず、私は例の〈雲〉なら覚えていると、ピートに答えた。

「在庫すべての単価と、使用可能在庫の単価との違いをまず説明して、それから在庫が無駄になってしまう確率を、グラフを使って説明してみたんです……」

説明はその後しばらく続いた。何を、どのようにプレゼンテーションしたのか。なぜそのような方法でプレゼンテーションしたかなど詳しく説明してくれた。腕時計に目をやると、バーでの待ち合わせ時間まであと五分だ。それにこれは大西洋を越えた国際電話である。

ようやく最後の要点にさしかかった。「両社とも、こっちの提示した条件を非常に気に入ってくれて、包装需要全体について見積もりを出すように依頼されました。信じられますか？　包装の需要全部ですよ」

「どのくらいなんだ。金額にしてどのくらいになるんだ」

「いま見積もりを準備しているところで、明日の午後遅くにならないとはっきりとした数字はわかりませんが、両方ともそれぞれ年に五〇万ドル以上になる大きな取引になると思います」

「実際に注文が取れる可能性はどのくらいあるんだ」私は訊ねた。

「かなり高いと思います」

本当だろうか。信じ難い。

「副社長、うちの見積もりを見れば、いま実際に払っている金額と比べることができます。実際に使用する在庫の単価というコンセプトを理解するには、数字を見せるのがいちばん手っ取り早い方法です。きっと取れると思います」

確かに的を射た考えだが……。

「今週後半にこの客二社と会う予定で、その時に見積もりの詳細について説明します」

そのほうがいい。ただ見積もりを送って待っているよりは、実際に客のところに足を運んで、相手の顔を見ながら説明したほうが効果がある。そのほうが誤解もないだろうし、特に今回はこれまでにない提案だ。「そうか、それじゃ今週末までには結果が出ているな？」

「だいたいの見当はつくと思いますが、今週中に注文が取れるとは思いません。向こうも検討する時間が必要でしょうし、いま使っている業者から合い見積もりもとるでしょう。私だったらそうします。いずれにしても、今月末までには注文が取れると思います。とにかくうちの条件はクライアントにとって理想的なんです。しばらくは、これで勝負をかけるつもりです」

ピートに彼の働きに非常に満足していることを伝えて、急いでバーに向かう途中、エレベーターの中で、新たな問題に私は気づいた。最初から私はピートのソリューションが気に入っていた。しかし、もし客が一気にこの取引条件に殺到してきたらどうなるのだろうか。まだ二社にしか条件を出していないが、両社とも全部うちに乗り換えることまで検討しているようだ。しかし、考えてみればまだ検討している段階にすぎない。まだ心配するには早すぎる。実際に客がこの話に乗ってくるのかどうか、まだしばらくは様子を見ないといけない。とりあえず、このソリューションが使えそうなことがわかったいまは、どうやったらもっと効率的なプレゼンテーションができるかを考えなければいけない。

自分はどうだろうか。いま、いちばん考えなければいけないことは何だろうか。……信用だ、いかに相手に信用してもらうかだ。今日のミーティングでも、ピートの工場のパフォーマンスについて説明した際、包装事業部門を黒字化するには相当額の投資が必要であることを強調しておいた。しかし、こんな赤字部門が突然〝金の成る木〟に変貌するなどと、どうやって説明したらいいのだろうか。何かうまい策を練らなければいけない。

そこはバーではなく典型的な英国風パブで、仕事帰りの人たちで混み合っていた。

「我らが救世主のお出ましだ」そう言ってトルーマンが私に手を振った。「何を飲むかね」

「ラガービールでもお願いします」郷に入っては郷に従えだ。

「私も、もう一杯貰うよ」人ごみを縫ってバーに向かうトルーマンに向かってダウティーが叫んだ。

「救世主って、何の話をされていたんですか」

ダウティーが私にナプキンを手渡した。なにやらたくさん書き込まれていて、飛行機の中で私が書いた〈雲〉は、もうはっきりとは読み取れない。トルーマンは私に、ダウティーにもその説明をさせたいのだ。いいだろう、説明しよう……。株主を守ることと、従業員を守ることのジレンマについて。私が説明を始めると、トルーマンが大きなパイント（英国風ビールグラス）を三つ抱えながら戻ってきて、私たちの前に静かに置いた。私が説明を終えると、トルーマンは笑みを浮かべた。「どう思うかね」

「なかなか面白い話だが、現実的ではないな」ダウティーは、あまり感心していない様子だ。

「君の言いたいことはわかるよ」そう言いながらトルーマンがダウティーの背をポンと強く叩いた。「やっていることがただのゲームにしか見えない時は、私も確かに同じような冷ややかな気分になるよ。時には残酷で不公平なゲームもある。我々がどんなに努力しても、我々がいようといまいと、ゲームは続けられる。まあ元気を出して、ビールでも飲もうじゃないか」

ダウティーは笑みを浮かべ、パイントにナプキンを巻いて高く持ち上げた。「ゲームに乾杯！」私たちも一緒に乾杯した。

「結局、この図のようにどんなに簡潔に要点をまとめたり、詳しい分厚い財務レポートを作成したとしても、あまり役には立たない。最後は直感だ。フィーリングに頼るしかない」

「君の直感は頼りになるからな」トルーマンがパイントを置いた。「この図、アレックスは〈雲〉と呼んでいるんだが、確かに実用性はないな」私の表情を見て、トルーマンが言った。「そうは思わないのか、アレックス」

ちょうどいい。ピートからの情報を二人に披露するちょうどいい機会だ。私は二人に向かって言い放った。「いいえ、そうは思いません」

二人は予想どおりの反応を示した。「こんな図、こうやってバーで酒を飲みながら時間潰しをするには丁度いいかもしれないが、それ以外にいったい何の役に立つんだね?」ダウティーの声は疑いに満ちている。

「使うつもりがなければ、こんな〈雲〉をわざわざ書いたりはしません」私は大胆に攻めることにした。「もちろん、問題を正確に把握して〈雲〉を書いたとしても、そこでやめてしまったら、実用性がないと言われてもしょうがありません。この〈雲〉は、問題を解決してコンフリクトを解消するための簡潔な方法を提供してくれるんです。それがこの〈雲〉の真価です」

「この図を使って、目に見える結果を出すことができるというのかね」パイントに巻きつけたナプキンをゆっくりと剝がしながらダウティーが言った。

「はい、そのとおりです」

「この図を使ってゲームに勝てるとでも言うのかね」と、トルーマン。ゲームという比喩が彼はお気に入りのようだ。

「一ゲームどころか、一セットでも勝てます」

「じゃあ証明してくれ」ダウティーがきっぱりと言った。

すぐに顕微鏡を使って何かの検査でもされているような気分になった。しかし、心配することはない。こちらは準備万端だ。

「ピートの印刷会社を例に説明しましょう」私は慎重にナプキンを整えてテーブルの上に置いた。「株主を守るために、私たちは会社を売却しようとしています。投資を正当化できるほど十分な利益が上がっていないからです」

「上がっていないし、今度もぎりぎりの利益しか上がらない。君の報告書にそう書いてあった」トルーマンが私の言葉を正した。

「ええ、私たちの仮説ではそうです」私はうなずいた。「状況を分析してみたのですが、利益を大幅に伸ばすためには包装事業部門の損失を何とかしなければいけません」

「新しい印刷機を買ってくれと説得するつもりなら……」トルーマンが私の説明を遮ろうとした。

「追加投資が無理なことぐらいわかっています」私もひるんでいない。「ですから、市場に対して何を新たにオファーできるか考えなければいけません。いまの設備をそのまま使って、何か説得力のある提案を市場に出さないといけません。それに利益の上がる方法でなければいけません」

「つまり、ミッション・インポッシブルだな」ダウティーが言った。

「そう思われるかもしれませんね」私は微笑みながら、ビールをゆっくりと喉に流し込んだ。

二人ともじっと私の顔を見つめている。しばらくしてからトルーマンが訊ねた。「そんな方法が見つかったとでもいうのかね」

「まあ、そんなところです」私は束の間の優越感に浸った。

「アレックス、もう一杯ビールをもらってこよう。我々をかつぐのだけは勘弁してくれよ」

ダウティーがバーに行くのを待って、トルーマンが言った。「いったいどうなっているんだ、アレックス。飛行機の中では、経費を増やさないで販売を伸ばす方法など見当もつかないと言っていたじゃないか。この二日間で何かあったのかね。それとも、売却を阻止するための作戦か」

「そんなことはありません。いまの私の説明は支離滅裂に聞こえるかもしれませんが、別に何か企んでいるわけではありません。他の二社については、まだどうしていいのかまったくわかりませんが、ピートの印刷会社については、ついいましがた、私たちのアイデアがうまくいきそうだと電話で連絡があったんです」

「きちんと全部説明してくれないか」ダウティー同様、トルーマンもガードは堅い。

私はダウティーが戻ってくるのを待って、ピートのソリューションについて説明を始めた。もちろんその発案者がピートであると、彼を持ち上げることは忘れなかった。「これで、なぜこの前は説明できなかったかわかっていただけましたか」一五分ほど説明した後、二人に言った。「お二人に真剣に取りあってもらえるとは思っていませんでした。正直なところ、一時間前まで、私も真剣に考えていませんでしたから」

「しばらくは、うまくいくかどうか様子を見るしかないようだが、しかし、確かに心強いな」

「ピートの会社の売却については、交渉をしばらく先に延ばしたほうがよさそうだな」ダウティーがゆっくりとした口調で言った。「少なくとも状況がはっきりするまでは……」

「そうだな」トルーマンもうなずいた。「それに売却の交渉相手も、もう少し増やしておいたほうがいい。もしアレックスが言ったことが現実になったら、状況はまったく変わってしまう。もうすでに話をした相手のところに戻っていって、そんな話をするわけにはいかない。説明したところで、信用を失いかねない。しかしアレックス、君はそんなことは心配しなくていい。君たちのソリューションが本当にうまくいくなら、そのほうがいい。ブレイクイーブンできるかどうかわからない会社より、利益が売上高の一五パーセントある会社を売却するほうが面白いからな」そう言うと、トルーマンとダウティーはさっそく売却価格の計算を始めた。

なるほど、彼らは売却の計画を捨ててはいないようだ。無理もない、彼らがいちばん気にしているのはユニコの信用格付けだ。しかし、もしピートのアイデアがうまくいけば……、ますますうまくいきそうな気がしてきたのだが……、彼の将来は安泰だ。金の卵を産む鶏に手出しする奴はどこにもいない。古い印刷機を買い換えてくれなどと私たちも最初は考えていたのだから、わからないものだ。

そんな思いに耽っていると、ダウティーの声が飛び込んできた。「アレックス、このソリューションを構築するためにこの図を使ったのかね」

「はい、そうです。これがなかったら、できなかったと思います。これを使って、やっと何とかできたというところです」

「ふーむ」ダウティーの反応はそれだけだった。

12

英国を旅する人の中には食べ物のことで不満を漏らす人も多いが、これを補って余りあるものが英国のレストランにはある。コーヒーの給仕の仕方だ。コーヒーを飲む時は別の部屋に通され、そこには大きな革張りのソファとローテーブル、それに本物の暖炉まで用意されている。

雰囲気のよさに、私も一九五六年物のブランディをつい注文してしまった。ブランドンとジムも同じだ。私は暖炉の火に視線を落としながら、この二日間で学んだことを、もう一度頭の中で思い起こした。そう、私はトルーマン、ダウティーと呼ぶのをこの場ではやめた。ビール二杯と赤ワイン二本をあけた後は、ファーストネームで呼ぶようになった。自然の成り行きだ。

ブランドンとは飛行機の中で話をして何を考えているのかよくわかったので、彼に対する見方が変わった。今夜はまた、彼のもう一面を知ることができた。心温かく気配りのできる人間だ。心ない投資家のステレオタイプだと決め込んでいたが、大間違いだった。それより驚いたのはジムのほうだ。冷酷なだけの人間かと思っていたら、そうではなかった。仕事を離れた時のジムは、仕事の時のダウティーとはまったく違っていた。話好きとか楽観主義者とかいうのではなく、フレンドリーで非常に魅力的な男だ。それに皮肉なユーモアのセンスも持ち合わせている。

私が仕事のことを考えているのに気づいたのか、ブランドンが私に向かって訊ねた。「アレックス、一つだけどうも気になることがある。君たちが印刷会社で試しているその画期的なマーケティング・ソリューションとやらだが、偶然に思いついたのではなく例の図を使って論理的に見つけたと言ったね。だけど君のところには、あと二つ会社があるじゃないか。規模はもっと大きいし、問題もさらに大きい。そっちのほうは、どうしてまだソリューションが見つかっていないのかね」

まるでジュリーのような言い方だ。だが、どう答えていいのかわからない。まだ探す努力も始めていないとでも言おうか？　だが、それが真実だ。しかし、なんでまだ探す努力すら始めていないのだ？　時間の無駄になるに違いないからだ。

「ロジックだけでは駄目です」私は説明した。「経験と勘が必要です。ピートはこれまでずっと印刷業界で働いてきました。彼には十分な経験と勘があります。だから、あの〈思考プロセス〉を使って、あんな画期的なソリューションを考えつくことができたのです。だけどボブやステーシーは、それぞれの業界ではまだ僅かしか経験がありません」

「結局、経験と勘に逆戻りか」ブランドンは失望感を露わにした。「もしそうなら、そんな図を使ってもあまりメリットはないんじゃないのかね」

〈思考プロセス〉がいかに重要か、二人にもっとちゃんと説明すべきだろうか。本能的に感じることを言葉に表現してみることで、経験に基づいた自らの勘を最大限に活かすことができる。また、それを確認する能力が得られる。それが〈思考プロセス〉だ。しかし、そんな話をすれば、どうしてアイ・コスメティックスとプレッシャー・スチームの二社は、まだ手をつけていないのか、厳しく問い詰められるだけだ。

私はあえて返事をせず、黙って残りを飲み干した。

私が返事をしないのを見て、ジムはそれが私の答えだと受け取ったようだ。「経験と勘がなければ、結局どんな方法も役に立たない。だが、経験と勘があるのなら、特別な手段も必要ない」

そこまで言われては、私も黙っているわけにいかなかった。彼は間違っている。「経験と勘がなければ、どんな方法も役に立たない。それは私も認めます」私は反論を始めた。「しかし経験と勘があれば、それで大丈夫かというと、そうではありません。経験と勘はソリューションを見つけるための必要条件ですが、それだけではまだ不十分です。実用性のあるシンプルなソリューションを見つけるには、経験と勘を活かすための手段が必要なんです」

「そうかもしれないな」ジムが言った。

「そうかも、ではありません。間違いなくそうなんです。ピンポン玉がたくさんプールに浮かんでいて、すべて水の中に沈めなければいけない。それに似たような気持ちを感じたことはありませんか。いつも周りの火をかき消すために時間を費やしているような無力感です」

ジムが笑った。「私の人生そのものだよ。特にここ五年ほどは……」

「いいですか、もしそうなら、それなりの経験と勘は備えているはずです。しかしそれでも、どこからどう始めていいのかさえわからない……それが問題なんです」

「そうだな」ブランドンがうなずいた。「でも、どこからどう始めていいのかわからないんだったら、どうやって〈雲〉を書き始めたらいいのかね」

「すみません、誤解を与えてしまったかもしれませんが、〈雲〉を書くのが最初のステップではないんです。まず、最初に現状をよく頭の中で整理して、それから書き始めるんです」

「どういう意味だね」

「もし、いつも火を消す作業に追われているとしたら、周りに問題がたくさんあるように思われるかもしれません」

「確かに、私の場合はそうだ」ジムが言った。

「〈思考プロセス〉では、こうした問題は一つひとつ独立した問題ではなく、むしろ原因と結果という強い因果関係で結びついていると考えています」

「教会の日曜学校に通っている頃は、私もそう信じていたよ。自分の人生経験で言えば、問題を起こしたら、ちゃんと言い訳をしないといけない、といったところかな。それも一種の因果関係だ」

私は彼の冗談を無視して説明を続けた。「この原因と結果の因果関係をちゃんと認識できるまでは、状況をはっきりと把握することはできません。ですから、まず最初にシステマティックな方法を用いて、その状況におけるすべての問題を関連づける因果関係を図に表します。この図を〈現状問題構造ツリー〉(Current Reality Tree) と呼びます。このツリーを構築できれば、問題すべてに一つひとつ対応する必要がないことがわかります。コアの部分には原因が一つか二つしかないからです」

「つまり君が言いたいのは、どんな状況でも根本的な問題は一つか二つしかないということかね」ブランドンが怪訝な顔をして訊ねた。

「そのとおりです。一つか二つのコアの問題が他のすべての問題の原因なんです。問題のほとんどは症状であって、問題ではない。そうした症状のことを、私はＵＤＥ (Undesirable Effects：好ましくない結果)と呼んでいます。コアの問題を原因として派生する結果なんです」

「なるほど、これは大切なことだな」ブランドンが思慮深げに言った。「もし君の言うことが本当であれば、私は違うと思うが、症状ではなくコアの原因の解消に努力を集中すればいい」

「そのとおりなんです」私は微笑んだ。「〈思考プロセス〉はそのための方法なんです。まずＵＤＥ、すなわち好ましくない結果を五つから一〇ほどリストアップします。それから手順に従って進んでいくと、だんだんとコアの問題がはっきりとわかってきます。同時に、勘もだんだんと強まっていきます。次のステップでは、コアの問題のソリューションを見つけるわけですが、勘を強めておくことがここでは非常に重要な鍵となります」

「ずいぶんと簡単すぎはしないかね」ジムが言った。

私はいったい何をしているのだ？　まるで自分の考えであるかのように、ジョナの言葉をそのままなぞっている。ジョナのことを信じているのなら、もっと頻繁に彼の手法を使っていてもいいんじゃないか。例の取締役会の時もそうだ。あの決定以来、私は藁をもつかむ思いでもがき苦しんだ。何かいいソリューションはないかと必死に探した。しかし、ジョナの理論を十分に信じていないのか、自分自身これを試してみようという気には、いまなおなれない。

「君自身、試してみたことはあるのかね」ブランドンが訊ねた。「もう諦めるしかないと思うような状況で使ってみたことはあるのかね」

私はしばらく考え込んだ。プラント・マネジャーの時、私はジョナの手法は使わなかった。ただし結論だけは使わせてもらった。無理もない、ジョナの〈制約条件の理論〉（ＴＯＣ：Theory of Constraints）のコアである〈思考プロセス〉については当時まだ知らなかったのだ。部門マネジャーになってからは、ジョナに頼らなくてもいいように、彼の手法をきちんと学ぶよう執拗に勧められた。しかし、それ以降も彼の手法はところどころに結構使わせてもらった。人に権限を与えたり、コンフリクトの解消にあたったり、チームスピリットを構築するために使わせてもらった。フルに〈思考プロセス〉を使ったこともある。少なくとも三回は使った。

「ええ、あります。何度かあります」私は答えた。

「それで？」

「うまくいきました……。驚くほどうまくいきましたよ」自らを正当化するように私は言葉を足した。

「必要なのは、経験と勘、それと細かい作業をやり遂げることのできる強い意志です」

「どのくらい時間がかかるんだ」ジムが訊ねた。

「場合によります。五時間とか、その程度だと思います」

「五時間？」ジムが高笑いした。「問題を抱えて一晩中寝られないこともあるが、それに比べれば大したことはない」

彼はまだ難しさがよくわかっていない。問題は時間ではない。それを行うところまで辿り着くのが大変なのだ。

「試してみようじゃないか」ブランドンが提案した。「三人に共通して経験と勘があるトピックを一つ選んで、君にデモンストレーションしてもらおう」

私は腕時計にちらっと目をやった。もう一一時近くだ。「それはちょっと……。もう遅いですし、明日は大切な交渉が二つありますから。それにどんなトピックを選んだらいいのですか。三人に共通して経験と勘があるトピックなどあるとは思えませんが」

「いや、ある」ブランドンが言った。「君には会社を経営し再建してきた経験が豊富にある。我々には会社を管理する経験が豊富にある。君と私たちの間で共通しているのは、いかに売上げを増やすかで頭を悩ませていることだ」

「確かに」ジムがうなずいた。「なにも今夜全部やる必要はない。最初のステップだけでもいいから、まず問題をリストアップしてみよう。君が言うＵＤＥとやらをリストアップしてみようじゃないか。それをどう関連づけるのか、後で君がその方法を教えてくれればいい」

参ったな。どうやら逃げ出すのは無理のようだ。ブランドンはペンを取り出して、もう一枚ナプキンを探していたが、チョコレートに敷かれていた紙で間に合わせることにしたようだ。さっそくＵＤＥを書き出し始めた。

「**『競争がますます激化している』**。私が関わっている会社からは、いつも聞かされるが、もううんざりだ」

「そうだな」ジムが相槌を打った。「**『価格引き下げのプレッシャーがますます増大している』**というのはどうかな」

「いいな」ブランドンがうなずいた。「どんなに需要がたくさんあっても、いつもその言い訳を聞かされる。我々は社外取締役だが、売上げを増やせと指示すること自体ためらってしまうところまできている。たいてい何とか売上げは増やしてくれるのだが、販売価格を引き下げてだ」

ブランドンやジムの側から見た意見を聞くのは興味深い。「続けてください」私は言った。「五つから一〇ぐらい挙げないといけませんから」

「あと、どんな言い訳をいつも聞かされるかなあ」ブランドンはすっかりこのゲームにはまってしまったようだ。「そうだ、もう一つある。**『市場が望む価格では、十分なマージンがとれない場合が増えている』**というのもある」

「それが言い訳ですか」私は驚きを隠せなかった。

「もちろん。問題は……問題と呼んでいいかどうかわからないが、**『市場の期待に応えるパフォーマンスを示すことができないと、市場から見放されてしまう』**ことだ。そういうサプライヤーがどんどん増えている」

「いいでしょう」半ば呆れたように私は答えた。「それもリストに追加しましょう」

「真の問題は、全体的なビジョンに欠けていることだ」ジムが言った。「我々がいつも目にしているのは、その場しのぎのソリューションで、合理的で緻密な計画によってしっかり裏づけされた全体的な戦略ではない」

「いま君が言ったことを、そのまま全部UDEとして書き加えてもいいかな」ブランドンが訊ねた。

「ああ、でももう少し短いほうがいいと思うんだが。たとえば、**『マネジャーは、部分最適化を達成することで、会社を運営しようとしている』**というのはどうだろう」

「いいな」ブランドンはジムの言葉を書きとるのに忙しい。「確かにみんな、いつも部分最適化を達成することで忙しい。そのせいで**『社内のそれぞれの部署同士で、互いのパフォーマンスの悪さを責め合っている』**……。我々が、いつも目にする光景だ。悪いのはいつも他の部署で、自分たちではない」

「それも書いてくれませんか」私はブランドンに向かって言った。「それも確かに問題です」

「もう書いているよ」ブランドンが答えた。「アレックス、今度は君の番だ。君の立場から見て何か問題はないかね」

「一つあります。**『売上げ増大のために何か策を講じろと、ますますプレッシャーが高まっている』**というのはどうですか。どこからそんなプレッシャーが発生しているのか、お二人なら出所もご存じと思いますが」

二人は高笑いした。「結果から判断すると、プレッシャーはまだ不十分らしいな」ジムが冗談を飛ばした。

「真面目な話だが、他にも重要なことを忘れていた」ブランドンが続けた。「『**新製品をこれまで以上のペースで投入しないといけない**』ことだ。製品サイクルがまだ一〇年以上もあった時のことを覚えているかね。もう、そんな時代は終わった。私もいろいろな業界に関わっているが、ほとんどの業界では製品サイクルは三年にも満たないし、すでに一年未満といった業界すらある」

ボブも化粧品のことで同じような話をしていた。それを思い出し、ブランドンの話に同感した。「それが原因で他にも問題が起こっていますね。『**新製品が次々と導入され、市場が混乱する**』。混乱するだけでなく甘やかされています」

書き終えるとブランドンが訊ねた。「ジム、何か他にないかな」

「あるとも」ジムが答えた。「話をしたと思うが、新しい製品を投入してもいいことばかりじゃない。失敗する新製品も多いし、開発投資さえ回収できないこともある。仮に成功して新製品が売れても、既存製品の売上げが落ちてしまうことがある。しかし、これは新製品に限ったことではない。販売チャネルについても同じことが言える」

私も意見を述べようかと迷っていると、ブランドンがジムをサポートする意見を述べた。「つい先週のことだが、信じられない話が耳に入ってきた。私たちが多額を投資した会社なんだが、六か月前、大きな取引に成功したんだ。全国チェーンと大型の取引がまとまったんだよ。ところが、この間の四半期は売上げが落ちてしまった。チェーンの販売が既存の販売店の売上げを食ったのが原因だと先週わかったんだ」

まったく同じことが我がユニコ社にも最近あった。その件については話をしたくなかったので、話題を変えようと二人に向かって言った。「『**新しい販売チャネル・製品は、既存の販売チャネル・製品の売上げ減につながる**』というのはどうですか」

「いいんじゃないかな」

ざっとブランドンの書き出したリストを数えてみた。「一〇個です。これで十分でしょう」

「いや、駄目だ」ジムが言った。「これで逃げようというのかね。これまで挙げたものは、ほとんどマーケット側の問題ばかりで、会社側の問題に触れているものが少ない。もう少し付け足させてもらうよ」

ブランドンに向かって、ジムが言った。「『**営業スタッフの多くが、必要な営業スキルに欠けている**』と書いてくれないか」

ジムが先を続ける前に、私も慌てて意見を述べた。偏りのないバランスのとれたリストにしないといけない。「『**営業スタッフに負荷がかかりすぎている**』」これもリストに付け足してもらった。

今度はまたジムだ。「『**製造、流通部門の改善が順調に進まない**』」

「ちょっと待ってくれ」書く手が追いつかないのか、ブランドンが待ったをかけた。「もう少し、ゆっくり頼むよ……よし、いいぞ」

「技術部門は?」ジムが言った。

「技術部門がどうかしたのですか」知らん振りして訊ねた。

二人が私の顔を眺めてニヤリと笑うと、ブランドンが「『**技術部門による新製品の開発が順調に進まない**』」と書き出した。

「それに『**信頼性にも欠ける**』」ジムが言葉を付け足した。

「もう、これで十分です」私は言った。「これ以上必要ないと思います」

ジムが私を見て微笑んだ。「最後にもう一つだけ。君が言っていたことだ。注意して書いてくれ」ブランドンに向かって言った。「『**革新的なマーケティングのアイデアが企業には欠けている**』」

そして、しばらく余韻を残すかのように間をおいてから言った。「アレックス、これまで列挙した問題をすべてはっきりとした因果関係で結びつけることができると、そう思っているのかね」

「それに君の話では、この方法に従えば、一つあるいは二つのコアの問題を見つけ出すことができる」ブランドンも言った。「他はみんなそのコアの問題を原因とする症状だ。そううまくいきそうには思えないが。アレックス、さっさと諦めたらどうだ。今週は、君も他にもやることが山ほどあるだろう」

「いいえ」私はプライドが許さなかった。「任せてください」きっぱりと拒否した。

「いいだろう」ジムが言った。「しかし、アメリカに戻る前までに、何らかの結果を見せてくれないか」

「わかりました」私は答えた。また、何かテストされているような気分だ。やめるチャンスもあったのに、どうして素直に諦めなかったのだろう。

13

プレッシャー・スチーム社の売却ミーティングの真っ最中だ。いつものミーティングとは様子が違う。相手は（昨日のミーティングのような）企業でもなければ、（今朝のミーティングのような）投資家でもない。なかなか手強そうだ。私は少し神経質になっていた。

「わかりました」しばらく間をおいてから相手が言った。向こうは口も巧そうだ。「それでは会社の資産について話を聞かせていただけますか。いちばん重要なポイントですから」そう言って、彼はバランスシートを開いた。

「会社の本当の資産は人材です」当たり前のことなのだが、私はそう言わずにいられなかった。

彼は私の名刺に目をやると、私に向かって微笑んだ。「あなたが、この会社の責任者ですか」

「はい、そうです」はっきりとした口調で答えた。

「純利益は二五万ドル以下ですね。販売高は……」そう言いながら、彼は手元のメモに目をやった。「販売高は九一六〇万ドル？　あまり思わしくないですね。株主資本利益率が知りたかったのですが……」

相手は私の顔を見てニヤリと笑った。何ともインチキくさい。「従業員に価格をつけることができたとしても、逆に株主資本利益率が減るだけですよ。では、この会社の実際の資産額について話し合いましょう」

どうも気に入らない展開だ。

彼はもう一度私の名刺に目をやった。「ロゴさん、バランスシートでは、設備の価値は七二一万ドルとなっていますが、本当の価値はどのくらいですか」

「どういう意味ですか」私は当惑すると同時に苛立ちを覚えた。「数字は操作したりしていませんが」

「そういう意味ではありません」彼はもう一度、歯を見せてニヤリと笑った。「ちゃんと会計基準にのっとって帳簿をつけておられることは承知しています。だからこそ教えてほしいのです。帳簿には、購入価格から減価償却費を差し引いた数字が記されています」

「償却期間は一〇年を考えています。脚注に書いてあると思いますが」私は説明した。

「正確には、脚注21です」バランスシートのことなら、自分のほうがよくわかっているとでも言いたいのだろう。「しかし、重要なのはそんなことではありません」彼はそう言うと、助けを求めるかのようにブランドンとジムの顔を眺めた。しかし、二人は黙ったままだ。

「ロゴさん、一〇年前に購入した設備の価値はバランスシート上ではゼロになります」

「もちろんです。全額償却が終わったわけですから」

「ええ、でも実際はまだ少し価値が残っているかもしれません。売却したら、いくらかのお金になるかもしれませんよ」

彼は私が口を挟む隙も与えずに矢継ぎ早に説明を続けた。「しかし一方、一年前に購入した機械は、帳簿上、価値はほとんど減っていませんが、いざ売却しようとすると大したお金にならないことがよくあります。ですからバランスシートを見ただけでは、設備の実際の価値がどのくらいなのかはわからないのです」

「関係があまりよくわかりませんが」私は言った。「でも仮に機械を単独で売却したとしても、大した金額にはなりません。ずいぶん古いものも多いし、それにほとんどの機械が我が社の仕様に合わせて作ったものですから、これを使うことのできるメーカーはほとんどないと思います」

「しかし売ったとして、いったいどのくらいの金額になるんですか」

「わかりません。七二一万ドル以下であることは間違いないと思います」私は相手の勢いに押され、つい答えてしまった。

　私からはこれ以上まともな回答は得られないと思ったのだろう、相手はブランドンとジムのほうを振り返った。しかし、この二人からもこの件について特に説明が得られないと確認すると、何やらメモをさっと書き取り、話を先に進めた。

「在庫はどうですか、在庫の価値はどのくらいに見積もることができますか」彼が訊ねた。

「帳簿上の価格を用いてはどうですか」

「ロゴさん、あなたの会社の帳簿は正規の会計基準にのっとって記録されていると思います」あなたのところはそうじゃないんですか。どうもこいつは気に入らない。そう思いながら私は声を大きくして言った。「それが何か問題でも？」

「問題はありませんが、その数字はあまり役に立ちません。帳簿上は、取得するためにいくらかかったのか、コストをベースに在庫を評価しているわけですから。私が知りたいのは、売却するときにいくらで売れるかです。この二つの数字は大きく異なりますが、それは認めていただけますか」

「いいえ、少なくとも私の会社の場合はそんなことはありません」

　彼は呆れた顔をしてブランドンとジムのほうを見た。

「どうしてだね」ブランドンが訊ねた。

「我が社の場合、仕掛りが非常に少ないからです。在庫のほとんどは完成品のスペアパーツですし、卸しで販売したとしても、コスト程度でしか販売できません。それに残りはすべて普通の原材料ですから」

ブランドンが相手の顔を見た。

「なるほど」彼は答えた。「それでは、土地は？」

彼の知りたいことはわかっている。帳簿に記載されている金額はたいてい古く、時価とは無関係のことが多い。

「それはそのままでも問題ないと思います」ブランドンが答えた。「四年前にこの会社を買収した時の評価額ですから。それに、この地域の不動産価格は当時からあまり変わっていません」

「それでも、最新の評価額を知りたいですね」

「そうですね」ブランドンがうなずいた。

いったいどういうことなのだ。相手のアプローチはまったく間違っている。この会社は利益も出しているし、もう潰れかけの会社でもない。相手はこの会社を切り刻んで、部分ごとに評価しようとしている。それをなぜブランドンとジムは許しているのだ。こんなやり方では、会社の価値は大きく下がってしまう。

答えはすぐにわかった。

ブランドンが言った。「この会社の本当の資産について話をしましょうか……。マーケット・シェアです。我が社の北米市場のシェアは約二三パーセントで、非常に安定しています」

相手が振り返って私の顔を見た。「この市場に参入するのはどのくらい難しいのですか」

「非常に難しいです」私の率直な意見だ。「現在、市場は四社によって独占されています。どのメーカーも規模はだいたい同じくらいですし、各社ともこの業界で四〇年以上の歴史を持っています」

「なるほど」彼はそう言いながら、鉛筆を噛み始めた。私は他人が鉛筆を噛むのを見るのが嫌いだ。「どうしてですか」彼が訊ねた。

「いくつか理由があります」私は落ち着いて答えた。「まずはクライアントとの関係です。このビジネスは、実際のところスペアパーツで商売をしているんです。クライアントに設備本体を販売すると、クライアントは追加設備やスペアパーツを同じメーカーから購入することになるわけです」

「なるほど」相手はうなずいている。

「それから、設備を作るのもそう簡単ではありません。注文はすべて異なっていて、クライアントのニーズに合わせて一つひとつ作らないといけません。どちらかというと職人技が必要とされるビジネスです。ノウハウや技術を積み上げるには、長い時間がかかります。だからこそ、会社の本当の資産は人材だと言えます」思わず、重ねてそう言った。

「余剰生産能力はどうですか。この業界には余剰生産能力がありますか」相手が訊ねた。

いったい、どこからそんな質問が出てきたのだ。だが、理由はすぐにわかった。「ええ、あります」私は答えた。「どの高圧蒸気会社もみんな、CNC（数値制御）やCAD（コンピュータ支援設計）などの技術を用いるようになって生産能力が余るようになりました。しかし、どの会社も価格戦争は起こさないようにと慎重です。慎重すぎるほど慎重です。さっきも申し上げましたが、各社ともこの業界で四〇年以上の歴史があるんです。これからもずっと生き延びていくつもりだと思います。ですから、価格戦争の危険はないと思います」

「わかりました」彼はそう言うと、ブランドンとジムのほうを向いた。「それで、いくらですか」

「一億ドルでは？」ブランドンとジムの答えは意外だった。

一億ドルとは、ずいぶんふっかけたものだ。実際の価値よりずっと高い、信じられないような金額だ。相手は「検討させてください。来月、こちらから連絡します」と答えただけだった。もしかすると、相手は恐れていたほど大した奴ではなかったのかもしれない。

いや、この数字はあくまで交渉の出発点にすぎない。企業の買収売却は、どこかアジアの国でのバザールの駆け引きに似たところがある。

交渉が終わって下に降りる途中、私たちはみな黙ったままだった。私はこのような交渉事は好きではない。相手も気に入らない。何もかもうんざりする。会社を評価するのに、会社がまるで機械や在庫や土地、マーケット・シェアの寄せ集めみたいに扱う。間違っている。歪んでいる。

それにバランスシート……、まったく呆れてしまった。いまの今までバランスシートがどれほど無意味なものか知らなかった。ノウハウ、知識、マーケット・シェア、評判などといった真の資産はまったく記されていない。機械や在庫、土地などは表示されてはいるが、その価値は現実とは大きくかけ離れている。

こんなでっち上げの数字の世界とは決別したい。決別して、さっさと家に帰りたい気分だ。

14

今日は出だしがよくなかった。こんな調子では、終わりはさらに悪くなりそうだ。今日は、ボブの化粧品会社の売却交渉をする会議が二つ予定されていた。しかし、私には気になる問題があった。ボブの新しい流通システムをどうしたらいいのか、まだ決めかねていたのだ。確かに彼の方法は、顧客に対するサービスと在庫レベルを著しく改善することができるが、一方で、在庫が減ることで短期的に損失を一〇〇〇万ドル程度増やしてしまう。

交渉相手には直近の四半期レポートを送っておいたが、それにはまだ新しいシステムの影響が表れていない。そのまま黙っていてもいいのだろうか。どうやって説明したらいいのだろう。

最初の交渉の席に向かう途中、私はブランドンとジムに相談した。彼らにしてみれば、寝耳に水である。嬉しいはずもない。

「新しい流通システム？　在庫が一七〇〇万ドル分減少して、追加損失が一〇〇〇万ドル？　アレックス、君に驚かされるのにはある程度慣れていたつもりだが、次からは、もう少し前もって教えてくれないか」

タクシーはすぐに目的地に着いた。助かった。さもなければ、ブランドンとジムに延々と苦言を聞かされていたに違いない。何を言われるか私も心配だったが、時間が迫っていたので、とりあえず事なきを得た。ただ、このことを交渉相手に包み隠さず説明するようにとだけは念を押された。

「最後になって何か隠していることが相手にわかったら、それこそ、うまくいくはずの取引もうまくいかなくなってしまう」ブランドンが言った。「アイ・コスメティックスの売却交渉は、今日の相手が初めてだ。すべて包み隠さず話してくれよ」

できるだけメリットを強調するように、しかし在庫の減少で予想される悪影響についてもしっかり説明するようにと、二人はエレベーターの中でも私に何度も念を押した。

私は二人の指示どおり、相手に説明を行った。相手も私の説明をよく理解してくれ、決して悪い印象は受けなかった。投資家ならみんな、そんなことはわかっているのだろう。在庫レベルが上下することで、架空の利益や損失が発生することなど知っているのだ。

短期的な利益が減少することなど、相手は心配していなかった。逆に、我々の新しいシステムやそれを実行したスピードに感心していた。

反応は実によかった。これに乗じて、ブランドンは、一時的に予想される利益の減少も売却価格を決定する要因にはならないとまで言い切った。意外にも、いずれの交渉でも相手はこれにうなずいた。

もちろん、私は事細かく質問されたが、新しい流通システムのコンセプトは非常にロジカルで理に適っているため、その妥当性を相手に納得させるのに苦労することはなかった。しかし唯一「どうしてもっと早く導入しなかったのか」という質問には返答に困った。

いままでにないソリューションを実施する時は、いつもこの質問が問われるに違いない。

もしかすると、私は会社の売却に過剰に神経質になっているのかもしれない。世の中はもう以前ほど短期志向ではないのかもしれない。みんなが今日の交渉相手のような人間ばかりだったら、ボブやステーシーもこれまでどおり自分たちのやり方で、それぞれの会社を運営することを許してもらえるだろう。

いや、それは違う。自分の会社を売却しようとしていることを自分に納得させようとしているだけだ。短期的な利益獲得プレッシャーはあって、どんなに賢明な人間がトップであったとしても、ボブとステーシーのやり方には口を挟んでくるだろう。たとえ売却がうまくいったとしても、二人には勝ち目はない。何とか売却を阻止する方法を見つけなければならない。

しかし、いまはそんなことを考えている時間がない。緊急な用事があるのだ。あと一時間したら、ブランドンの部屋に行かなければいけない。

私は脱いだ服をベッドの上に放り出し、シャワーを浴びた。ここロンドンは、思ったよりも暑い。いろいろな意味で、実にホットだ。

みんなが想像しているようなことではない。売却を阻止しようと見え透いた手を使ったからと、私を吊し上げようとしているわけではないのだ。別件だ。いつも自分から不可能な状況に追い込むのは私の得意技だが、またやってしまったのだ。

やはり、先ほどのミーティングが終わった後、私はブランドンとジムから質問攻めにあった。「アレックス、この新しい流通システムとやらをもっと詳しく説明してくれないか」まず口火を切ったのはブランドンだった。

「ただの常識です。それ以外の何物でもありません」軽く流したが、それで済まないことは承知していた。

「ただの常識？　それ以外の何物でもない？」ブランドンが皮肉な口調で私の言葉をなぞった。「君のソリューションは普通じゃない。わかっているのかね。工場の役割は従来、製造と決まっている。なのに君の解決案では、工場を評価するのに、その製造を基準にしないと言うのかね」

「工場にもちゃんと役割はあります」私は慌ててブランドンの言葉を正した。「その役割、責任に基づいてちゃんと評価を行います。工場には、それぞれの製品ごとに十分な在庫を用意しておく責任があります」

「そうか、それでは次の質問だが……」ブランドンが間髪入れずに続けた。「在庫を減らすと言いながら、工場の在庫は二〇日分にまで増やした。これまでは一日分もなかった。それから販売店への対応を迅速化するためだと言って、工場からの出荷を最後の最後まで遅らせている。言っては悪いが、どこからどう見ても、これまでの常識とは正反対のことをしているとしか思えない」

この攻撃には、どう反論していいものか。このソリューションについては、もう理解してくれているものとばかり思っていた。最後の最後まで黙っていた理由もわかってくれていたと思っていた。これが間違いだったようだ。

最初からこの新しい流通システムについてきちんと説明したほうがいいのだろうか。いや、ミーティングでの彼らの口ぶりから判断すると、二人とも完全に理解している。それだったら、いったい何が問題だというのだ。

「確かに、私たちのアプローチはこれまでのやり方に真っ向から反対するやり方かもしれません。しかし、それでも常識なんです」

「それが、よくわからないんだ」ジムが声高に言った。

私は、ますますわけがわからなくなってしまった。

「いったい、どうやったんだね」ブランドンが訊ねた。「どうして、これまでのやり方をそうも大胆に無視することができたんだね。いままでのやり方を無視して、どうやって、そうもシンプルでパワフルなソリューションを作ることができたんだね」

「私が考えたわけではありません。考え出したのはボブと彼の部下です」私はボブたちを持ち上げた。

「印刷会社のほうはどうかね。高速の印刷機を相手に回して、大量の注文でも高い金額を相手に払わせることができるようになったじゃないか。あの営業ソリューションも君の考えじゃなくて、ピートたちのアイデアなのかね」

「そうです、彼らが考え出したソリューションです」私はきっぱりと答えた。

ブランドンはなかなか引き下がらない。「プレッシャー・スチームはどうなのかね。わずか一年で潰れかけの赤字会社から、まだ利益は少ないが何とか立ち直った。これも君じゃなくて、ステーシーや彼女のスタッフの活躍のおかげかな」

「そのとおりです」

「それじゃ、君が前にいた部門の奇跡的な業績回復はどうなんだね。これは、誰のおかげだと言うのかね」

二人の口調が、こんな追及するような厳しい口調でなければ、私もいい気になっていたかもしれない。しかし、まるで私に何か問題があるかのような話しぶりだ。

「どう答えてほしいのですか」

「わからないかね」ジムもブランドンに勝るとも劣らぬ厳しい口調だ。「君のところの人間はみんな、どうしてそんなことができるんだ。何か特別な方法でもあるのかね。従来のやり方を打破して新しい考え方をする方法でもあるのかね」

「〈思考プロセス〉です。常識をベースに考えを構築し、これを相手に伝える方法です」知らぬうちに私はジョナの言葉を語っていた。

「信じられない」

「私が経営の天才だって言ったら？　そのほうがもっと信じられないですね」

なかなか愉快だ。実に愉快な気分だ。

しかし、ブランドンとジムには愉《たの》しんでいる様子はない。

「そんな便利な方法があるとは信じ難いが、無視するわけにもいかないな」ジムは真面目な顔をしている。

私は肩をすぼめてみせた。

ジムがまっすぐ私の目を見つめて言った。「アレックス、私たちにその方法を詳しく説明してくれないか」

ブランドンも言った。「二日前、三人で問題を数多くリストアップして君に任せておいたが、正直言って、君がまともな答えを見つけるとは思っていなかった。コアの問題は一つか二つで、他の問題はすべてこのコアの問題を原因とする症状だと君は言っていたが、そんな話も信じていなかった。しかし、いまは自信がない。もしかしたら、本当にそんな方法があるのかもしれない」

というわけで、あと一時間余りでブランドンのスイートルームに行って、コアの問題を見つける手法を披露することになった。そのためには〈現状問題構造ツリー〉を構築しないといけない。しかし、これまで経験もしたことのない複雑な課題だ。今度は勝ち目はなさそうだ。

私は急いで着替えた。ツリーを最後に構築したのはいつのことだっただろうか。他の〈思考プロセス〉はこれまでも頻繁に利用してきたし、ボブが新しい流通システムを考案する時も手伝った。しかし自らツリーを構築したのは、もう二年以上も前のことになる。ジョナから教わったガイドラインでさえちゃんと覚えているかどうか定かでない。大口を叩いたのは私だ。どうやってこの難題をクリアしたらいいんだ。

ブランドンがメモ書きした紙を手に取った。まるで医者のカルテのようだ。何を書いたのかほとんど判読できない。まずは読みやすいようにこれを書き直さなければいけなかった。書き直しながら、私はいくつかの「好ましくない結果」の因果関係に気づいた。もしかすると、うまくいくかもしれない。

UDE（Undesirable Effects：好ましくない結果）

1 競争がますます激化している
2 価格引き下げのプレッシャーがますます増大している
3 市場が望む価格では、十分なマージンがとれない場合が増えている
4 市場の期待に応えるパフォーマンスを示すことができないと、市場から見放されてしまう
5 マネジャーは、部分最適化を達成することで、会社を運営しようとしている
6 社内のそれぞれの部署同士で、互いのパフォーマンスの悪さを責め合っている
7 売上げ増大のために何か策を講じろと、ますますプレッシャーが高まっている
8 新製品をこれまで以上のペースで投入しないといけない
9 新製品が次々と導入され、市場が混乱する
10 新しい販売チャネル・製品は、既存の販売チャネル・製品の売上げ減につながる
11 営業スタッフの多くが、必要な営業スキルに欠けている
12 営業スタッフに負荷がかかりすぎている
13 製造、流通部門の改善が順調に進まない
14 技術部門による新製品の開発が順調に進まず、信頼性にも欠ける
15 革新的なマーケティングのアイデアが企業には欠けている

15

「次のステップですが……」私は、さも自信ありげに説明を始めた。「次のステップは、いま列挙した『好ましくない結果』同士の因果関係を見つけることです。少なくとも二つ以上の好ましくない結果同士の因果関係を探します」自信ありげな口調とは裏腹に、私は内心不安だった。だが、このくらいの手順は覚えている。やれやれだ。

「どれでもいいのか」ジムが訊ねた。

「はい。他の手法とは違って、順番は関係ありません」

「そうか。順番を決めないといけないのだったら、きっとブランドンと揉めていただろうな。ところで、『好ましくない結果』というのは少々長ったらしいから、簡単に〝問題〟と呼んではどうかね」

「できれば、そのまま『好ましくない結果』と呼ぶか、あるいは省略してUDEがいいと思います。そのほうが、意味を混同しないですみますから」

二人は納得の笑みを見せた。

しかし、困ったことになった。手順は全部覚えているから問題ないのだが、きちんと細かいところまでわかりやすく説明できるかどうか心配だ。自分の勘を正確に言葉に表現するのは簡単ではない。過去にツリーを構築した時は、長い時間をかけ苦労の末やっとのことで作り上げた。それをいまは、ブランドンとジムの前で、彼らの厳しい目にさらされながら行わないといけない。二人が我慢して私の説明を聞いてくれればいいのだが、さもなければ、私は道化になってしまう。二人にはいい印象を与えたいが、目の前でツリーを作るのがベストな方法とは思えない。しかし、何とかやり遂げて、いい印象を与えねば。

「どうやったらいいのかね」ブランドンが訊ねた。

「何をですか」私は訊き返した。

「『好ましくない結果』同士の因果関係をどうやって見つけたらいいのかね」

「リストをよく見て、勘を働かせてください。そのうち関係が見えてくるはずです」

助かった。彼らは自分たちで作業をするつもりらしい。私は先生になればいい。作業が行き詰まってもそれは彼らの問題で、私の責任ではない。ある程度のところまでは、どうにかなるだろう。何とか前へ進んでいる間は、ごまかせそうだ。

「神様、助けて」そうつぶやき、先生役を演じることにした。「どうです？　どれか『好ましくない結果』、UDEの関係が見つかりましたか」

「ああ、いくつか見つかった」ブランドンが渋い顔をして答えた。

「何か問題でも？　言ってみてください」

「どうもしっくりこない。あまりにありふれている気がする」彼が言った。

その気持ちはよくわかる。リストを眺めていると、関係がたくさん見えてくる。それを紙に書き出してみる。しかし、どれも確証があるわけではない。ジョナによると、あまりに当たり前に思える場合、逆に不安が募ってしまうが、それで構わないのだ。

「大丈夫です」ブランドンを励ました。「どれでもいいですから、一つ言ってみてください」

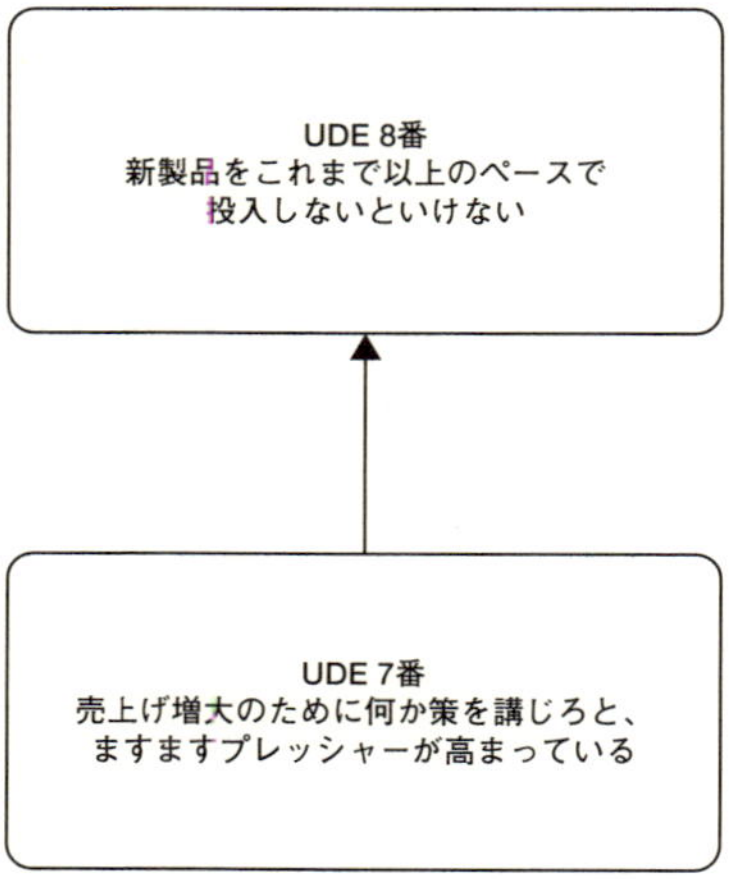
UDE 8番
新製品をこれまで以上のペースで
投入しないといけない
UDE 7番
売上げ増大のために何か策を講じろと、
ますますプレッシャーが高まっている

「そうだな……」ブランドンがためらいながら答えた。「『売上げ増大のために何か策を講じろと、ますますプレッシャーが高まっている』。だから『新製品をこれまで以上のペースで投入しないといけない』。どうかな。やはり、しっくりこないな。間違いということではないのだが、しかし……」

私は黄色い大きめの付箋を二枚取り出し、ブランドンが挙げたＵＤＥを書き込んだ。一枚の付箋にＵＤＥ７番を、もう一枚にＵＤＥ８番を書き込んで、大きめの白い紙に貼りつけ、さらに矢印を書いて二つの関係を示した。

「少し説明が必要ですね」私は言った。「この二つのＵＤＥの間には確かに関係はあると思いますが、少々距離があります」

「国際線だな」ジムが笑った。

「間にもう一つステップを入れて、因果関係をはっきり示してみてはどうですか」そうブランドンにアドバイスしたが要領を得なかったのか、うまくいかなかった。そこで今度は別の質問をしてみた。「売上げを増やせというプレッシャーと新製品を導入することの間にはどんな関係があるの

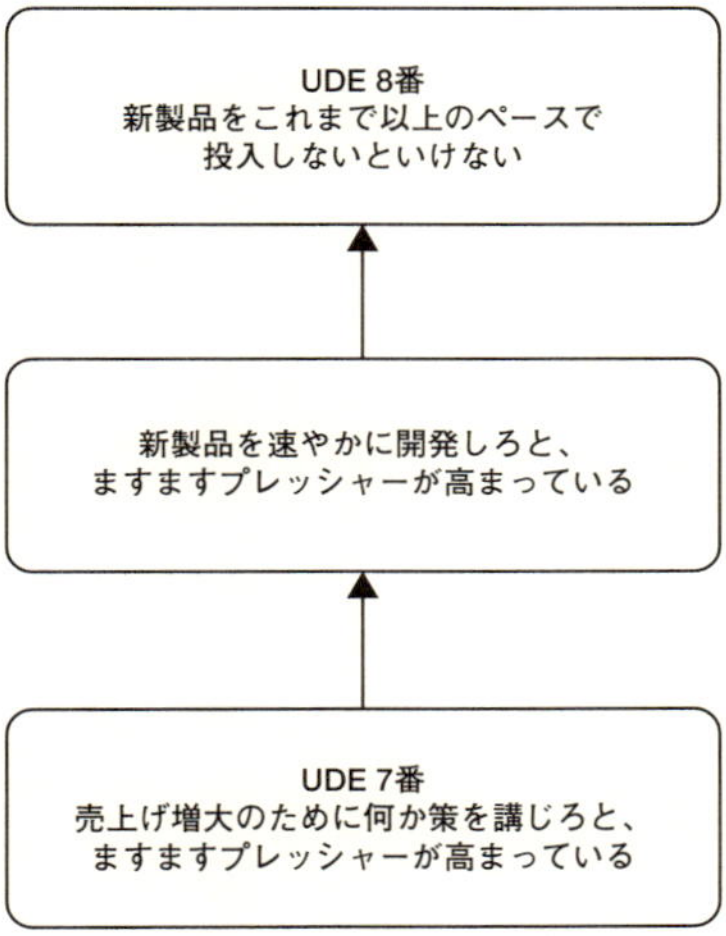
UDE 8番
新製品をこれまで以上のペースで
投入しないといけない
新製品を速やかに開発しろと、
ますますプレッシャーが高まっている
UDE 7番
売上げ増大のために何か策を講じろと、
ますますプレッシャーが高まっている

ですか」

「それは、はっきりしているじゃないか」彼は私の問いに驚いた様子だ。「売上げを増やせというプレッシャーが新製品を開発しろというプレッシャーを生み出す、そして開発された新製品は市場に導入されていく」

「なるほど」私は三つ目の付箋に『**新製品を速やかに開発しろと、ますますプレッシャーが高まっている**』というステートメントを書き込み、これを先の二つのＵＤＥの間に貼り付けた。三人でこれを眺めた。

「このほうがわかりやすい」ジムが唸った。「しかし、まだ何か足りないな」

「ええ、そうですね。もう一つ付け足させてもらっていいですか」そう言って、私が付箋に書き込んでいちばん下の付箋の横に貼り付けるのを、二人は黙って待っていた。私は声を出してこれを読み上げた。「『**売上げを増やす最も効果的な方法の一つは、新製品の開発**』。違いますか」

二人ともうなずいた。

「つまり、もし『**売上げ増大のために何か策を講じろと、**

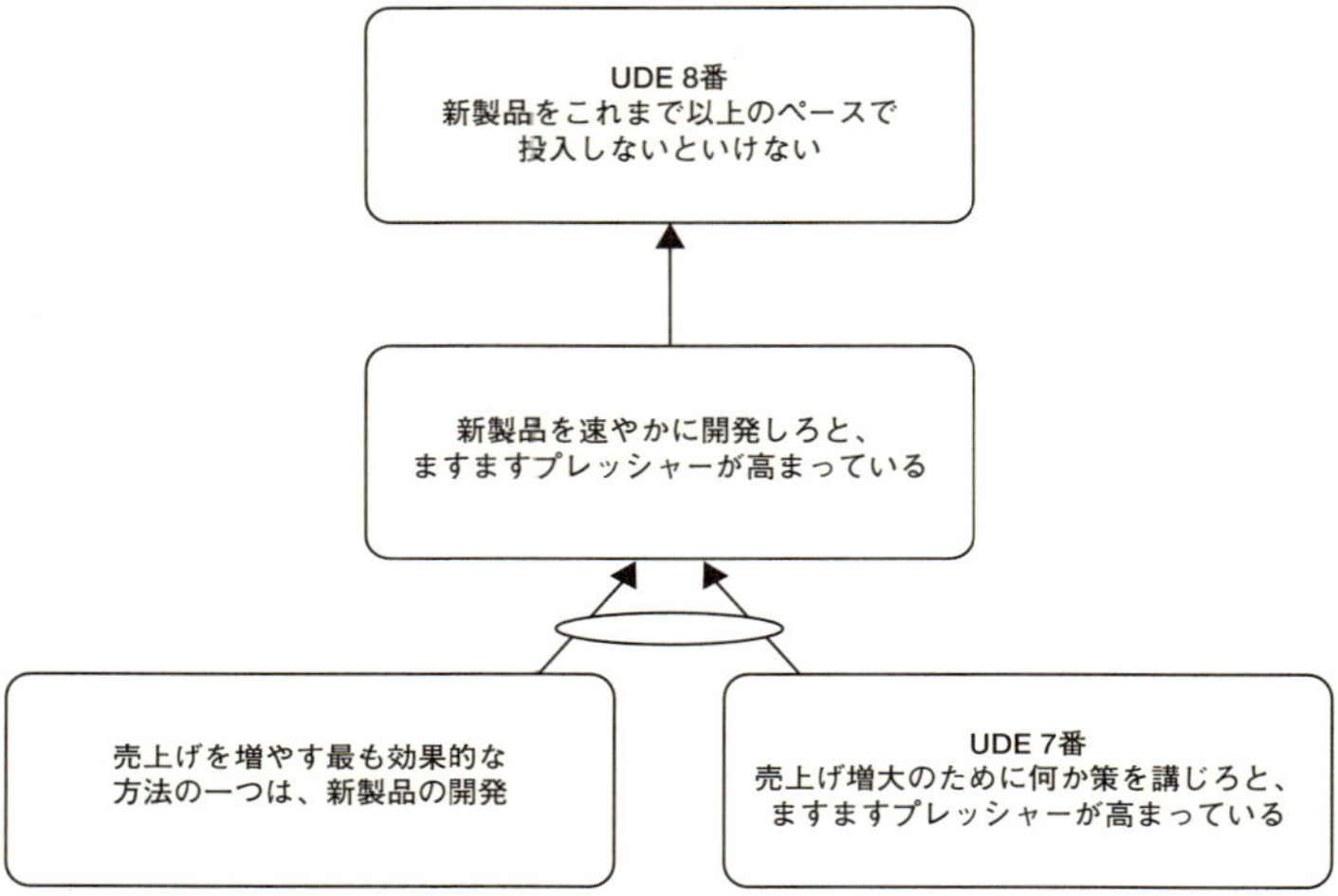
UDE 8番
新製品をこれまで以上のペースで
投入しないといけない
新製品を速やかに開発しろと、
ますますプレッシャーが高まっている
売上げを増やす最も効果的な
方法の一つは、新製品の開発
UDE 7番
売上げ増大のために何か策を講じろと、
ますますプレッシャーが高まっている

ますますプレッシャーが高まっている』かつ『売上げを増やす最も効果的な方法の一つは、新製品の開発』だとすれば、『新製品を速やかに開発しろと、ますますプレッシャーが高まっている』ということになります。もし『新製品を速やかに開発しろと、ますますプレッシャーが高まっている』とすれば、『新製品をこれまで以上のペースで投入しないといけない』ということになります。どうですか」

二人とも異議はなさそうだ。

しかし、私はどうも気に入らない。

「まだ何か違うような気がします」私は二人に言った。「どんな業界でも、売上げを増やすための策を講じろというプレッシャーはあります。しかし実際に新製品をどんどん導入しているのは、一部の業界に限られています」

「それはどうかな」ブランドンが反論した。「ほとんどどんな業界でも、新しい製品がこれまで以上の頻度で導入されているじゃないか。銀行でさえ、常に新しい商品を打ち出している」

「いや、少し違うんじゃないか」今度はジムが抵抗を示した。「銀行と化粧品、ゴルフクラブ、電子機器関連などの業界を比較するのは、どうかと思うな。こうした業界の製品サイクルは平均で二年未満、一年に満たない場合もある。二年おきにほとんどすべての製品を入れ替えないといけない。〝ますます〟と言うには、そのぐらいの頻度が必要だよ」

「なるほど」ブランドンがあっさりとうなずいた。

「このツリーの下のほうのステートメントはどんな産業や業界にも当てはまるのですが、上のほうのステートメントは一部の業界にしか当てはまりません。だから下の部分にまだ何かが足りないと思います」私は言った。「一部の業界にしか当てはまらないステートメントを付け足さなければいけません。そうしないとこのツリーは完成しません。新しい製品が次から次へ導入されなければいけない理由を示すステートメントが必要です」

「これはどうですか」私はそう言って、もう一つ別のステートメントを書き込んだ付箋を下のほうに貼り付けた。「**『新素材の速やかな開発によって、新製品の開発が可能となる産業がある』**」

「それはあるな」ジムが思慮深げに言った。「並みの電子機器エンジニアでも、現在の部品を使えば、一〇年前に最も優秀なエンジニアが作った製品よりずっと優れた製品を作ることができる。それで、このステートメントをどう使おうと言うんだね。どう、ツリーを直したらいいんだ」

「ハリネズミのセックスと同じです」私は答えた。「慎重に行わないといけません。まず、この業界に名前をつけておきましょう。短く『先端素材産業』というのはどうですか。

次はもう一度ツリーを読み直して、必要があればまた修正を加えます。もし**『新素材の速やかな開発によって、新製品の開発が可能となる産業（先端素材産業）がある』**かつ**『売上げを増やす最も効果的な方法の一つは、新製品の開発』**かつ**『売上げ増大のために何か策を講じろと、ますますプレッシャーが高ま**

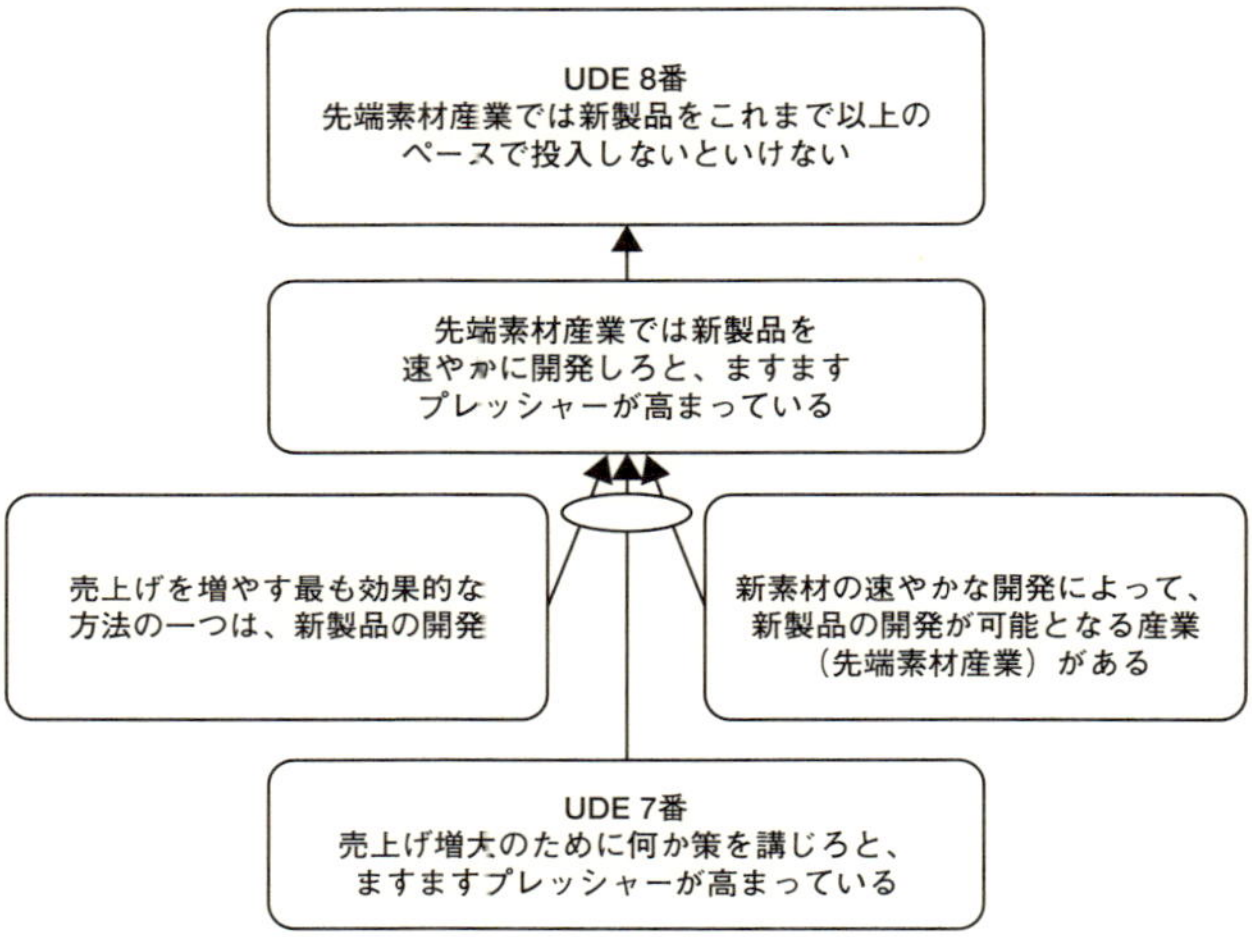
UDE 8番
先端素材産業では新製品をこれまで以上の
ペースで投入しないといけない
先端素材産業では新製品を
速やかに開発しろと、ますます
プレッシャーが高まっている
売上げを増やす最も効果的な
方法の一つは、新製品の開発
新素材の速やかな開発によって、
新製品の開発が可能となる産業
（先端素材産業）がある
UDE 7番
売上げ増大のために何か策を講じろと、
ますますプレッシャーが高まっている

っている』とすると、**『先端素材産業では新製品を速やかに開発しろと、ますますプレッシャーが高まっている』**ということになります」

「少し長いが、内容は完璧だ」ブランドンは満足げだ。「これに合わせて、いちばん上のステートメントも書き直さないといけないな」

彼の字が読みにくいのは先刻承知なので、私が書かせてもらった。いちばん上のステートメントは**『先端素材産業では新製品をこれまで以上のペースで投入しないといけない』**と書き直された。

「これまでのところは、常識にすぎないな」ジムが言った。

その〝常識〟にほんの数分前まで躊躇していたのはどこの誰だ、と言いたいところだったが抑えた。

一方、ブランドンはそう簡単に済ますことができないらしい。「ただの常識だったら、どうしてここまで辿り着くのに三〇分近くもかかってしまったんだ。すぐ書けてもよさそうなものじゃないか」

「わかった、わかったよ」ジムが認めた。「別に常識を構築するのが簡単だと言っているわけじゃない。しかしアレックス、あとはどうするんだ。まだ二つしかUDEの因果関係がわかっていない。あと一三も残っている」

「その残りの一三のUDEが次のステップです」私は答えた。「コアの問題が必ずあるはずです。そのコアの問題に他のUDEを全部関連づけていくんです。しかし、焦っては駄目です。ゆっくりで大丈夫です。他に簡単に結びつけることのできるUDEはありませんか」

「**『新製品が次々と導入され、市場が混乱する』**というやつが次だな」ブランドンが答えた。

確かめてみよう。「もし**『先端素材産業では新製品をこれまで以上のペースで投入しないといけない』**とすれば、**『先端素材産業では新製品が次々と導入され、市場が混乱する』**。確かにそうですね」私はこれをツリーに付け足した。

「12番はどうかな」ジムが言った。「**『営業スタッフに負荷がかかりすぎている』**。これも簡単にどれかに結びつけることができそうだが」

ところが、これはそう簡単にはいかなかった。いくつか試み、失敗して、その理由がわかった。このUDEは原因が一つではなく、二つあったのだ。結果は次のとおりとなった。もし**『売上げ増大のために何か策を講じろと、ますますプレッシャーが高まっている』**とすれば、**『営業スタッフに対し売上げを増やせと、ますますプレッシャーがかかる』**。しかしこれだけでは、営業スタッフに負荷がかかりすぎていることにはならない。他にも理由が必要だ。もし**『先端素材産業では新製品をこれまで以上のペースで投入しないといけない』**とすれば、**『先端素材産業では、営業スタッフは次から次へと新製品について学ばなければいけない』**ということになる。これでつながった。どうして**『先端素材産業では、営業スタッフに負荷がかかりすぎている』**のか、これではっきりとした。

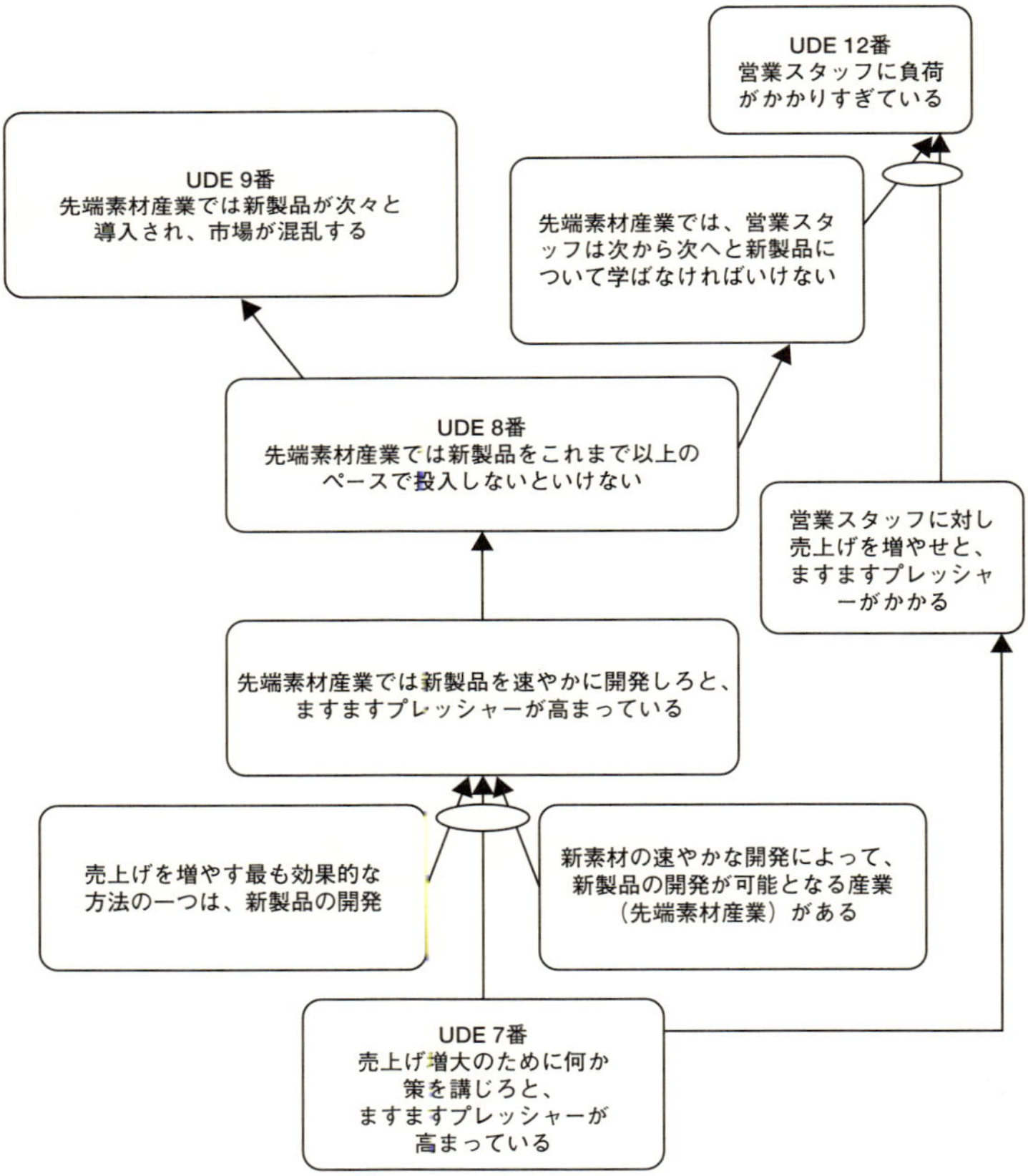
UDE 12番
営業スタッフに負荷
がかかりすぎている
UDE 9番
先端素材産業では新製品が次々と
導入され、市場が混乱する
先端素材産業では、営業スタ
ッフは次から次へと新製品に
ついて学ばなければいけない
UDE 8番
先端素材産業では新製品をこれまで以上の
ペースで投入しないといけない
営業スタッフに対し
売上げを増やせと、
ますますプレッシャ
ーがかかる
先端素材産業では新製品を速やかに開発しろと、
ますますプレッシャーが高まっている
売上げを増やす最も効果的な
方法の一つは、新製品の開発
新素材の速やかな開発によって、
新製品の開発が可能となる産業
（先端素材産業）がある
UDE 7番
売上げ増大のために何か
策を講じろと、
ますますプレッシャーが
高まっている

「普通の業界はどうでしょう。先端素材の影響もなく、新製品の開発競争に追われていない産業はどうでしょうか」私は二人に質問した。「そういう業界も無視するわけにはいきません」

「スタートはやはり同じだと思う。先端素材に関係のない業界でも、売上げを伸ばせというプレッシャーはあるわけだから」ブランドンが答えた。

「そういうプレッシャーに追い込まれた時どうするか、結果はだいたいわかっている」ジムが言った。「受注するために普通は価格を引き下げる。アレックス、でもこれはどうしたらいいんだ。いまは、残りのUDEをツリーに関連づけるだけだと思っていたが」

「ええ、でも何も困ることはありません」私は付箋をあと二つ用意し、これにステートメントを書き込んだ。「もし**『売上げ増大のために何か策を講じろと、ますますプレッシャーが高まっている』**かつ**『売上げ増大のための窮余の策は価格の引き下げ』**とすれば、**『価格引き下げのプレッシャーがますます増大している』**となります。UDE2番の登場です」

「このUDEは、どの業界にも当てはまるな」ブランドンがため息をついた。

「UDEの1番もこれで結びつけることができる」ジムも積極的になってきた。「**『競争がますます激化している』**だが、競争を激化させる最大の原因は価格戦争だ。それから技術競争や、新製品が次から次に市場に導入されていることも原因だな。私たちがいつも周りで目にしていることだ。これでいい」

しかし、私はすぐにこれをツリーには付け足さなかった。ブランドンも首をかしげている。「どうしたんだ」ジムが私を急かした。「価格引き下げのプレッシャーが、競争激化の原因だと思わないのか。新製品導入で企業が競い合っている時はそうじゃないか」

「確かにそうかもしれないのだが、しかし……」ブランドンは迷っている。

「しかし？」

「私は逆に、競争が激化しているから、**『売上げ増大のために何か策を講じろと、ますますプレッシャーが高まっている』**ということだと思う」

「そうか」ジムは私のほうを見た。「どうしたらいいんだ」

「どうしたらいいとは？　何か問題でも？」私は質問の意味がわからないふりをした。

「つまり、ジムが言うには、ＵＤＥの１番はこのツリー全体の結果だからツリーのいちばん上にくる」ブランドンが苛立ちを抑えながら説明した。「しかし逆に私は、ＵＤＥ１番はスタート地点の原因であって、ツリーのいちばん下にくるべきだと思う」

「ジム、いまの説明でいいですか」

彼はしばらく考え込んで、少し間をおいてから答えた。

「ああ、いいと思う」

「だったら、何が問題なんですか。ＵＤＥの１番はツリーのいちばん上と下の両方にくればいいんです。ループになっていて循環すると考えればいいんです」私は落ち着いた口調で言った。

「しかし、ループになっていて循環しているなら、結果はどんどん大きくなっていくんじゃないのかね」

ブランドンが、ゆっくりと言葉を噛み締めるように訊ねた。

「そのとおりです。実際にそうではありませんか？　ＵＤＥの表現を見てください。**『ますますプレッシャーが高まっている』『これまで以上のペースで』『ますます激化している』**。ＵＤＥが拡大していることを表現しているじゃないですか。それから最後に付け足したＵＤＥ……、**『価格引き下げのプレッシャーがますます増大している』**というやつですが……、これもその状態が現在進行形であることを表現していると思いませんか。事実、UDEの表現を見て、私は最初からループになると予想していました。特に珍しいことではありません。逆に、複雑な問題の場合、たいていこうしたループが少なくとも一つぐらいはあるものです」

ブランドンとジムはツリーに矢印を書き足しループに仕上げてから、これを読み上げた。これで現状がもっとよく理解できる。

私のほうはスローペースだ。まだツリーの検証は終わっていない。一周りしてから、もう一度最初からスタートした。これだけではまだ不十分だ。競争が激化しているだけでは、売上げ増大へのプレッシャーが高まっている原因にはならない。他に何か要因があるはずだ。企業は競争に苦しんでいる、競争に負けることを恐れている……、これを示す何かだ。ブランドンとジムにも指摘したのだが、当たり前すぎて言うにも及ばない、取るに足らないことだとして、彼らはこれを退けようとするのだ。

私がこれまで〈現状問題構造ツリー〉を構築した経験では、こうした取るに足らないと思えることを軽々しく扱うのは非常に危険だ。こうした取るに足らないと思えることが、UDEを結びつけ首尾一貫したツリーを作り上げる鍵であったりするのだ。それだけではない、問題を解決するソリューションを見つけ出す糸口になったりもする。しかし一つひとつ全部を付け足していては、作業が停滞してしまう。あれもこれも追加しているうちに、何のためにやっているのか目的を見失ってしまう。ソリューションを見つけるのが目的だということを忘れてしまうのだ。

付け足すべきかどうか……そう考えながらUDEのリストをもう一度よく見直していると、答えが見つかった。なんとすでにリストの中に述べられているではないか。私は黄色の付箋を取り出し書き込み始めた。書き終えると、ループの結末について意見を交わしていたブランドンとジムの話も決着がついたようだ。

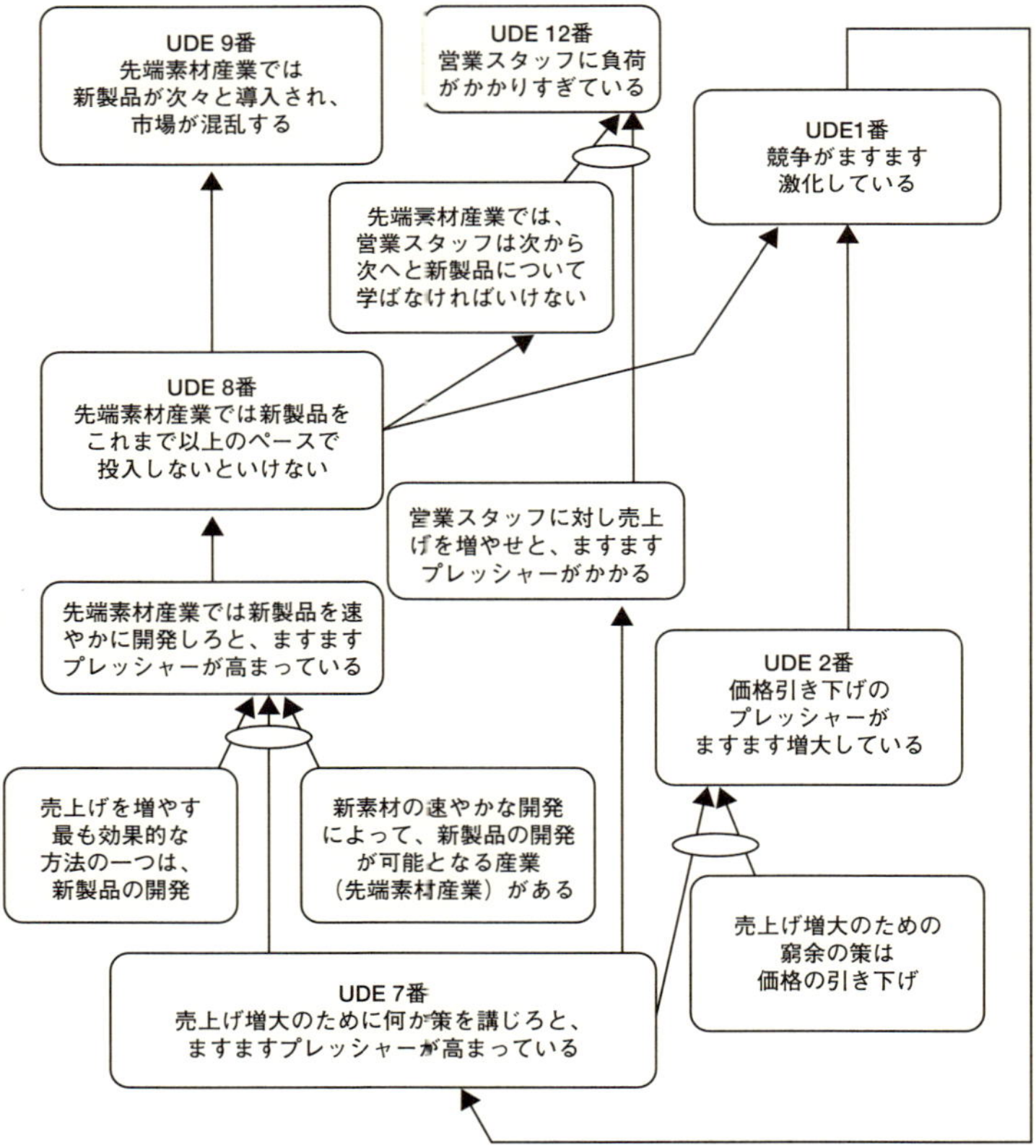
UDE 9番
先端素材産業では
新製品が次々と導入され、
市場が混乱する
UDE 12番
営業スタッフに負荷
がかかりすぎている
UDE1番
競争がますます
激化している
先端素材産業では、
営業スタッフは次から
次へと新製品について
学ばなければいけない
UDE 8番
先端素材産業では新製品を
これまで以上のペースで
投入しないといけない
営業スタッフに対し売上
げを増やせと、ますます
プレッシャーがかかる
先端素材産業では新製品を速
やかに開発しろと、ますます
プレッシャーが高まっている
UDE 2番
価格引き下げの
プレッシャーが
ますます増大している
売上げを増やす
最も効果的な
方法の一つは、
新製品の開発
新素材の速やかな開発
によって、新製品の開発
が可能となる産業
（先端素材産業）がある
売上げ増大のための
窮余の策は
価格の引き下げ
UDE 7番
売上げ増大のために何か策を講じろと、
ますますプレッシャーが高まっている

私は追加したステートメントをブランドンに読み上げてもらった。「もし『**製造、流通部門の改善が順調に進まない**』かつ『**技術部門による新製品の開発が順調に進まず、信頼性にも欠ける**』さらに『**革新的なマーケティングのアイデアが企業には欠けている**』とすれば、『**企業は順調に改善していない**』。もし『**企業は順調に改善していない**』かつ『**競争がますます激化している**』とすれば、『**企業は収益目標を達成できない**』。なるほど、そのとおりだ」

「もう一つある」ブランドンは次を読み上げた。「『**企業は、削減方法のわかっているコストはすでにすべて削減済みである**』。これはどうかな。とりあえず先を読んでみよう。もし『**企業は収益目標を達成できない**』かつ『**企業は、削減方法のわかっているコストはすでにすべて削減済みである**』とすれば、『**売上げ増大のために何か策を講じろと、ますますプレッシャーが高まっている**』。そのとおりだな。ジム、そう思わないか」

ジムは、ブランドンの質問を無視して言った。「ツリーのいちばん下にUDEが三つあるが、どれも経営者の能力不足を指摘している。これがコアの問題だなどとは言わないでくれよ。そんなことは初めからわかりきっていることだ」

「ジム、それはフェアじゃない」ブランドンは、ジムの発言に不服らしい。

私も同じ気持ちだが、もっと直接的な言い方をした。「ジム。すべての経営者が、ある日突然、能力不足になったとでも言うのですか。それはないんじゃないですか。それだったら、UDEの6番『**社内のそれぞれの部署同士で、互いのパフォーマンスの悪さを責め合っている**』と同じことではないですか。もっときちんとツリーに結びつけることはできませんか」

「わかった、やってみるよ」ジムは苦笑いした。

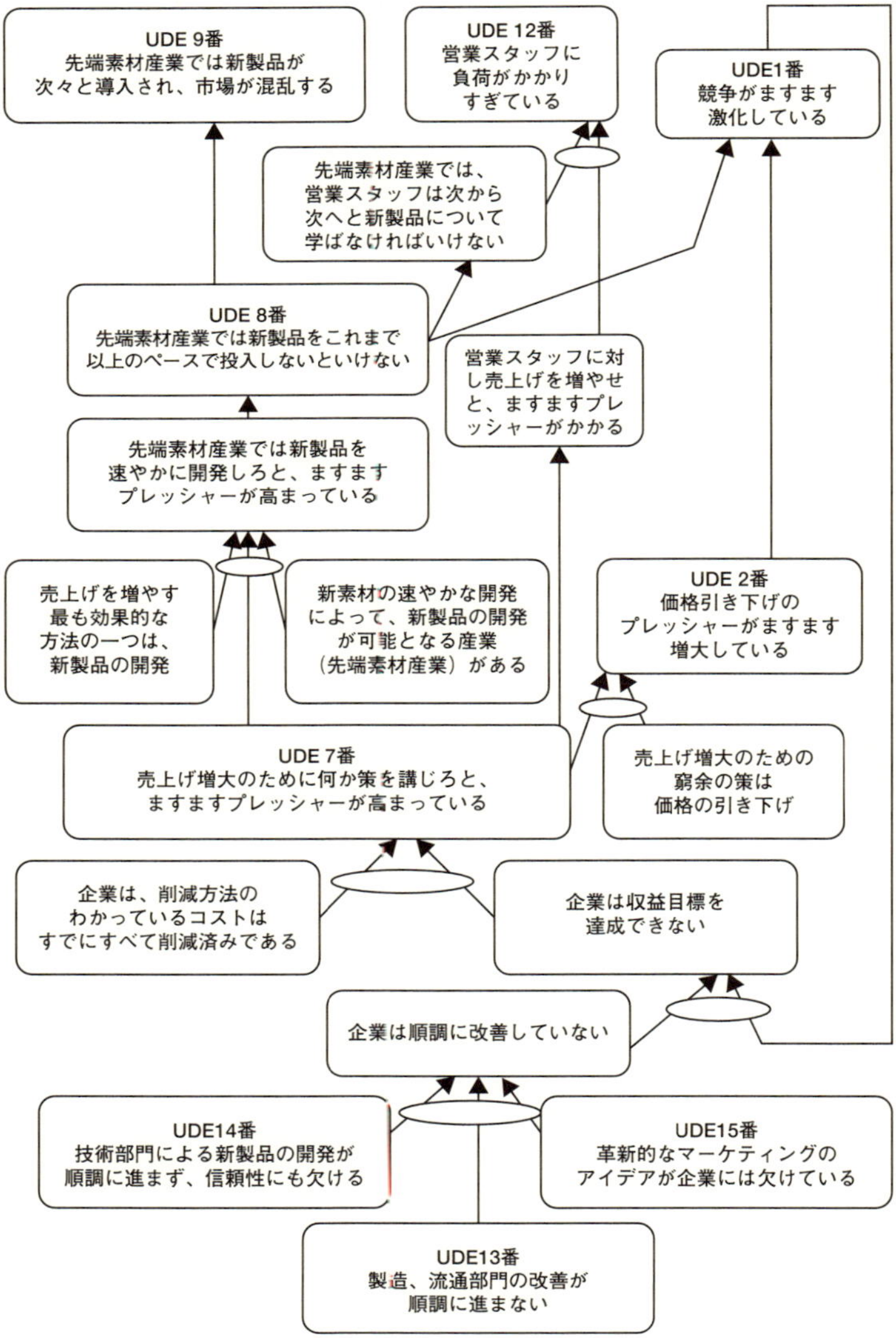
UDE 9番
先端素材産業では新製品が
次々と導入され、市場が混乱する
UDE 12番
営業スタッフに
負荷がかかり
すぎている
UDE1番
競争がますます
激化している
先端素材産業では、
営業スタッフは次から
次へと新製品について
学ばなければいけない
UDE 8番
先端素材産業では新製品をこれまで
以上のペースで投入しないといけない
営業スタッフに対
し売上げを増やせ
と、ますますプレ
ッシャーがかかる
先端素材産業では新製品を
速やかに開発しろと、ますます
プレッシャーが高まっている
売上げを増やす
最も効果的な
方法の一つは、
新製品の開発
新素材の速やかな開発
によって、新製品の開発
が可能となる産業
（先端素材産業）がある
UDE 2番
価格引き下げの
プレッシャーがますます
増大している
UDE 7番
売上げ増大のために何か策を講じろと、
ますますプレッシャーが高まっている
売上げ増大のための
窮余の策は
価格の引き下げ
企業は、削減方法の
わかっているコストは
すでにすべて削減済みである
企業は収益目標を
達成できない
企業は順調に改善していない
UDE14番
技術部門による新製品の開発が
順調に進まず、信頼性にも欠ける
UDE15番
革新的なマーケティングの
アイデアが企業には欠けている
UDE13番
製造、流通部門の改善が
順調に進まない

ブランドンとジムが、その作業に悪戦苦闘している間、私は別のことを考えていた。ジムが指摘した経営者の能力不足を他のUDEを使って説明できないかと、私はリストを見直していた。すぐにUDE5番が目に飛び込んできた。『**マネジャーは、部分最適化を達成することで、会社を運営しようとしている**』というやつだ。私は二人が作業を終えるのを待つことにした。

二人の作業が終わったところで、私は彼らに訊ねた。「どうして流通システムの改善が十分なスピードで進まないと思いますか」

ジムが冗談めかして答えた。「ソリューションが見つかっていないからだよ。君たちがアイ・コスメティックスに導入したようなソリューションがまだ見つかっていないからだよ」

「あのソリューションは常識以外の何物でもありません。なのにそれができない、その理由は何だと思いますか。もうちょっと意地悪な質問をさせてください。あなた方の知っている会社でいいのですが、そういう新しいシステムに移行するよう会社を説得するのは、マネジャーにとって簡単なことだと思いますか」

この問いに二人はしばらく考え込んだ。最初に答えたのはブランドンだった。「いや、非常に難しいだろうな。前にも言ったが、君のシステムには、社内の評価基準の変更が求められる。そうした変更に合意をとりつけるのは簡単なことではない」

「コスト会計はどうですか。コスト会計では、在庫を減らすと、見かけですが大きな損が発生します。私も、ボブにあのシステムをやめさせようかと思ったくらいです」

「気持ちはわかるよ」ブランドンが言った。「今朝、私も君にそうしろと、もう少しで言うところだったよ」

「気持ちがわかっていただけるなら、これはどうですか。まずは一般論から始めましょう。『**マネジャー**

は、社内の部署ごとに適切な評価基準を作る』」当然、二人はうなずいた。これを確認したうえで私は話を続けた。「もし『**マネジャーは、部分最適化を達成することで、会社を運営しようとしている**』かつ『**マネジャーは、社内の部署ごとに適切な評価基準を作る**』とすれば、『**部分最適化のための重要な評価基準（コスト会計ベースの評価基準など）がある**』ということになります。違いますか？」

「ついにきたな」ジムが声をあげた。

「この出張中に、君からコスト会計に対する批判を聞かされるぞ、と周りに言われてきたんだよ」ブランドンがその訳を説明した。「君がコスト会計を『生産性の最大の敵だ』と呼んでいると言っていた奴もいたよ」

「これは冗談ではありません」ムッとして言った。「製造や技術部門で私がこれまでに手がけてきた改善手法は、すべてコスト会計の評価方法に真っ向から対立するものです。効率、偏差、製品コスト、他にも挙げてみてください……、ことごとくこれらの反対を実行してきたんです。しかし、会社を改善させるためにはそれしかなかったのです。無理しすぎて、もう少しで潰れかかった時もありました。もし利益が思うようなペースで改善していなければ、いまこうしてあなた方と一緒にいることもなかったでしょう」

「続けたまえ」ブランドンが私の肩をポンと叩いた。「私たちもまったく同感だ」

まだ苛立ちは消えていなかったが、私は話をツリーに戻した。「同じことを違う角度から見ただけですが、こういうのもあります。『**リードタイム、確実性、品質、レスポンス時間、サービスを改善するための多くの策は、コストを節約するどころか、短期的にコストを増大させる**』。異論があるかもしれませんが、その前に、ここで言うコストとは従来の意味でのコスト、つまりコスト会計に基づいたコストであることを理解してください」

「期待を裏切って悪いが、異論は何もないよ」ブランドンが言った。「君が部門マネジャーだった時の実績をよく調べさせてもらったが、それを見れば君に賛成するしかない。部分的な評価方法をことごとく破ってきたが、どれもきちんと理に適っていた。唯一の問題は、君の功績にもかかわらず、ユニコの他の部門にこれがなかなか浸透しなかったことだ。ということで、異論はない。話を先に続けてくれないか」

「あとはこれをどう組み立てるかです。もし『**部分最適化のための重要な評価基準（コスト会計ベースの評価基準など）がある**』かつ『**リードタイム、確実性、品質、レスポンス時間、サービスを改善するための多くの策は、コストを節約するどころか、短期的にコストを増大させる**』とすれば、『**製造、流通部門の改善が順調に進まない**』、『**技術部門による新製品の開発が順調に進まず、信頼性にも欠ける**』ということになります。私が悩んでいるのは、もう一つのステートメント『**革新的なマーケティングのアイデアが企業には欠けている**』をここからどう引き出すかです。直感では、何らかの形で結びついていると思うのですが」

「君の言うとおりだと思う」ジムが私の意見に賛成した。「たぶん、UDEの3番が関係しているのではないかな」

さっそく3番をチェックした。『**市場が望む価格では、十分なマージンがとれない場合が増えている**』。ジムの言うとおりかもしれない。マージンと製品コストの違いは何だ。マージンは〈価格 —《マイナス》 製品コスト〉だ。もし製造において、製品コストの概念が正しく理解されていなければ、マーケティングにおけるマージンの概念も当てにならない恐れがある。

私たちは、この論議にしばらく時間を費やしたが、はっきりとした結論が出るには至らなかった。

もうそろそろ深夜一二時だ。まだUDEが四つ残っている。

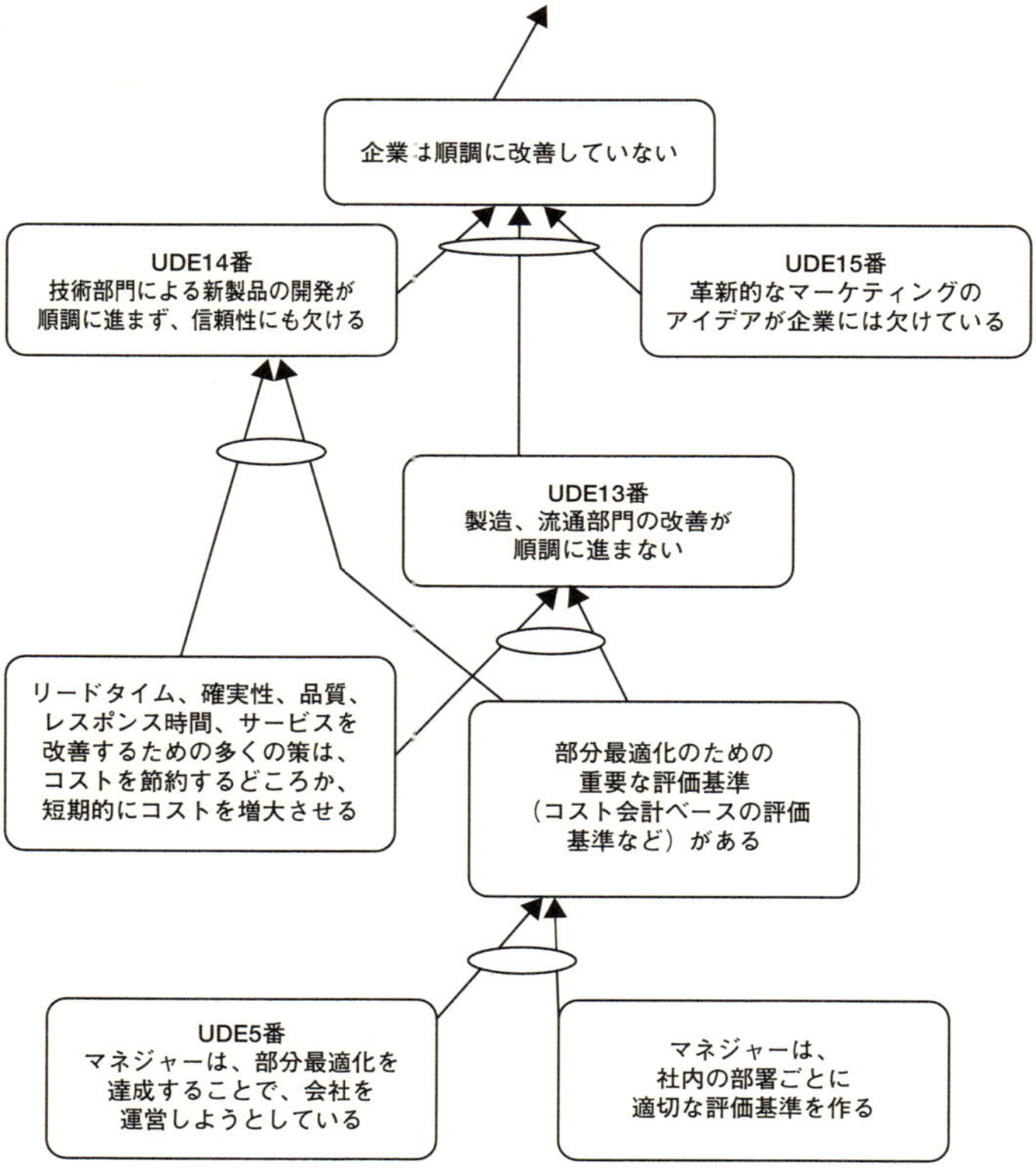
企業は順調に改善していない
UDE14番
技術部門による新製品の開発が
順調に進まず、信頼性にも欠ける
UDE15番
革新的なマーケティングの
アイデアが企業には欠けている
UDE13番
製造、流通部門の改善が
順調に進まない
リードタイム、確実性、品質、
レスポンス時間、サービスを
改善するための多くの策は、
コストを節約するどころか、
短期的にコストを増大させる
部分最適化のための
重要な評価基準
（コスト会計ベースの評価
基準など）がある
UDE5番
マネジャーは、部分最適化を
達成することで、会社を
運営しようとしている
マネジャーは、
社内の部署ごとに
適切な評価基準を作る

UDE3番：市場が望む価格では、十分なマージンがとれない場合が増えている
UDE4番：市場の期待に応えるパフォーマンスを示すことができないと、市場から見放されてしまう
UDE10番：新しい販売チャネル・製品は、既存の販売チャネル・製品の売上げ減につながる
UDE11番：営業スタッフの多くが、必要な営業スキルに欠けている

ブランドンが立ち上がって、体をストレッチした。「今日はこのくらいにしておこう」

「はい」私は躊躇することなく答えた。

「アレックス」ジムが私の名前を呼んだ。まだ、私に何かしろと言うのだろうか。「君には、明日は昼のミーティングに出てもらうだけでいい。午前中はこの続きをやってくれないか」

「ええ、わかりました」ため息をついた。「出張が終わるまでに、コアの問題を見つけるという約束ですから」

「ああ、そうだったな。もしかしたら本当に見つかるかもしれないな。だんだんそんな気がしてきたよ」


自分の部屋に戻ってから作業を続けようと思ったが、今日はとても疲れた。時間も一二時を回っている。自宅は夜七時過ぎだ。ジュリーはまだ家に戻っていない時間だが、出張に出てから子供たちとはまだ話をしていなかったので、電話をかけてみることにした。

話をしたのはほんの数分だけだった。「元気かい？」「調子はどう？」「何か変わったことは？」と、とりとめもない会話を繰り返してもしょうがない。家に戻ったら、どうせ子供たちにたくさん土産話をしないといけない。

16

渋滞は、売上げと同じで予測が難しい。ロンドンの渋滞は、ニューヨークよりひどいと聞かされていたので、最後のミーティングは手短にまとめた。アメリカに戻るフライトに乗り遅れるようなリスクだけは何としても避けたかった。その結果、三時間もヒースロー空港で暇をつぶす羽目になってしまった。

この空港のターミナル4のファーストクラス専用ラウンジは、これまで見てきたラウンジの中でも最高だ。いろいろな種類の飲み物やサンドイッチ、それにおいしそうなケーキが用意されていて、すべて無料だ。

それでいて、何だか不満なのだろう。交通渋滞に巻き込まれていたほうがよかったとでも言うのか。面白いもので、人は現実が期待していたとおりでなかったり、用心していたことが不要だったとわかると、がっかりしてしまう。生命保険に入っても、掛け金が回収できないと不満をもらす人さえいる。

結局のところ、黙って結果を受け入れるしかない。だが、今度は不満をもらす正当な理由ができた。いましがた、私たちのフライトが機体にトラブルがあり、出発が遅れるとアナウンスされたのだ。一時間後に、詳しい状況を再びアナウンスするらしい。前にもこんな経験がある。最初は一時間後などと言っていても、結局は何時間も待たされることになるのだ。

ジュリーは問題が起きても、必ずそれをチャンスに変えることができると言う。しかし、今回はそうはいかない。いや、待てよ。ジュリーに土産を買っておいたのだが、いまひとつ気に入らない。まあまあのカシミアのセーターなのだが、彼女に似合いそうな色を見つけることができなかったのだ。今朝もう少し店を回ってみようと思っていたが、例のツリーを作り上げるので時間がなくなってしまった。フライトが遅れたおかげで、多少の時間ができた。このターミナルには、いい宝石店があるらしい。何かいい土産を見つけることができるかもしれない。

プラチナのブレスレットを買ってラウンジに戻り、私は冷たいビールを飲みながら一息ついた。全体的に見れば、今回の出張は思っていた以上にうまくいった。ブランドンとジムの前では、ずいぶんと点を稼ぐことができたし、ボブの会社の売却交渉も予想以上にうまくいきそうだ。かなりいい価格を引き出せるのではないか。ステーシーの会社の売却についてはまだ不透明だが、ピートの会社についてはこちらが望んでいたとおりの結果となった。売却交渉は当分保留だ。成り行きがはっきりするまでは今後も交渉を行う予定はない。

そのピートは今朝、例のクライアントと会うことになっていた。彼の予想どおりに話は進むのか、あるいはクライアントの反応を読み違えてはいなかったのか、私は気が気でなかった。もしかすると、提示した条件の内容が複雑すぎてわかりにくかったので、ただ丁寧な言い方をされただけかもしれない。

「ピートは戻っているかね」私は彼の秘書に訊ねた。

「はい、副社長。少々お待ちいただけますか」

「もしもし、副社長。そちらの調子はいかがですか」電話に出たピートの声が弾んでいる。都合の悪いことが起きた時のピートはいつもこんな感じだ。相手を失望させまいと取り繕うのだ。

「ピート、ミーティングのほうはどうだった」

「予想以上にうまくいきました」

私は緊張していた全身の筋肉が緩むのを感じた。どれほどのリスクを冒していたか、この時になって私は初めて意識した。ピートの新しいマーケティング・プランがただの妄想にすぎなかったということにでもなっていたら、私はとんでもない窮地に追い込まれていただろう。売却を阻止するために私が考えた策略と、ブランドンとジムはきっと思うはずだ。背筋がぞっとした。

私は穏やかな口調で、ピートに説明を求めた。

「相手のところに行って、詳細を説明しました。あと二万二〇〇〇ドルほど譲歩しなければいけませんでしたが、相手は契約書にサインしました」こんな取引は毎日やっている、慣れたものだとでも言うように、ピートの口調は淡々としていた。

少しばかり自慢させてもいいだろう。今回は、それなりの仕事をやってくれたのだ。

「それで、金額はどのくらいなんだ」

「今年の残りのニーズすべてを契約しました。六三万四〇〇〇ドル、それと新しいデザインが出たらその分も追加です。でも、納品は発注から五日以内ということで約束させられました。最終的には、それが決め手になったと思います」

「そんなに短くて大丈夫か」

「製版室のマネジャーに確認しましたが、問題ありません。特に努力しなくても四日までならいけると言っています」

「すごいじゃないか」私はさらに質問を続けた。「他のクライアントはどうだ。明日、もう一社と会うことになっていたと思うが、そっちは何か聞いているかね」

「電話では、頻繁に連絡を取り合っています。二、三時間おきに電話をかけてきては、あれこれ追加リクエストしてくるので、しょっちゅう見積もりを書き直しています。おそらくマーケティングのスタッフも巻き込んでいるのだと思います。気が狂いそうですが、不満はありません」

私も不満などない。「でもピート、一社や二社だけで手一杯になったりしないよう注意してくれよ」

「わかっています。いまもそのことで話し合っていたところです。今後どういったクライアントを獲得していくかにも関わる重要なことですから。この条件だったら、どんなクライアントでも獲得できると思います」

何とも景気のいい話だ。私もピートの立場だったら、同じだろう。どうやら来週あたり、彼のところに顔を出しておいたほうがよさそうだ。調子がいい時に限って、何か見落としてしまうことがある。売却話が完全に消えるまでは、気を抜くわけにはいかない。

いずれにしても悪くない話だ。うまくいってよかった。私は、ブランドンとジムにもさっそく報告した。彼らも同じように喜んでくれ、三人で祝杯をあげた。

「ところで例のツリーですが、どうなったか結果をお聞きになりたいですか」そう言いながら私は折り畳んであった紙をテーブルの上に大きく広げた。

「他にもいいことがあるのかな」そう言って、ブランドンが椅子を私のほうに引き寄せた。

「ええ。でも、それはご自分で判断してください」そう言いながらも私は、今朝完成させたばかりのツリーの出来に満足していた。なかなかの出来栄えだ。

「どこから始めるんだね」ジムはもう準備オーケーだ。

「下のほうから見ていきましょう。そのほうがわかりやすいと思います」

私がそう答えると、ブランドンが自ら読み手を買って出てくれた。「もし『マネジャーは、部分最適化を達成することで、会社を運営しようとしている』かつ『マネジャーは、社内の部署ごとに適切な評価基準を作る』とすれば、『部分最適化のための重要な評価基準（コスト会計ベースの評価基準など）がある』。これは昨日書いたやつだな。次からが新しいやつか。もし『マネジャーは、部分最適化を達成することで、会社を運営しようとしている』とすれば、『ほとんどのマネジャーの製品に対する価値観は、製品を設計、製造、販売、出荷するために必要とされる部分努力によって大きく影響を受ける』。この最後のステートメントはどうかな。賛成していいものかどうかわからない」

「君なら賛成だよ」ジムが決めてかかっている。「君自身はそうは考えないかもしれないが、普通のマネジャーだったらみんなそう考えているよ。それは認めざるを得ないはずだ」

「確かに。ケチをつけてすまなかった、アレックス」

「いいえ。続けてください」私は二人の反応を早く見たかった。

急かされるまでもなく、ブランドンは先を読み始めた。「『コスト会計の本質は、製品コストを計算すること』。ふーむ、これはどうかな。でも、いまは反論はやめておこう。まずは、これをどう使うのか拝見させてもらおう」

ブランドンは大きく息を吸い込んで先を続けた。「もし『部分最適化のための重要な評価基準（コスト会計ベースの評価基準など）がある』かつ『コスト会計の本質は、製品コストを計算すること』さらに『ほとんどのマネジャーの製品に対する価値観は、製品を設計、製造、販売、出荷するために必要とされ

る部分努力によって大きく影響を受ける』とすれば、『**ほとんどのマネジャーは、製品コストは製品に付加された努力を定量化する意味のある数字だと信じている**』。これはちょっと長いな。もう一度読ませてくれ」

二人が読み直している間、私は黙って待った。

「大丈夫だ。これならいける」しばらくしてジムが言った。

ブランドンもうなずいている。

私は、はやる気持ちを抑え切れなかった。「必然的にどういう結果になるかわかりますか。つまり……」そう言いながらツリーに書き込んだステートメントを目で探した。「つまり、『**ほとんどのマネジャーは、製品価格は製品コストに適切なマージンを加えたものに等しくすべきだと信じている**』」

二人は首をかしげている。ジムは「『べき』という表現がミソだ」などと結論を焦っている。「なるほど、これをUDEのどれかに結びつけようということか。『**市場が望む価格では、十分なマージンがとれない場合が増えている**』というやつだな」

焦ることはない、すぐに理解できるはずだ。私は声を大にして言った。「そのとおり。しかし、その前にいくつか段階を踏まないといけません。もう少しだけ我慢してください。まず、価格が決定されるメカニズムを考えてみます」

「需要と供給の関係かね？」ブランドンが訊ねた。

「まあ、そんなところです」私は答えた。「しかし、もう少し突っ込んで考えてみましょう。まず供給サイドですが、これはサプライヤーである企業で、それぞれ自社の製品の価値については明確な認識を持っています。つまり〈製品コスト＋《プラス》適切なマージン〉です。当然、実際の価格もこれをベースに決められます」

「ちょっと待ってくれ」ここでジムが待ったをかけた。「サプライヤーを全部ひとまとめにしているような説明だが、それは違う。サプライヤーにもいろいろあって、お互い競い合っている」

「ええ、わかっています。ちゃんと用意はしています」私は微笑みながらツリーを指さした。「これです。昨日は『**競争がますます激化している**』というのが出ましたが、ここからまた別のステートメントを導き出してみました。『**サプライヤー間で、市場への対応にますます開きが出てきている**』。これです」

「なるほど」ジムが言った。「じゃ、次は需要サイドだな」

「ええ、それはこっちです」そう言って、私は指を移した。「『**製品に対する市場の価値観は、その製品を持つことで得られるメリットによって決定される**』」

私は説明を続け、ジムに質問する隙を与えなかった。「需要と供給の関係という形ではなく、供給する側の企業が製品に対して抱いている価値と、市場が抱いている価値の対立という形で表してみたいと思います」

「それは面白いな」ブランドンが言った。「二つの価値観には共通したところが何もない。供給側の価値観は、製品を作るために自分たちが費やした努力をベースにしているが、市場側は製品を利用することによって得られるメリットをベースにしている。価格が腕ずくで決められるのもうなずける。共通した客観的な基準は何もない」

「そのとおりです。そして現在、サプライヤー間で、市場への対応にますます開きが出てきているわけですから、必然的な結果として……」私はまたツリーを読み上げた。「『**販売価格および販売量は、サプライヤーの価値観ではなく、市場の価値観によって決定される場合がますます増えている**』ということになると思います」

「違いない」ブランドンはうなずくと、その先を続けた。「ということは、『**これまで以上に市場の価値観を満足させることが成功への鍵となる**』。特に驚くことでもないな。私たちも苦い体験を通して学んできた」

「一年生の経済学の授業だな」ジムが皮肉った。

「いや、そういうことじゃない」私より一瞬早くブランドンが答えた。「いいかげん、その気取った態度はやめたらどうだ。アレックスが言わんとしていることがわからないのか。需給関係とは関わりなく、振り子が市場側に振れていると言っているんだ」

「どういう意味だ」ジムはブランドンの手厳しい反応に驚いている。

「私に説明させてください」私は割って入った。「つまり、技術開発レースがあり、新製品が数か月おきにどんどん市場に投入され、競争が激化している時は、価格が下がるということです。需要が供給より大きい時でさえ下がります」

「そんなことはあり得ない」ジムが異議を唱えた。

「あり得ないとしたら、どこでどう間違えたか教えてください。このロジックのどこでミスを犯したのか正確に教えてください」

ジムは身を乗り出して、テーブルの上に広げられたツリーを睨みつけている。「無駄な努力はやめたほうがいい」ジムに向かってブランドンが言った。「アレックスは間違っていない。いいかい、半導体業界を例にとってみよう。供給より需要のほうがずっと大きい。世界中の半導体工場が大きなボトルネックとなっていて、未出荷のオーダーはゆうに一年を超えている。それなのに価格は下がり続けているじゃないか」

「君の言うとおりかもしれない。もう一度よく考えてみないとわからないが、ブランドン、もしそうだとしたら、これまで私たちが投資してきたハイテク関連の会社はほとんど、市場が回復したからといって製品価格の上昇は期待しないほうがいいわけだな。なんてことだ」

「ジム。そんなこと、まだ気づいていなかったのか？　市場が回復傾向になって、もう一年近くになるんだ。利益予想は？　まだ下方修正していないのか？」

「もっと下げないとな」ジムが答えた。

「話を先に進めてもいいですか」私は二人のやり取りの間に入った。「もう少しで、あといくつかのUDEへつなげることができるところですから」

私がそう声をかけてもあまり効果はない。ブランドンは相変わらず「一年生の経済学の授業……」とぶつぶつ言っている。ジムのほうはおそらく投資先企業の将来を頭の中で再評価でもしているのだろう。

ようやく二人が落ち着いたところで、先を読み続けた。「もし『**サプライヤーの価値観は、製品コストに適切なマージンを加えたものである**』かつ『**販売価格および販売量は、サプライヤーの価値観ではなく、市場の価値観によって決定される場合がますます増えている**』とすれば、『**市場が望む価格では、十分なマージンがとれない場合が増えている**』ということになります。UDEの3番です」

「簡単じゃないか、なあ？」ブランドンがジムをからかった。

話はまだ終わっていない。あといくつかUDEが残っているのだが、これを聞いたら二人とも笑ってないられないだろう。「こっちの枝を見てください」私は言った。「もし、さっき言ったように、『**ほとんどのマネジャーは、製品コストは製品に付加された努力を定量化する意味のある数字だと信じている**』とすれば、**『ほとんどのマネジャーは、製品コストを下回る価格で販売することは（少なくとも長期的には）損失につながると信じている』**ということになります」

私はブランドンとジムの反応をうかがった。二人は私の顔を見てから、互いの顔をひたと見合った。

「アレックス、君は信じていないのかね」ブランドンが訊ねた。

「製品コストに疑問を持っている私が、どうしてそんなことを信じることができますか。お二人はどうなんですか」

「ほとんどのマネジャーがそう信じていることは信じる」ジムが答えた。「私たちが信じているかどうかについては、答えを保留にさせてくれ」

ここまでは順調だ。落ち着いた口調で先を読み続けた。「もし**『ほとんどのマネジャーは、製品コストを下回る価格で販売することは（少なくとも長期的には）損失につながると信じている』**とすると、**『ほとんどの企業はマージンの少ないオーダーを受けるのを嫌がり、マージンの少ない製品から撤退することさえある』**」

「アレックス」ブランドンの口調が重い。「私たちが投資先企業に対しマージンの少ない製品を戦略的に切り捨てろと指示するのは間違いだ、そう君は言いたいのかね」

「場合によります」私はポーカーフェースを装った。「マージンの少ない製品を切り捨てた場合、その製品をこれまで買ってくれていたクライアントからの収入が失われることになります。問題は、切り捨てによる節約分が、失った収入より大きいかどうかです」

「変動コストはカットできるが、固定費の多くはいつもカットできるわけではない」ブランドンが言った。

「ブランドン、そんなごまかしは通用しないぞ」ジムは強い口調だ。「変動コストでさえ、全部カットできないことが多いじゃないか」

「ボトルネックがない会社で……」ブランドンはゆっくりと頭の中を整理しようとしている。「製品コストの計算に入れられているコストを全部カットできるわけでなければ……アレックス、もしかすると、自分で自分の会社の首を絞めていることになるとでも言いたいのかね」

私は相変わらずポーカーフェースのままだ。これもそう容易なことではない。

「ちょっと喉が渇いたな」そう言ってブランドンは立ち上がった。

「私もだ」ジムがブランドンを追って立った。

どうも彼らは、UDEの4番にいまの結論を結びつける方法よりも、結論そのもののほうに興味があるらしい。それでもべつに構わないが。

二人はコーヒーを手に戻ってきた。私の分も持ってきてくれた。

「アルコールじゃないんですか」私は訊ねた。

「この中だよ」そう言ってジムが自分の腹を軽くポンと叩いた。

「もう一つ、お見せしたいことがあるんですが」私は言った。

「もう、十分見せてもらったよ」ブランドンが答えた。

「いいえ、まだです。すべてのUDEが一つのコアの問題から派生していることを証明してくれと言われたのは、お二人です。証明はまだ終わっていません」

「いや、もう証明してもらった」ブランドンがため息をついた。「すべてが緊密に関連していることを見せてもらった。それで十分だ」

「君のその勢いからすると、まだ他にも何か爆弾を用意しているようだが、今日はもうこれで十分だ」ジムは降参だとばかりに両手を上げた。

「一つだけつながらないところがあるんです」私は引き下がらなかった。「部分最適化に固執していると、革新的なマーケティングのアイデアに欠けるのですが、その理由をまだ説明していません」

「確かに、それは重要だな」ジムがうなずいた。

「わかった、アレックス」ブランドンが折れた。「もとはと言えば、私たちが言い出したことだ。わかったから話を続けてくれ」

そのとおり。今度からは気をつけてもらおう。もう二度と、土産物のショッピング代わりにツリーを作れなどと気安く言ったりはしないだろう。

まだ説明が終わっていない部分を指さして、私はゆっくりと読み上げた。「もし『**ほとんどのマネジャーは、製品価格は製品コストに適切なマージンを加えたものに等しくすべきだと信じている**』とすれば、『**ほとんどのマネジャーは、一つひとつの製品には適切な価格が本質的には一つしかないと信じている**』ということになります。それから『**異なるマーケット分野には、異なるニーズがある**』というのも認めてもらえますか」

「おっ、きたな」ジムが声をあげた。

「先を頼む、アレックス。なかなか面白い」ブランドンが言った。

私は説明を続けた。「もし『**異なるマーケット分野には、異なるニーズがある**』とすれば、『**異なるマーケット分野間では、同じ製品に対し価値観も異なる**』ということになります」

「もちろんだ。価値観が異なれば、異なる価格を求めることもできる」ジムが言った。

「そう焦らないでください」私は言った。「価値観が異なるからといって、すぐ異なる価格という結論にはなりません。この段階での私の結論は、**『ほとんどのマネジャーは、同じ製品に対して異なるマーケット分野間に異なる価値観が存在することを無視している』**ということです。先ほど指摘された点ですが、もう一つ別のステートメントを追加してみました。**『マーケットを効率的にセグメンテーションすることができる』**です。しかしジム、その方法を探したり実行するのを怠れば、価値観の異なる二つのマーケット分野を相手にしていても、両方から同じ安いほうの価格を求められることになります」

「一方のマーケット分野が、他方のマーケット分野の価格を知っている場合はそうだな」ジムがうなずいた。

「セグメンテーションを行わないと、異なるマーケット分野同士、互いのことが全部わかってしまいます。どうしたらいいですか。サプライヤーから見れば同じ製品であっても、マーケット側から見ると同じではない。それを実現するための策を講じなければいけません」

「例を挙げてみてくれないか」

「そうですね。いまから乗り込む飛行機ですが、旅行代理店にでも行って乗客が支払った金額を調べてみてください。みんな同じ値段を払ったと思いますか」

「いや」ジムが微笑んだ。「いつチケットを買ったか、どこで買ったかによって違うだろうな。団体か個人かでも違ってくるはずだ」

「そのとおりです。それに、滞在日数などといったわけのわからない理由で値段が変わったりもします。実際に大西洋を越えて乗客を運ぶためにかかるコストとは一切関係のない理由で値段が決められるのです。乗員も飛行機も、与えられているスペースもみんな同じです。航空会社がマーケット・セグメンテーションを行っている結果です。そうしなければ、航空会社は生き延びることができません。ただ、細かくセグメンテーションしすぎではないかというのは私も同感です。航空会社のことをよく知っている人なら、いろいろとわけのわからないプロモーションをやっていることは知っているでしょう。他にも例を挙げてみましょうか?」

「いや、結構だ。私にも思いつく例はたくさんある」ブランドンが言った。「しかし、教えてくれないか、君のセグメンテーションの定義はいったい何だね」

「ここに書いてあります。つまり**『一方のマーケット分野における価格変化が、他方のマーケット分野における価格変化を誘導しない場合、この二つのマーケット分野は互いにセグメンテーションされている』**」

ブランドンがもう一度これを読み直した。「ということは、単にニッチだということではないわけだな」

「はい、そうです」私は答えた。「ニッチは、私の定義の中ではほんの一部にすぎません。私が言いたいのは、均一に見えるマーケットでも効率よくこれをセグメンテーションすることができるかもしれないということです。もちろんニーズが異なる複数のマーケット分野で構成されていることが前提ですが」

「続けたまえ」ジムが言った。

「セグメンテーションは非常に重要です」私は説明を続けた。「もしセグメンテーションしなければ、もし一つの価格しか設定していなければ、どういう結果になるかわかりますか。次のステートメントを見てください。**『価格を一つしか設定していない場合、その製品に対する価値観が高い顧客には、その価格は安く映る』**」

二人ともうなずいた。

私は続けた。「しかし同時に、**『価格を一つしか設定していない場合、自己の価値観よりその価格が高いと、顧客は逃げてしまう』**」

「つまり君が言わんとしているのは、マーケット・セグメンテーションによって得られる膨大な潜在的チャンスを企業が活かしていないということだな」ブランドンが結論づけた。

「そのとおりです」この結論を導き出すにはずいぶん時間がかかった。しかし、二人は意外と早くのみ込めたようだ。私より経験が豊富ということだろう。

「セグメンテーションしなかった結果がUDEの10番ということかね、アレックス」ジムがいきなり次の結論に走った。

「ブラボー！」思わず感嘆の声をあげてしまった。

「UDE10番？」ブランドンが訊ねた。

私はツリーを指さした。「**『新しい販売チャネル・製品は、既存の販売チャネル・製品の売上げ減につながる』**。きわめて重要なことです。私の会社でも同じことが起こっていて、今朝も時間をかけていくつか調べてみました。どの場合も、新しい販売チャネルを立ち上げるのと並行して、マーケットをセグメンテーションする何らかの策をとっていれば、損失を最小限に抑えることができていたと思います」

「君の言葉を信じよう」ブランドンが言った。

「今度は同じ間違いをしないでくれよ」そう言ってジムが私の背を軽く叩いた。

「それでは次のステップですが、何だかわかりますか」私は先を急いだ。「これまでの話を総合すると、**『マーケティングとは、新しい策を打ち出すことではなく、マーケット・セグメンテーションのメリットを活かすことにある』**ということになると思います」

「なるほど」ジムが言った。「言われてみれば、確かにそうだ。みんな必死になって新しいマーケティングのアイデアを探しているが、そう簡単なことでないことも承知している。しかし、それでもみんな必死に頑張っている。その一方でマーケット・セグメンテーションに積極的に取り組んでいる企業は非常に少ない。みんな『価格は一つ』という観念に、とらわれすぎているのだろう。まったく君の言うとおりだ」

「これで、すべてがつながりました。ここまでくれば、あとは簡単にコアの問題を見つけることができるはずです」私は言い切った。

「どうやって?」ジムは相変わらず知りたがり屋だ。

「矢印を辿ってみてください。どれがコアの問題だかわかりますか。直接でも、間接的にでも結構です」

二人はツリーの上に身を乗り出して、矢印を辿り始めた。しばらくしてジムが視線を上げた。「見つかったよ。みんな(他にまだ挙げていないUDEもあるだろうが)同じステートメントに辿り着いたよ。**『マネジャーは、部分最適化を達成することで、会社を運営しようとしている』**。最初からわかっていたなどとは言わないよ」

「それで、次は何をするんだ」ブランドンが訊ねた。

私が答えようとすると、ジムが手を上げた。「待ってくれ、ブランドン。もう今日は頭が回らない。君もそうじゃないのか。この先は、また今度にしよう。アレックスとまたミーティングを予定してくれないか。その時に、私も呼んでくれよ。だけど、来週は勘弁してくれ。今日、たっぷり聞かせてもらったから、しばらくは十分だ」

It's Not Luck

Ⅳ 葛藤

17

「ありがとう、パパ」シャロンは私の頰にキスすると、土産を開きもせずに自分の部屋に引っ込んでしまった。

「何かあったのかい」私は訊ねた。

「べつに何もないよ」と言いながら、デイブは土産のサッカーチームのロゴの入ったマフラーを広げるのに忙しかった。「マンチェスターユナイテッド、リバプール、アーセナル。すごいな、アストンビラもある」首に巻きながら「先週の試合で……」とデイブは大はしゃぎだ。

デイブはワールドカップ以来、サッカーに夢中だ。特にヨーロッパのチームがお気に入りだ。サッカーのどこがそんなに面白いのか、私にはよくわからない。

しかし土産を喜んでくれたのは、私も嬉しい。そう思いながらジュリーの顔を見た。「何か、シャロンにあったのかい。彼の名前、何ていったかな……。ボーイフレンドができて、シャロンの無愛想も直ったと思っていたのに」

「エリックよ。少しはよくなったけど、まだね。でもべつに心配することはないわ」ジュリーの言葉に一安心した。「二、三日したら機嫌直るわよ」

「シャロンの部屋に行って、ちょっと話してみるよ。少し励ましてみようかな」私は出張中シャロンに会えなかったのが寂しかった。

「どうぞ、ご自由に」ジュリーは、どうせ無駄よといった顔をしている。


「入ってもいいかい」

返事がない。少なくとも私には何も聞こえない。そっとドアを開けてみると、シャロンがベッドの上に横になって本を読んでいた。

「入ってもいいかい」もう一度声をかけた。

シャロンは読んでいた本をベッドの上に伏せた。

私はそれを入ってもいいという意味に解釈し、部屋に入って彼女のベッドの上に腰を下ろした。シャロンも腰をずらして私の座るスペースを作ってくれた。

とりあえず、彼女の部屋に入ることはできた。ここまではいいのだが、さてここからどうしたらいいのか。


「何を読んでいるんだい」

「つまらない本よ」そう言ってシャロンは本を床に放り出した。

「エリックはどうしている」

「べつに」

「学校は？」

「まあまあよ」

話しかけている私のほうまで退屈になりそうだ。

「ねえ、シャロン」私は回りくどい言い方をするのはやめることにした。「すごく気になることがあってね。話がしたいんだよ」

「話って？」

「一緒に話をしたいと思うような話題が何もないことだよ。二人で話したいと思うような話題が一つもないじゃないか」

「パパ、そんなことだったら、また今度にして。疲れているの」

そうきたか。

よし、そっちがそうなら作戦変更だ。ティーンエージャーの女の子は確かセンチメンタルのはずだ。これだったらうまくいくだろう。「シャロン、出張中ヨーロッパで、パパは毎晩寂しかったんだ。家族みんなに会いたくて、何もする気にならなかった。本を読んだり、どこかに出かけたりする気にもならなかった。なぜだか、そんなことをしても無意味のような気分だったんだ」

シャロンは黙ったままだ。

「もしかしたら、シャロンもいま同じような気分じゃないのかな。特に理由はないのに、すべてが無意味に思えてくる」

「やめてくれない！」

「わかった、もう行くよ。だけど、一つだけ教えてくれないか。落ち込んでいるのには何か理由でもあるのかい」

「もちろんよ。当たり前でしょ」

私はシャロンに向かって優しく微笑んだ。「いや、理由なんかないと思う」

「パパに何がわかるの」そう言うと、シャロンは上体を起こした。「エリックには月曜まで会えないし、それにクリスの信頼を裏切ることになってしまったわ。どういうことだかわかる。理由なんかないですって？　デビーには苛つくし、エリックだっていつも二人でやることは子供じみてる。それにデビーったらいっつもやきもちばっかり妬いて。パパには馬鹿らしく聞こえるでしょ。どうせ女の子のつまらない話よ。とにかく、いまは話をする気にならないの。一人にしておいて。お願い」

「わかった。確かにやきもちほどイライラさせられることはないな」そう言いながら、私は立ち上がった。「でも、時には我慢しないといけない時もある。それが人生ってもんだよ」

「デビーはいちばんの親友よ。だから嫌なの」

「でも」ドアを開けながら私は続けた。「デビーとずっと親友でいたいんだったら、何とかしなくちゃ」

「何とかって？」シャロンも立ち上がった。「どうしたらいいの」

私は娘の机から薄ピンク色の紙を一枚取り、その上にさっと書いて見せた。「シャロンの目標は、**『デビーといい友達関係を維持する』**ことだね。これを達成するには、**『デビーの行いを受け入れる』**必要がある。つまりいまの状況では、**『デビーのやきもちを我慢する』**ということになる」

「でもぉ……」

「ああ、わかるよ。シャロンの気持ちはよくわかる。でも**『デビーといい友達関係を維持する』**ためには、**『友達を束縛しない』**ように注意しないと」

「友達を束縛しない……そのとおりよ！　デビーにもそう言ってるの」

「そうなると」話しながら私は〈雲〉を完成させた。「**『デビーのやきもちを許さない』**ということになる。困ったな、利害の衝突、コンフリクト発生だ。シャロンにとってデビーはとても大切な友達だから、ますますやっかいだな」

「『**友達を束縛しない**』。デビーにそう言ってみるわ。私がデビーの持ち物でないことぐらい、わかってるはずだわ。私にボーイフレンドを持つ権利があることだってわかってるわ。特にエリックみたいな素敵な男の子だったらなおさらよ」

「他にもいくつか理由を言っていただろ。そっちはどうなのかな」ソフトに訊ねてみた。

「他は大したことじゃないの。いまのが本当の理由よ」

いや、ここでやめるわけにはいかない。他が大したことないのだったら、あそこまで落ち込むはずがない。デビーだけが原因ではないはずだ。

「シャロン、もう少しいいかい」

「なんで」

「シャロンがあまりしゃべらないからだよ。もし原因がデビーのやきもちだけなら、もっと彼女の文句を言ってるはずだ。ああだ、こうだと愚痴を言ってるはずだよ。彼女のことだけが原因で黙りこくったりするはずがない」

「黙りこくった？　黙りこくってなんかいないもん。それに……」

「シャロン」私は彼女の言葉を遮った。「他はそれほど大したことのように思えないかもしれないけど、でもシャロンにとっては大切なことだと思うよ。シャロンが考えている以上にね」

「パパの言ってること、よくわかんない」

しかし少なくとも、私が彼女のことを責めているわけではないことぐらいわかっているはずだ。

「デビー以外のことだけど、どうして気になるのか、原因を探すのを手伝えると思うよ。やってみるかい？」

「パパがそう言うなら」

「新しい紙を一枚くれないか」そう言って、私はシャロンにペンを手渡した。「気になることがある時、どう対応したらいいのか教えてあげよう」

「ちょっと待って」シャロンがため息をついた。「気になることって、どういう意味？」

「それほど大したことじゃないはずなのに、なぜかイライラさせられる。何時間も何日も、頭のどこかに引っ掛かっているようなことだよ」

「ああ」シャロンの顔がほころんだ。「それだったらいくつかあるわ」

「いいかい、大したことじゃないはずなのに気になってしょうがないという時は、自分で気づいている以上に大きな問題になっていることがあるんだ」

シャロンが考え込んだ。

「シャロンの場合は、頭に引っ掛かっていることが原因で、何か大切なことを譲歩してしまっているんじゃないかな。そういう時にどう対応したらいいのか教えてあげよう。実際にどんなダメージがあるのかも見せてあげるよ」

「私にもできる？」疑い深そうに彼女が訊ねた。

「とりあえずやってみよう。エリックのことでさっき何か言っていただろう。しばらく会わないとかどうとか」

「ええ、彼、月曜日に試験があるの」

「よし。ここに『**月曜までエリックに会わない**』と書いて。右のほうに」

「パーティーに一人で行かないといけないのよ。最悪だと思わない？」書きながらシャロンが愚痴った。

「次は、その下にシャロンがどうしたいか書いてごらん」

「エリックに毎日会いたい」

「いいだろう、そう書いてごらん。今度はその左にどうしてそれが大切なのか理由を書くんだ」

「それ、どういうこと？」

「どうしてエリックに会うことが大切なのか、その理由を書くんだよ」

「だって大切なんだもん。彼は、私のボーイフレンドよ。だから一緒にいたいの。当たり前じゃない」

「じゃあ『**エリックと一緒にいる**』って書いてごらん」

すぐに私は頭の中でチェックした。『**エリックと一緒にいる**』ためには『**エリックに毎日会う**』必要がある。どうしてだろう？　私はあえて問わなかった。

「次の質問は少し難しいよ。どんな必要性があって、エリックに会うのを我慢できるのか、どうして月曜までエリックに会わないほうがいいと思うのか」

「言ったじゃない、彼、試験にパスしないといけないの。大事な試験だって言っていたわ。少なくとも彼のお母さんにとっては大事なことらしいの。でも実際そうよ。もし、もう一度試験にパスしなかったら、下のコースに変えないといけないの。彼、どうしてもエンジニアになりたいのよ」

「よく、わかっているじゃないか。感心だ」

「彼に毎日会いたいって言わないから？」

「ああ、そうだよ。もしいい友達関係を築きたいなら、相手の希望も考えてあげないといけない」

シャロンはしばらく考え込んでから「パパの言うとおりかも」と言った。

「どうしてエリックに会うのを我慢できるんだい。理由を書いてごらん」

「まだ、意味がわからないわ。何て書いたらいいの。エリックのためって書いたらいいの?」

「どんな必要性があるのかってことだよ」私は繰り返して説明した。

「彼の気持ちを大事にしなければいけないからよ」シャロンはムッとしている。

「それだよ。そう書いてごらん」

書き終わるのを待って、私はどうしてそこまで正確に表現する必要があるのか訳を説明した。「今度は、いま書き出した言葉に『～するためには』、『～すべきだ』という言葉をつけて読んでごらん。ちゃんと意味が通るか確かめてみるんだ」

「『**エリックの気持ちを大事にする**』ためには、『**月曜までエリックに会わない**』べきだ。なるほどねえ、でもエリックにはもう少し柔軟になってほしいなあ。で、次は?」

「シャロンは結局どうしたいのかな、目標は何? エリックのニーズを考慮することと、同時に彼と一緒にいることがどうして大切なんだい」

「だって、だって……それは、でも……」

「さっき書いた〈雲〉を見てごらん。デビーの〈雲〉だよ」

シャロンはさっとそれを眺めると微笑んだ。「同じ目標ね。『**エリックといい友達関係を維持する**』かな」

そう言いながら彼女は〈雲〉を完成させた。

「いい友達関係を保つためには、彼と一緒にいなければいけない。しかし同時に彼の気持ちを大事にしなければいけない。わかるかい、シャロン。エリックに会うのは月曜日まで我慢しないと、シャロンの大事な目標が危うくなるんだ」

娘は私の話をちゃんと聞いていない。「パパ、私から見たエリックの〈雲〉と、デビーの立場から見た〈雲〉ってまったく同じみたい」シャロンはもう一度デビーの〈雲〉を眺めている。

私はここでもう一つ新しい見方をシャロンにアドバイスした。

「デビーがどうしてそんな振る舞いをするのか少しはわかったかい」

「そうね。友情が何なのか、どうして相手を独占したくなるのか、いまだったらデビーと話が合うと思う。パパ助かったわ。今夜、デビーのうちに泊まりに行こうかしら。ママもきっと許してくれるわ」

これで何とか一件落着だ。

私が部屋を出る前に、シャロンが戻ってきた。「ママが、泊まりに行ってもいいって。パパありがとう、本当にありがとう」

ああ、気分がいい。

「それじゃ三つ目の問題もやってみるかい」べつにそれがしたかったわけではない。機嫌が直ったところで、もう少しシャロンと一緒にいたかっただけだ。

「いいけど」彼女がうなずいた。「何だったかしら」

「クリスがどうとか、言っていなかったかい」

「あ、そうそう」彼女の顔がまた真剣になった。「やっかいなの」

「今度はパパに説明しなくていいから、自分で書いてごらん。自分で〈雲〉を書いてみるんだ」

「うん、やってみる」そう言ってシャロンは腰を下ろした。

まず彼女は、『**数学の宿題の答えをキムに教える**』と書いた。その下に『**数学の宿題の答えを誰にも教えない**』と書いた。

ほう、これは面白い。私は黙ってシャロンの様子を眺めていた。額にしわを寄せながら一、二分考えたところでシャロンは左側に『**クリスとの約束を守る**』と書いた。その上に『**キムを助ける**』と書いた。

「目的ははっきりしてる。『**いい友達関係を維持する**』ことよ。でもこれ、ちゃんと筋が通ってる?」

「通ってるよ。クリスと一緒に宿題をやったんだったらね」

「ええ、一緒にやったわ。でもキムに頼み込まれたの。嫌と言えなかったのよ」

かわいそうに。一度に三つも悩み事を抱え込んで、それもシャロンにとっていちばん大切な『**いい友達関係を維持する**』が狙い撃ちされている。その一つでさえ、彼女はどう対応していいかわからなかったのだ。黙り込んでしまったのも無理のない話だ。

シャロンは、時折引きこもってしまう。何か問題があるのだろうと私たちも思ってはいたが、いい友達関係を維持するのは容易なことではない。傷つくのは簡単だ。だが、努力する価値はある。

そんな時、私たちはどこにいたのだろう。どうして彼女に手を差し伸べることができなかったのだろう。助けてあげること自体はそれほど難しいことではない。問題にどう対応すべきか、私たちのほうがあきらかに経験は豊富だ。苦い経験をたくさんしてきているではないか。

シャロンもそう思ってくれるだろうか。微妙な問題ではあるが、私たちを信頼してくれるだろうか。

「パパ」恥じらうようにシャロンが言った。「一緒に話をしたいと思うような話題がないって言ってたでしょ」

「ああ」

「違うわ。私、パパと話すの好きよ。ちゃんとわかってくれるから」

「今度パパに何か頼んで、ノーと断られても、いま言ったセリフちゃんと覚えていてくれよ」

その夜、静寂を楽しみながらジュリーと肩を並べてゆったりと座っていると、シャロンの〈雲〉が頭に浮かんできた。

彼女が愚痴をこぼし始めた時、一つひとつの問題の間には何の関連性も見られなかった。シャロンもそう思っていたに違いない。しかし結局、最終的な目標はみんな同じだった。シャロンにとって重要なのは友達だ。それ自体は特に驚くことではない。前からわかっていたことだ。しかし……。

私はどうだろうか。同じような分析をしたら、どんな結果になるだろう。異なるUDEを三つ——大したことでなくてもいいから、気になっていることを三つ選んで、〈雲〉を書いてみる。どうなるだろうか。三つとも同じ目標に辿り着くのだろうか。まったく関係のないUDEでもそうなるだろうか。

「ジュリー」

「何？」

「ちょっと、確認したいことがあるんだけど……」

18

「ヒルトンと一緒に仕事するなんて、まっぴらご免だ」ビル・ピーチがむかっ腹を立てている。

「そこまで言うとは、よっぽどひどい目にでもあったんですか」私はビルをからかった。

私はビルと一緒にレストランに昼食に来ていた。ビルが私を彼の後釜として部門マネジャーに推薦してくれて以来、月に一度はこうして二人で会っているのだ。定例のこのランチを私はいつも楽しみにしている。長い間こうやって上層部から最新のゴシップ情報を仕入れてきた。ビルもこのランチがお気に入りだ。私が彼の忠実な部下であることを知っているからだろう。

「どうしたんです。今度は何があったんですか」私は興味津々だった。

「あの裏切り野郎。よくも薄汚いことを。あいつが何をしたと思う」ビルはまだだいぶうっぷんが溜まっているようだ。

「ヒルトンのことだったら、何があっても驚きませんよ」

「グランビー会長が取締役会に投資計画を提出しないといけないのは、君も知ってるだろう」

「ええ、知っています」私は真面目な顔で答えた。その資金がどこからくるのかも知っている。私の会社を犠牲にまでして手にするのだ。その使い道をめぐってさっそく争いが起きている。

ビルは頭に血が上っていて、私を気遣う様子もない。「ヒルトンと私が会長から投資計画を準備するよう指示されたんだ。ヒルトンとは紳士的にいこうと取り決めたんだが、あいつが紳士とは笑わせてくれる。信じた私が馬鹿だったよ。とにかく、金の取り合いはやめて、半分ずつ投資計画を立てようということにしたんだ」

「ところが、こっちは取り決めどおり半額分だけ計画を提出したのに、ヒルトンは全額分の投資計画を提出した、というわけですね」長い間、二人と一緒に働いてきたので、だいたいの察しはつく。

「誰に聞いたんだ。まあ、すぐに見当がつくか。あいつが言い訳をするところを君にも見せたかったよ。互いにとってこれがベストの方法だなどとぬかしやがって。私も馬鹿だから、ついつい首を縦に振ってしまった」

「仕方ないですね」私は言った。

「まったく、ヒルトンの言うことを信じた私が馬鹿だった」

欲を出すと痛い目にあうだけだ。私の会社を売却して得られるお金のことで、もう取り合いをやっている。あのヒルトンの奴め。しかしビル、あなたもだ。

ビルと私は、黙ったままクラブサンドイッチをぱくついた。

私とてフェアじゃない。ビルにいったい何を期待しているのだ。自分のグループへの投資など諦めて、金の取り合いをやめろとでも言いたいのか。売却を言い出したのがビルだったら話は別だ。しかし、そうではない。彼はまったく関係ないのだ。

「ボブとステーシーですが、二人とも今回のことは深刻に受け止めています。自分の会社が売却されることにはどうしても納得がいかないようです。私も同じですが」

「気持ちはわかる。誰も君の立場には置かれたくないよ。しかし、それが人生さ。主役を守るために脇役がいつも犠牲にされるんだ」

「そうらしいですね。話は変わりますが、もしその時がきたら、ドンに何か適当な仕事を探してやってくれませんか」

「いつでもオーケーだ」

「彼にはマネジャークラスの仕事をしてもらいたいのですが。能力は十分にあります」

「ドンみたいな奴だったら、いつでも歓迎だ。しかし、いま頃どうしてそんな仮の話をしないといけないんだ。聞いてくれ、ヒルトンの奴がどんな提案をしたと思う。二二〇〇万ドル投資して、アイダホの例の会社を買収しろっていうんだ」

「どうしてですか」私は唖然とした。「あの会社だったらもう調べが済んでいて、持っている特許だって疑わしいし、ブレーンだった連中もすでに会社を何年か前に辞めています。それにどうしてそんなに高いんですか」

「一億三〇〇〇万ドル全部欲しいから、金額を膨らましたんだよ。トルーマンに蹴られた案は使うわけにはいかないから、他に思いつくことを全部突っ込んだんだよ。見かけさえよければ何でもよかったんだ。あの会社だって見かけは立派なものだ」

「しかし、まったくの茶番劇ですね」私はため息をついた。「会長は自分の体裁を保っておきたい。それに私の会社が売られた時、売却価格が低すぎたらトルーマンとダウティーを責めることができるようにしておきたい。だから、いまのうちから高額で売れるのだと装おうとしている。ヒルトンはもっと力が欲しい。だから自分のグループのために全額必要なのだと偽っている。そのために自分の会社が売られるのでなければ、私も面白がって見ていたでしょうね」

ビルはそうは思わないらしい。「ヒルトンは君の言うとおりだが、会長は違う。彼はまっすぐで嘘のない人だ」

「私もいままではそう思っていました。しかし私の会社の売却額を多めに見積もるとは、他にどんな理由があると言うんですか」

「えっ、何を言ってるんだ」ビルは本気で驚いている。「一億三〇〇〇万ドルはえらく控えめな数字なんだぞ」

「ビル、私は会社の売買の経験は乏しいですが、それでもバランスシートや損益計算書の読み方ぐらいはわかります。私のグループ会社ですが、一社三〇〇〇万ドルで売れればラッキーなほうです。合計で一億三〇〇〇万ドルなんて、まったく馬鹿げています」

ビルが私の顔を見て言った。「コーヒーでもどうだ」

「コーヒーはいいですから、いったいどうなっているのか教えてください」

ビルはウェイターを呼び止めようと忙しい。私は待ちきれなくなってきた。その時、こちらを見もせずにビルが訊ねた。「プレッシャー・スチームは、いくらで売れると思う」

「よくて三〇〇〇万ドルでしょう。それも厳しいかもしれません。市場が安定しきっているので、手詰まりの状態です。ただ、ステーシーが引き継いでから、何とか利益を二五万ドルにまで伸ばすことができました。もっと努力すれば、年間二〇〇万ドルから三〇〇万ドル程度の利益は可能かもしれませんが、それが限界です」

「アレックス、もしこのプレッシャー・スチームをやめてしまって、客をすべて競合相手に譲ったとしたら、相手にとってどれだけの価値があると思う」

頭をぶん殴られたような気分だった。

なるほど、そういう計画か。競合他社がプレッシャー・スチームを買収すれば、そのマーケット・シェアを獲得できる。生産能力はみんな余っている。原材料コストは販売価格のわずか三五パーセントだ。プレッシャー・スチームを買い取ったら、これを解体して利益を伸ばす。年四〇〇〇万ドルの利益増も可能だ。手詰まり状態が解消されるのは言うに及ばない。それどころか業界最大手に躍り出て、絶対的なシェアを握ることになる。

なるほど、これで例の交渉も謎が解けた。どうしてブランドンたちがあんなとんでもない金額をふっかけたのかわかった。臭いと思った。自分の会社がバラバラに解体される生臭い血の臭いだったわけだ。

あの二人のことだ。私には余計なことは一切言わない。いったい、どっちの味方なんだ。こっちが強気に出たらきっと「みんなを救うためには、一部を犠牲にせざるを得ない」と言うに違いない。信じられない。

「大丈夫か？」ビルが心配そうに私の顔を覗き込んだ。

「いいえ、大丈夫じゃありません」まったく怒鳴りたい気分だ。

「いや、大丈夫だ」ビルが私に向かって微笑んだ。「君のことだ、きっと何か考えているに違いない。黙ってはいないだろうな」

「よくわかってるじゃないですか」

私はクルマに乗り込んでエンジンをかけた。さて、どこへ行こう。どこでもいい、とにかくどこかクルマを走らせよう。独りでじっくり考える時間が必要だ。

何マイルもクルマのハンドルを握りながら、私は怒りを抑え切れずにいた。ブランドン、ジム、グランビー会長、ヒルトン、それからウォール街に、世の中すべてにだ。自分自身にも怒りを少々覚えていた。どのくらい走っただろうか、ずいぶん長いこと走ってから、ようやく落ち着いてきた。怒るだけでは駄目だ。これからどうしたらいいのか、考えなければならない。従業員のために高額な退職金でも要求しようか。情けない考えだ。それに会社にいくら払わせることができるというのだ。勤続年数一年当たり給料一か月分？　二か月分？　それとも三か月分？　いや無理だ。二か月だって会社は首を縦に振らないだろう。それにそんな金、何の足しにもならない。他の会社で活かせる技術でも持っていればいいが、そうでない従業員にとってはまったく足しにならない。

ステーシーはどうだろう。彼女にどんなチャンスがあるのだ。解体屋に売却された会社の元社長というレッテルを貼られては、彼女のキャリアはおしまいだ。

私は？　私も同じレッテルを貼られることになる。

冗談じゃない。そんなこと許してたまるものか。しかし、いったいどうやって阻止したらいいのだ。〈雲〉は、はっきりしている。前からわかっている。消し方もわかっている。売上げを増やせばいいのだ。しかし、いますぐ一気に増やさなければいけない。いままで、そんなことできるわけがないと思っていた。だが、もう選択の余地はない。可能だと信じるしかない。できるのだと思い込まなければいけない。そう思わなければ力が湧いてこない。

信じることができなければ、起こり得ることも起こらない。信じるものは救われるのだ。

方法はある。売上げを伸ばす方法が何かあるはずだ。事実、証拠もある。ピートの会社だ。うまくいったではないか。特に優れた技術を持っていたわけでもなければ、設備や宣伝にお金をかけたわけでもない。

何もなかったのだ。しかし、ものの一か月も経たないうちに、大きな成果を上げることができた。条件がよすぎて、客が断りきれない切り札があったからだ。

しかし、同じようなアイデアを他に、いったいどこで見つければいいのだ。

ステーシーの会社をシュレッダーにかけさせるわけにはいかない。しかしそのためには、いったいどんなすごいアイデアが必要なんだ。かなりのものでなければいけないのはわかっている。利益が年五〇〇万ドルに増えても足りない。一〇〇〇万ドルでも駄目だ。会社を売ったほうが、とにかくお金がもっと手に入るのだ。一億ドル近い金額も決して無理ではない。夢ではないのだ。

売上げを増やすマーケティング・ソリューションを見つけるだけでは不十分だ。競合相手を軽くひねり潰すことができるような何かパワフルなアイデアを見つけなければ。それ以外に方法はない。

いや、もしかすると本当の〈雲〉がまだ見えていないのかもしれない。それに売上げを伸ばすだけでは不十分なのかもしれない。ソリューションの見つけ方はわかっている。自分のこの頭の中にちゃんとあるはずだ。ソリューションがそのままの形で用意されているわけではないが、この頭の中に隠れていることは間違いない。それを引き出すには、ジョナの〈思考プロセス〉を使わなければいけない。掘り起こして磨きをかけるのだ。

いちばん大変な作業はすでに済ませた。ブランドンとジムのおかげで、〈現状問題構造ツリー〉はすでに構築済みだ。問題はその先だ。

ここからは自分でやらないといけない。ステーシーやボブに任せるわけにはいかない。私の責任だ。それにステーシーやボブでは状況を観察する視野が狭くなる危険性がある。まず私が広い視野で包括的な方法を見つけ、その後で二人にそれぞれのニーズに応じてソリューションを構築させればいい。

先延ばしにするのはやめよう、私はそう自分に言い聞かせた。〈現状問題構造ツリー〉では、部分最適化がコアの問題だという結論だった。次のステップは、これをもっと正確に言葉で表してみることだ。マネジャーたちがどうしてもっと優れた仕事をできないのか、それを阻害している原因を突き止めなければいけない。ジムは間違っている。ジョナによれば、マネジャーの能力のなさや無知のせいにしてはいけない。彼らはコンフリクトに巻き込まれている、コンフリクトのせいで正しいことを行えずにいる、そう考えるべきなのだ。教科書に従うのであれば、まず、マネジャーがすべき正しいことは何か、それを行うのを妨げているコンフリクトは何かを考えなければいけない。

〝正しいこと〟とはいったい、何だろうか。自分の下で働くマネジャーたちに、私は会社をどう経営してもらいたいと望んでいるのだろうか。

明白ではないか。全体最適化を達成すべく努力してもらいたい。

ふーむ、だが問題がある。

べつに全体最適化に反対ということではない、ただ……。

もし自分たちが行える最大の努力が最適化だとしたら、画期的なソリューションを用いてどうしてこれまで想像も及ばなかったような結果が得られるのだろうか。

しばらくすると、だんだん答えが見えてきた。最適化とは箱の中、つまり一定の範囲内で最善を尽くすことであり、一方、私が探しているのは……。

そのとおり、私たちには画期的なソリューションが是が非でも必要だ。それ以下では駄目だ。箱の外でソリューションを見つけないといけないのだ。

だからどうしようと言うのだ。マネジャーは常に画期的なソリューションを探しながら会社経営に尽力しなければいけないとでも言いたいのか。

いや、そこまで誇張する必要はない。

『正しい意思決定を行う』ぐらいで十分だろう。これであれば、必要な時にだけ画期的なソリューションを求めればいいのであって、常に標準として求める必要はない。

どうだろうか。シンプルだが理に適っている。私はこれを目標として定めることに決めた。

さて次は、どうしてマネジャーたちがこの目標を達成できないのか、それを阻んでいるコンフリクトはいったい何なのかをはっきりと表さなければいけない。ジョナのガイドラインによれば、このコンフリクトは〈現状問題構造ツリー〉の中にはっきりと表されているはずである。しかし、腑に落ちない。このツリーならもう熟知している。もしコンフリクトがはっきりと表れているなら、もうとっくに気づいていてもいいはずだ。

自分の経験から学んだことだが、時間を効率的に使うにはガイドラインに従うのがいちばんいい。なるほど、それではもう一度ツリーを見直してみよう。しかし、どう見直せばいいのだ。

私は最初の出口からフリーウェイを降り、ガソリンスタンドにクルマを停めた。「満タンにしてくれ」私は店員に伝えた。

私は後部座席からブリーフケースを手に取り、中からツリーを書いた紙を取り出した。すると、すぐさまコンフリクトが目に飛び込んできた。自分が何を探しているのかよくわかっている時は、簡単に見つけることができるらしい。私はコンフリクトを書き出した。**『クライアントの価値観を考慮する』**対**『サプライヤーの価値観を考慮する』**だ。

さて今度は、このコンフリクトが目標達成の阻害要因になっていることを証明しなければいけない。

〈雲〉を完成させるにはそれほど時間はかからなかった。私は声に出して読みながら確認作業を行った。「『**正しい意思決定を行う**』ためには『**十分な売上げを上げることを目標とする**』」トップレベルでは確かにそうだ。

いや、すべてのレベルに当てはまる。流通や製造、あるいはエンジニアリングといったレベルで意思決定が行われる場合にも当てはまる。

「満タンです。一八ドル三〇セントになります」

私は店員にクレジットカードを渡し、確認作業を続けた。

「『**十分な売上げを上げることを目標とする**』ためには『**クライアントの価値観に基づいて意思決定し行動する**』。これは大丈夫だ」

今度は、〈雲〉の下のほうに目をやった。「『**正しい意思決定を行う**』ためには『**適切な製品マージンを得ることを目標とする**』」一般的な企業カルチャーにおいて、それは不可欠なことだ。事実、これに反対する人でさえ、ほとんどの企業ではそうせざるを得ない。もちろん、クビになっても自分の意見を押し通そうという人は別だが。

残りは最後のステートメントだ。「『**適切な製品マージンを得ることを目標とする**』ためには『**サプライヤーの価値観に基づいて意思決定し行動する**』」

私は伝票にサインし、再びクルマを走らせた。

私は脇に置いた〈雲〉にちらっと目をやった。こうやって書き出してみるとはっきりわかる。ユニコの社内のいたるところで、このコンフリクトにみんな振り回されている。

「この注文は受けるべきだ」「いや、受けるべきでない」「受けろ」「受けるな」「どうして受けた」「受けざるを得なかった」「そんなことはない」「いや、そうだ」

アレックス、なかなかうまく書けたじゃないか、そう私はつぶやいた。さあ続きをやろう。

この〈雲〉の中でいちばん気に入らない矢印はどれだろうか。

これは簡単だ。**『正しい意思決定を行う』**ためには**『適切な製品マージンを得ることを目標とする』**。これだ。マーケットをセグメンテーションすれば、現在、未来にわたって継続して利益を増やすことができる、それをこの数年、私は何度も実証してきた。コスト割れの価格で販売してもそうだ。作業がすべて非ボトルネックによって行われる場合は特にそうだ。

注文を受けるか受けないかの判断基準に製品マージンを用いている人間は、私のグループには一人もいない。そう願いたい。全体的なスループットや作業経費へのインパクトによってのみ判断している。

これで〈雲〉は消えた。

それなのに、まだ問題は消えていない。なぜだ。

その時、ふとあることに気づいた。製品マージンを無視して、それがうまくいった。グループ三社とも赤字会社から立ち直りつつある。ただうまくはいったが、まだ十分とは言えない。セグメンテーションされたマーケットを新しく見つけるたびに、平均以下の価格で余剰能力を販売する。利益は向上するが、無駄なことだ。これ以上そんな無駄を続ける余裕はない。

いちばんの問題は、我々にニッチがなくなってしまったことだ。コア・マーケットでコスト割れの価格で販売する勇気もなければ、価格戦争を引き起こす勇気もない。自らを滅ぼすことになりかねないからだ。その結果、グループ各社では大きな余剰生産力を抱えることになってしまった。

それに加え、価格の引き下げによって、いくら改善努力しても節約分がすぐに帳消しになってしまう。

何かもっと強力な策が必要だ。ただし、ゆっくり少しずつ利益を増やしている余裕などない。会社を救うためには、平均以上の価格で余剰生産力を販売しなければいけない。平均以下では駄目だ。

しかし、そんなことをどうやって？

それこそ私が探し求めていることだ。〈雲〉を消す、もっと効率的な方法を見つけ出さなければいけない。他の矢印の仮定も調べてみたほうがよさそうだ。もっといい答えがあるとすれば、いま私が行っている方法とは異なるはずだ。

前方を走るクルマが少ないのを確認して、私は次の矢印をさっと読み上げた。「**『適切な製品マージンを得ることを目標とする』**ためには**『サプライヤーの価値観に基づいて意思決定し行動する』**」

ここでは、製品マージンが製品コストをベースにしていることが仮定となっている。この仮定から推測すると、一つひとつの製品には適正な価格が一つしかないということになる。

しかしツリーに基づけば、複数の価格があってもいい。一見、一つに見える既存のマーケットをセグメンテーションすればいい。

そうか、そういうことか。〈現状問題構造ツリー〉を見れば明らかだ。しかし〈雲〉がそんなに有用なものなら、他にも手段が見つかってもいいはずだ。均一に見えるマーケットをセグメンテーションする包括的な手法を見つけるのは、決して容易な仕事ではない。それには紙とペンも要る。

しかしその前に、他の矢印も見ておこう。もっと簡単な方法が見つかるかもしれない。

私は次の矢印をちらっと眺めた。今度はコンフリクトの矢印だ。これを打ち砕くことができれば、強力なソリューションを手にすることができる、そうジョナが言っていた。私が強力なソリューションを必要としているとすれば、いまがその時だ。

『クライアントの価値観に基づいて意思決定し行動する』と**『サプライヤーの価値観に基づいて意思決定し行動する』**——この二つはお互い相容れない。単純な常識だ。しかし、その仮定は何だろうか。二つの価値観が異なる？　わかりきったことだ。

「〈現状問題構造ツリー〉を構築したから、わかるんだろ」私は自分自身に冷ややかに言った。

それでいったい何ができるのだ。よくよく考えてみると、この仮定には制限がある。製品に対するクライアントの価値観が非常に高いとしよう、サプライヤーの価値観よりもずっと高い。この場合は、何のジレンマも起きない。

ただし、あまり欲を出しすぎては駄目だ。

『製品に対するクライアントの価値観は、サプライヤーの価値観より著しく低い』——こういう状況でのみジレンマに直面することになる。

片方の目でクルマの前方を確認しながら、これをさっと書き留めた。

この仮定を変えるには何をしたらいいのだろうか。何か違った見方やアイデアがあるだろうか、私は自分自身に問うた。

あるにはあるが、単純すぎる。「もっと具体的でないと駄目だ」私はつぶやいた。となると次は、これを具体的かつ実用的な形に変換しなければいけない。大したことではない、もう何度もやっていることだし、時間もある。必要なのは方向性だ。それにずいぶん単純そうだ。単純すぎて間違えようがない。

しばらくそのまま運転していると、次の休憩エリアを示す標識が何度か現れた。いったいどこなんだ。やっと現れた休憩エリアにクルマを停めた。

『製品に対する市場の価値観を十分に高めるために、何らかの策を講じる』。そう、私は書き出した。

非常にシンプルだが、それでいて方向性もはっきりと示している。もしジョナの手法で本当にうまくいくのなら、これでソリューションが見つかるはずだ。

ガイドラインによれば、ここで戦略的目標を選ばなければいけない。しかし、そう怖気づくことはない。「好ましくない結果」の反対を考えればいいだけのことだ。そう難しいはずがない。リストもある……どこかにあるはずだ。

しかし役に立たない。このリストはブランドンとジムが作ったもので、彼らが投資している会社全部のUDEを含んでいる。私たちには、営業スタッフのスキルを向上させたり、エンジニアリングを改善する必要は必ずしもない。事実、私たちにはそんなことをしている時間的余裕もない。何とか競争で優位に立つことができれば、それで十分なのだ。私は苦笑いした。

いや、待てよ。それだけではやはり十分ではない。普通の会社にはそんなことは求められないが、私たちには一気に利益を伸ばすことが求められている。

私は一つ目の目標を丁寧に書いた。**『価格を下げずにすべての生産能力を販売する』**

いま、我々が抱えている余剰生産能力を考慮すれば、利益は驚くほど増えることになる。問題は、それを長期に継続して維持できると周りを納得させなければいけないことだ。これ自体同じくらい重要なことだ。

私は、もう一つ目標を書き足した。**『はっきりとした競争優位性を確立する』**

よし、これでいい。さて今度は、さっきの方向性に従ってスタートし、二つの目標をどう達成するのか、その方法を考えなければいけない。つまり、〈未来問題構造ツリー〉(Future Reality Tree) を構築しないといけない。

〈現状問題構造ツリー〉を作ることより、大変なことがあるとすれば、それは〈未来問題構造ツリー〉を作ることだ。スタート地点から現実味がない。

しかし可能なはずだ。私にはわかっている。

私はクルマをスタートさせ、戻ることにした。とりあえず標識を探すことにした。いま、どこにいるのか知っておくのも悪くない。標識にはウィルミントンと表示されている。ウィルミントン？　いったい、どこだ。

私は受話器を手に取り、ドンに電話をかけた。

「どこにいるんですか」彼が心配しているのは声でわかった。「予算委員会の会議が、あと一〇分で始まります。私に副社長の代役は務まりません」

「いや、大丈夫だ。ビルにそう言ってくれ。文句は言わないはずだ。うっ、まずい。一時半からは、CFO（最高財務担当責任者）とミーティングすることになっていたはずだ」

「もしかして、すっぽかされたんですか？」やや声にとげがある。「ご心配なく。ちゃんと私が行っておきましたから。特に問題はありませんでした。でもいまどこにいらっしゃるんですか。今日は戻られるのですか」

「わからない。いいかドン、聞くんだ。先週教えた〈現状問題構造ツリー〉を覚えているか。家に持って帰って、もう一度見直しておいてくれないか。明日の朝までによく勉強しておいてほしいんだ」

なんてこった、ミルフォードじゃないか。家から一〇〇マイル以上も離れている。

「わかりました、副社長。でもどうしてですか」

「簡単に想像がつくんじゃないか」

「売上げを伸ばす方法を見つけようということですね」

「そうだ」

「やった!」ドンの大声に、私は無意識のうちに受話器を耳から離していた。ドンの奴、よほど肺活量が多いらしい。「待っていました。みんなこの時を待っていたんです」

「明日の朝八時に会おう」

「会議室をとっておきましょうか。副社長の部屋ではいつも邪魔が入りますから」

「そうだな、そうしておいてくれ。君も覚悟しといてくれよ」

「何のですか」

「たくさん仕事が待っているんだ。明日から気合を入れていくぞ」

19

コーヒーが出されるのを待って、私は意を決して本題を口にした。「私のグループ会社ですが、売却すべきでないことをわかっていただきたいのです。売却は大きな間違いです」

「アレックス、その話はもう何度もしたじゃないか」ブランドンは苛ついている。「この話は、もうおしまいだ」

ジムもうなずいている。

「状況が変わったのに、それでもおしまいなのですか。もう少し柔軟に対応してくれてもいいのでは？」

「決定を覆すほどの状況の変化でもあったと言うのかね」哀れむような声でブランドンが言った。「アレックス、やめたまえ。無駄な努力だ」

「少しだけ時間をください。金の卵を産む鶏に変えてみせます」私は懸命に訴えた。

「どうしてそんなに自信があるんだ。ほんの二週間前は、君だって悲観的だったじゃないか」

「あなた方のおかげです。お二人が……」

「おいおい、私たちを当てにしないでくれ。私たちは悪役でいい」ジムが笑った。

「アレックス、君にはもう説明したじゃないか」ブランドンは、何としても私を説き伏せるつもりだ。

「我々には選択の余地はないんだ。ユニコはいま、非常に苦しい状況にある。君の働きには感謝しているが、無理なものは無理だ」

ブランドンが話し終わるのを待って、私は落ち着いた口調で答えた。「ブランドン、あなたのおっしゃったとおりに、私はグループ三社の分析を行いました。あなたが、そうしろとおっしゃったからです。その分析結果をお知りになりたくないのですか」

「もちろん知りたいさ」ジムが答えた。「しかし、アレックス。理論的な分析を行って、それで私たちの決定を覆すことができると思っているのなら、君は思っていた以上に楽天家だな」

「理論だけではありません。経験も活かしています。ピートの会社の成功事例からは、いろいろ多くのことが推測できます」

「あれは確かに見事だった。君には感謝している」ブランドンは、私をなだめようとしている。「奇跡に近かったよ。しかし同じことをアイ・コスメティックスやプレッシャー・スチームで再現できると思っているのかね。印刷業界とはずいぶん違うぞ」

「アイ・コスメティックスとプレッシャー・スチームもそれぞれずいぶん違う」ジムが付け足した。

「わかっています、でもゼロから始めるわけではありません。ピートの成功事例を参考に分析を続け、どんな会社にも対応できるような基本的な方法を作ってみました。これを使えば、どんな会社でも置かれた状況に応じたソリューションを比較的簡単に作ることができます」

「本当にそんなことができると思うのかね」ジムが訊ねた。

「はい」私は自信ありげに答えた。「それを是非ともお見せしたいのです」

「どんな市場にでも使えるのかね。投資する金もない、時間も少ししかない。それでもできるのかね」ブランドンは驚きを隠せない。

「少しとは、どのくらいですか。それにもよります。しかし六か月もあれば十分です」私は三か月でどの程度のことができるか知っている。たいていの人は、三か月は無きに等しいと考えているが、私にしてみれば十分すぎる。

「何も約束はできない、もちろん六か月などとも約束はできないが、しかしそんなに自信があるのなら、もう一杯ビールをおごるから、説明してくれないか」そう言うと、ブランドンは辺りを見回した。

「ビールを持ってきてくれ」

昼食時の人ごみは消え、周りはずいぶんと静かになっていた。ウェイターの姿も見えない。ブランドンは席を立つと、霜のついたジョッキを手にすぐ戻ってきた。

「ありがとうございます」私はぐいっと喉に流し込み、口の周りについた泡を手で拭った。「売上げを大幅に増やすには、我が社の製品に対する市場の価値観を高めないといけません」

「ああ、それができれば、価格を下げるよりずっとましだ」ブランドンが言った。

「ただ、市場の価値観を高めるという話となると、普通は新製品を出すとか既存の製品を改良するといったことがまず頭に思い浮かびます」

「ツリーを見ればはっきりしている」ジムが言った。「だけど、その考え方は好きじゃないな。君だって百も承知だろう。かなりの投資が必要だし、成功する確率も低い。ビジネスとして考えたら、賢明な判断とは言えない。他の会社に先にやらせて、うちは後からついていけばいいんだよ」

「でも、方法は他にもあります」私は言った。「投資や高いリスクを伴いません」

「そんないい話があるんだったら、教えてくれないか」ジムが言った。

「ピートが何をしたのかを調べてみればわかります。彼は製品には何も手を加えないで、それ以外の部分を改善しました」

「どういう意味だね」ブランドンが訊ねた。

私は説明を続けた。「サプライヤーの観点からすると、製品とは手に取ることができる物理的なもののことを意味しています。ですが、この考え方では改善努力のオプションが限られてしまいます。逆に市場の側から見てください。マーケット側の観点から見れば、製品とはもっと幅広い意味を持っています。製品に伴うサービスや支払い条件、保証等々も含まれます。製品とはこれらを含めた取引条件全体を意味しています」

「なるほど」ブランドンはゆっくりとうなずいた。

「そんなことは、サプライヤーならみんな知っていることだ」ジムは、私の説明に批判的だ。「最近ではカスタマーサービスに力を入れたり、納期を守ることやリードタイムを短縮することなども重要視している」

「しかし、我々サプライヤーが〝製品のアップグレード〟という言葉を聞くと、まず普通は技術や設備に投資したり莫大な時間をかけることが頭に浮かびます」私は反論を試みた。「ピートが気づいたのは、マーケット側の価値観を高めるには必ずしも製品を物理的にアップグレードする必要はないということです。それ以外の部分を変えることでもアップグレードはできるのです。新たな投資もほとんど要らないし、すぐに行うことができます」

ジムは、まったく興味のなさそうな顔をしている。

「考え方には賛成だが……」ブランドンの受け答えは、ジムよりは丁寧だ。「理論にすぎないのか、それとも本当に実行できることなのかね。それに聞こえはいいが、問題もある。何を変えたら客に最も大きなインパクトを与えることができるか、どうやったらそれがわかるかだ。他のどの競合会社もまだやっていないことなんだろう?」

「それは簡単です」私は微笑んだ。「ですが、その前に話しておきたいことがあります。マーケット側の製品に対する価値観を決める要因が何だったか覚えていますか。製品を作るために費やされた努力ではなく、その製品を手にすることによって得られるメリットです」

二人ともうなずいている。この話は前にもしたことがある。

「そのメリットには二種類あります。ポジティブなことを増やすメリットと、ネガティブなことを減らすメリットです。宣伝や広告を見てください。たとえばクルマの宣伝です。見る者に心地よさや信頼感を与えます。キャッシュバックを提供しているものもあります。しかし、よく考えてみると『心地よさ』だけがポジティブなメリットで、『信頼感』や『キャッシュバック』はネガティブを減らすメリットなんです。『信頼感』の意味は何でしょう。クルマを頻繁に修理に出す必要がないことです。信頼感それ自体はプラスではなく、製品を持つことで必然的に発生するマイナスを減らす機能があります。

値下げやキャッシュバックも同じです。製品を買うときにはお金を払わなければいけない、これは製品を手にする時に避けては通れないネガティブです。しかし我が社の製品を買えば、少ないコストですむ」

「ポジティブが増える、ネガティブが減るという考え方はなかなか面白い」ジムが軽く笑ってみせた。

「だが、なぜそんなことをいま頃?」

「時間がないからです。マーケット側の価値観を高めるには、ポジティブな面を追加するのがいちばん強力な方法ですが、時間が限られている時は、ネガティブな面を減らすことに努力を集中させれば早く結果を出すことができます。ネガティブなことなら客自身よくわかっていることなので、いちいち存在を証明したり、取り除く必要性を説く必要もありません。最も抵抗の少ない方法です。

考えてみてください。ピートがやったのはこれなんです。彼はまず市場を『買い手の市場』と定義しました。直接やり取りをする相手が買い手だからです。価値観をうまく向上させることができて、まず反応を示すのが彼らだからです。そのうえで、買い手側の問題の解決にあたりました。ピートの会社の製品に対する彼らの価値観が急激に向上したのも当然のことなのです」

「ちょっと待ってくれ」ジムはガードが堅い。「つまり、クライアントのことを知らないといけない、クライアントのニーズをはっきりと把握しなければいけない。つまり、そう君は言いたいのかね」

「そのとおりです」

「アレックス。すまないが、そんなことはビジネスの基本中の基本だ」彼の顔に失望感が見て取れた。「みんなクライアントのニーズを知ろう、競争相手より少しでも多く把握しようと必死になっている。何も目新しいことではない」

「いいえ、みんな努力していると言いますが、実際に行っているのはほんの一握りです」

「言っていることがよくわからない」ジムのガードがますます堅くなった。

「わかりました、それでは質問させてください。企業はクライアントの本当のニーズをどうやって探していると思いますか」

「方法まで詳しくは知らないが、やっているのは確かだ。市場調査なんかに多くの経費をかけている」

「いい例ですね」私はうなずいた。「我が社でもほんの四か月ほど前、プレッシャー・スチームの市場について マーケットリサーチを行いました。市場調査部からは二〇〇ページに及ぶ膨大なデータを手渡されました。クライアントが抱えているＵＤＥ、特に我が社や製品に対するＵＤＥは表や図ですべて説明されているのだと思います。考え得るデータはすべて用意されているはずです。ですが、それを使って何をしたと思いますか」

「おそらく、何もしなかったのでは？」ジムが答えた。

「近いですね。よくできた資料だったので、指摘のあったUDEについては対応策を立ち上げたりもしました。しかし結局、何も新しい発見はなかったし、それにつながるようなヒントもありませんでした」

「いったい何が言いたいんだね」

「あなたのおっしゃるとおりだということです。みんなクライアントのUDEを把握しようと必死になっています。しかし、ピートが行ったことと比較してみてください。違いがありますが、わかりますか」

私はビールを口に運び、二人が私の話に追いつくのを待った。

「ああ、わかる」ジムが認めた。「小さな違いじゃない。しかしどう説明していいのか、うまく表現できないな……」

「私たちが使っている言葉に慣れてないからです。他のみんながクライアントのUDEを把握しようとしているのに対し、ピートはクライアントの〝コアの問題〟を把握しようとしています。それが違いです」

「そのとおりだ」ブランドンが言った。「表面の症状だけに対応しても非効率的だ、それぞれの症状の根本的な原因に照準を定めないといけないと、私もこれまで言ってきた」

「それだけでは不十分です。一つひとつの症状の原因を潰すだけでは、十分ではありません。すべてのUDEを引き起こす原因となっている、〝コアの問題〟を正さなければ意味がありません」

「なるほど」ジムが言った。「そのためのパーフェクトなツールを君は持っていると言うんだな。〈現状問題構造ツリー〉か。まず思いつくUDEを挙げてみる、UDE同士には一見、何の関連性もないように見えるが、最終的にはみな同じコアの問題に辿り着く。まったく大したデモンストレーションだったよ。おそらく一生忘れないだろうな」

さすが、ジムは頭が切れる。

「何を変えたら、客に最も大きなインパクトを与えることができるのか、どうやればそれがわかるのかと先ほど質問されましたが、私が簡単ですと自信を持って答えた理由がこれでわかっていただけましたか」

しかし、ブランドンはまだ完全に納得したという顔をしていない。ただ表情からは険しさがずいぶんと減った。

「君の提案をもう一度おさらいさせてくれ」ジムが言った。「まず最初に、市場を調査してUDEを列挙する」

「市場を調査する必要はありません。時間とお金の無駄です。うちの会社の人間ならみんな自分たちの市場を熟知しているので、主なUDEだったらすぐに挙げることができます。思いつかなくても、クライアント二、三社と話をすればすぐに列挙できるはずです。それに〈現状問題構造ツリー〉を構築するのに、UDEを全部挙げる必要はありません。代表的なUDEをいくつか挙げるだけで、コアの問題は見つけられます」

「そうか。UDEを挙げて〈現状問題構造ツリー〉を構築する、それを使ってコアの問題を見つける」ジムは言葉を止め、問いかけるような視線を私に送った。

私がうなずくと、彼はまた話を続けた。「次に、何を変えるのかを考える。物理的な製品ではなく、それ以外の部分も含めた取引条件全体だ。そうでないと、市場が抱えている根本的な問題をうまく指摘できない。なかなか面白いな」

「『面白い』じゃなくて、『すばらしい』じゃないのか」ブランドンも私の考えを気に入ってくれたらしい、テーブルをバンと勢いよく叩いた。

私はゆったりと背を後ろにもたれ、残っていたビールを飲み干した。ジムとブランドンも同じようにビールを飲んだ。しばらく間をおいてから、ジムが訊ねた。「何か見落としていることはないかね。何か見落としていて、後で痛い目にあったりはしないのかね」

「いい質問です」私は答えた。「人は抱えている問題がなくなると、たいてい行動様式が変わります。ここではコアの問題について話し合っているわけですが、もしコアの問題を解消することができれば多くのUDEを消すことができます。UDEが消えれば、その結果、市場の行動様式が変わるはずです。しかしそれが果たして自分たちにとってプラスなのか、後からやぶへびになって戻ってきて前よりひどい状態にならないのか、誰がそんなことを保証してくれるのか。そういうことですね」

「そのとおり、いい質問だ」ブランドンが言った。「しかし変化を起こそうというのであれば、リスクは覚悟しないといけない」

「そうです。ある程度のリスクは避けられません。しかし、リスクを減らすためにできるだけの努力は必要です。その方法も私たちにはわかっています。

〈現状問題構造ツリー〉を構築すれば、どんなリスクが潜んでいるのか知ることができます。そのリスクを頭に入れたうえで、新たな条件を提示した場合、クライアントにどのようなインパクトがあるのかロジカルに予想を立てます。つまり〈未来問題構造ツリー〉を構築するんです」

二人ともうなずいている。

「次は……」私は説明を続けた。「どこの会社も同じだと思いますが、新しいことを提案しようとすると、すぐに『ええ、しかし……』といった後ろ向きの反応が返ってきます。我が社も同じです。それを利用させてもらうのです。構築した〈未来問題構造ツリー〉を社内のできるだけ多くの部署、人間に見せ、彼らの懸念を聞き出すのです」

「たくさんいろんな意見を聞かされるんだろうな」ジムが笑った。

「ええ。でも、こうした声を無視してはいけません。どの意見も貴重です。真剣に耳を傾けて、一つひとつをネガティブ・ブランチの形にして書いてみると、大きな問題になりそうなものはだいたいすべて見つけることができます」

「まったく問題になりそうにないのも見つかる」ドンが付け足した。

「大きな問題につながりかねないネガティブ・ブランチはここで排除します。懸念される問題が起こらないよう策を講じて、客への取引条件を完成させるわけです」

「なるほど。うまくいけば、かなり強力な条件提示ができ上がるな。他社に大きく水をあけることができる。しかし、どのくらい時間がかかるんだ。この作業を完成させるのに、どれくらいの時間が必要なんだね」

「わかりません。でも一か月はかからないと思います。ただ導入までの時間と客から注文を受ける時間もとっておかなければいけません」

「乾杯だ！」そう言って、ジムがジョッキを持ち上げた。しかし見ると、私たちのジョッキはみんな空だった。ジムが水の入ったグラスを手に取ったので、ブランドンと私もこれにならってグラスを持ち上げた。三人で乾杯となった。

「アレックス。マーケット・セグメンテーションのほうはどうなんだ」ジムが訊ねた。「あれは使わないのかね」

二人とも大したものだ。ツリーからもうすっかり多くのことを学んでいる。「最初から使う必要はないかもしれませんが、そのうち必ず使います」

「ただニッチを追い求めるのではなく、均一に見えるマーケットをセグメントすることがポイントだったと思う。やり方は知っているのかね、どうやってセグメンテーションを実行するのか知っているのかね」

ジムは容赦ない。

「はい、わかっています」

「それで？」彼らの追及は終わらない。

「はい、実に簡単です」そう言っても構わないだろう。しかし、どうわかりやすく説明したらいいのだろう。「これまでの話の延長線上で考えればいいことです。その前に、考えなければいけないことがあります。『企業にとって市場とは何か』です。企業にとって、市場とは『取引相手』『製品の販売先』『製品の販売先からこの製品を再購入する企業』などと定義することができます。あるいは幅を広げて、『最終消費者』まで含めて定義することもできます。

その段階ごとに分析を行うことができ、消費者に近づけば近づくほど、より強力なソリューションを得ることができます。もちろんその実行作業は段階ごとに複雑になるので、それぞれの段階の協力も必要になります」

二人ともこの説明がわかっただろうか。ジムの質問に先に答えておいたほうがよさそうだ。

「面白い質問をさせてください。異なる二つの市場に製品を販売する場合、いくつの〈現状問題構造ツリー〉が必要だと思いますか」

「二つだと思う」しばらく黙って話を聞いていたブランドンが答えた。

「もしこの二つの市場が重複していたら、あるいは互いの境界線があまりはっきりしていないとしたらどうですか」

「それでも二つだと思う」

「それではたとえば、ある市場において、クライアントを二つのグループに分けることができるとしましょう。二つのグループはUDEがすべて同じ、ただ一方のグループにはそれ以外にも固有のUDEがいくつかある、違いはそれだけです。この場合はどうですか」

「UDEによって市場を分けるわけか……。なかなか面白い考え方だな。しかし、ツリーはやはり二つだと思う」

ジムもうなずいている。

「違います。こう考えてみてください。たとえツリーが一つしかなくても、どちらのグループがどのUDEを持っているのか区別できれば、クライアントへの条件も二つの構成要素に分けて作ることができます。一つは共通するUDEを解決する構成要素、もう一つはそれ以外のUDEを解決する構成要素です。

我々サプライヤーの観点からすると、製品をアップグレードする場合、改良を加えるのは物理的な製品以外の周辺部分で、この周辺部分も含めて一つの製品と見なすことになります。しかし市場の側から見てください。共通したUDE以外のUDEを抱えるグループにとっては、追加構成要素があるほうが価値が高くなります。より高い値段を払うこともよしとします」

「鋭いな、アレックス。そうやってセグメントするわけか」ジムは、私の説明に満足している。やれやれ、やっとここまできた。

ブランドンもうなずいている。「すばらしい」

もうそろそろ話を本題に戻してもいい頃だろう。二人に向かって言った。「これで納得していただけましたか。考え直していただけませんか」

「売却をやめてくれるかということかね」ジムが私に向かって微笑んだ。

「ええ、少なくとも、もう少し先に延ばしていただけませんか」

「アレックス、現実的に考えてくれ」ブランドンのまたあの哀れむような声だ。「君の計画は非常に革新的で、我々も全面的にサポートしたいと思っている。しかし弱点もあるはずだ。

まず、もう誰かがコアの問題を見つけてしまっているかもしれない。第二に、まだ誰も見つけていないとしても、君たちに見つけられるという保証はない。君たちのオファーとはまったく関係のないことかもしれないじゃないか。第三に、コアの問題が君たちのオファーに関係していることであっても、これを正すために必要とされる変化を君たちに実行できるとは限らない。求められる変化は君たちの手の届く範囲以外のことかもしれない。あるいは製品そのものに大きな変化が求められているのかもしれない」

なるほど、なぜブランドンがそんなに力のある人間なのか、ようやくわかった。私にはこんなに素早く問題を把握する能力はない。その場ですぐに弱点を的確に指摘することなど、私には到底できない芸当だ。まったく大した人だ。

「君たちにできないと言っているわけではない」ブランドンは話を続けた。「うまくいくかもしれない。ピートの会社がその証だ」

「リスクをとる覚悟はあるのですか。可能性があっても時間をくれなければ、金の卵をタダ同然で売り払うことになります」

「私たちは賭けはしない」ジムが私に向かって言った。「いずれにしても、この先二、三週間は特に大きな動きは予定されていない。その頃までには、うまくいくかどうかある程度の見当はつくはずだ。私たちへの連絡を忘れないでくれ。もしコアの問題が見つかったら、あとはどうしたらいいかわかっている。ピートの印刷会社を思い出せばいい。ああいう成功だったらいつでも歓迎だ」

「そのとおりだ。私たちへの報告だけは怠らないでくれ。しかしよくやった。でかしたぞ、アレックス」

時間の無駄ではなかった。苦労した甲斐があった。ここからは、我々次第だ。〈思考プロセス〉を使って常識を実践すればいい、そうすれば勝利は間違いない。

ブランドンに指摘された点についても怖気づく必要はない。もうわかっていることだ。どう対応すべきか、その方法もわかっている。

とにかく大変な作業だった。分析は簡単ではないし、ツリーの構築も楽ではなかった。しかし、ドンと私の二人で丸二日間、ジョナの〈思考プロセス〉を用いて、苦労の末何とか結論を導き出すことができた。いま考えてみると、ごく当たり前の結論だ。振り返ると、その時の過程が鮮やかに思い出される。

20

部屋に着くと、ドンはまだ来ていなかった。

彼が来るまで何もしないで時間を無駄にするわけにはいかない。私は部屋の隅からフリップチャートを引き寄せ、まっさらなページが現れるまで紙をめくった。ポケットからは分厚い付箋の束を取り出し、一枚目に『**価格を下げずにすべての生産能力を販売する**』、もう一枚に『**はっきりとした競争優位性を確立する**』と書いた。私はこの二つの付箋をフリップチャートの上のほうに貼り付けた。

「いい目標ですね、おはようございます」そう言いながらドンが部屋に入ってきた。

「おはよう」私は挨拶を返すと、さらにもう一つ付箋に書き込んだ。

「コーヒーでもいかがですか」ドンが訊ねた。

「ああ、頼む」私は三つ目の付箋を今度はページのいちばん下に貼り付け、大きな声で読み上げた。「『**我が社の製品に対する市場の価値観を十分に高めるために、何らかの策を講じる**』」

「何ですか、これは」ドンが訊ねた。「今日のミーティングのテーマですか」

「まあ、そんなところだな」そう答えると私はドンの手からカップを受け取った。「例の〈雲〉から思いついたことだ」ドンは腑に落ちない顔をしている。その表情を確認してから私は言葉を続けた。「十分じゃないかもしれないが、今日の分析の出発点はこれだ」

「これが出発点ですか」ドンが驚いた表情をしている。「出発点というより、まるでゴールみたいですが」

「そうだな。まあいいから、とりあえずこれが出発点だ」

「それで、これを使ってどうするのですか」気乗りのしない表情だ。「もっと現実的なところから始めるのだと思っていました。もっとそれらしい出発点です。いったい、この出発点からどうやって〈未来問題構造ツリー〉を作るんです?」

ドンには〈未来問題構造ツリー〉を書き上げた経験が少ない。今日のように現実味のない出発点の時は、どうやっていいのか見当がつかないのだ。

「いつもと同じやり方だよ」ドンの不安をかき消すように言った。「この出発点からスタートして、"If-Then"の理論を使って最終的にこの二つの目標に辿り着く。目標に辿り着くには、必要に応じて、前に使ったステートメントでいまでも使えるものがあればこれを追加したり、足りなければ新しいステートメントを加えたりもする」

「ステートメントをもっと足すんですか。副社長、待ってください。出発点がそれでは、すぐに目標に辿り着いてしまいます。そんなことをして何かの役に立つんですか。〈未来問題構造ツリー〉でなく〈未来問題空想ツリー〉になってしまいますよ。それより、出発点までどうやって辿り着くんですか。そのほうが問題だと思いますが」

「わかっている。そんなことは百も承知していることくらい、君だってわかっているはずだ。いいから、とりあえずやってみよう。とりあえず目標まで辿り着いてみるんだ」

「しかし、副社長……」ドンはなかなか引き下がらない。「どうやって出発点に辿り着いたらいいのかもわからないのに、無駄じゃないんですか。そんなことやる意味があるんですか」

「あるからやるんだよ」私は語気を強めた。「しかし、その前にこれで目標に辿り着けるのかどうか確認しておく必要はある。君はこの出発点からなら、すぐ目標に辿り着けると言っているが、私にはそんな確信はまだない」

「しかし……」

「そんなに簡単だと言うなら、反対することもないんじゃないのかね。とりあえずやってみよう」

「そうですか、わかりました」一応、賛成はしたものの、ドンはまだ気乗りしない様子だ。

「もし**『我が社の製品に対する市場の価値観を十分に高めるために、何らかの策を講じる』**とすれば、**『我が社の製品に対する市場の価値観は、現在の製品価格よりも高い』**となる」私はさっそく〈未来問題構造ツリー〉の構築作業を開始した。

「なぜ、そう言えるのですか」ドンがいきなり突っ込んできた。

「〝十分に〟という言葉が鍵だ。現在の製品価格より高くなければ、**『価値観を十分に高める』**ということにはならないじゃないか」

「なるほど、副社長の狙いがわかってきました」ドンの顔から険しさが消えてきた。「とりあえず〈未来問題構造ツリー〉を作ってみよう、そうすれば出発点についてもっと何かわかるかもしれない、そう考えているわけですね」

「そのとおり」私は答えた。「もしジョナが正しければ、詳しく理解できるはずだ。そうすれば、どうやって出発点まで辿り着いたらいいかもわかるはずだ」

「なるほど、いい考えですね」ドンが微笑んだ。「続けていいですか」

「もちろん」私はドンに付箋をひとかたまり手渡した。

さっそく彼は付箋に書き込んで、それを読み上げた。「もし『**我が社の製品に対する市場の価値観は、現在の製品価格よりも高い**』とすれば、『**市場は、我が社が求める製品価格を高いと感じない**』ということになります」

「なるほど。しかし、まだ何か足りないな。これだけでは、競争優位性を確立したことにはならない」

「そうですね」ドンがうなずいた。「他社の製品に対しても同じように感じているかもしれません。もっと割安感を感じているかもしれません。おっしゃるとおり、まだ他にもステートメントを付け足さないといけませんね。たとえば、『**市場の我が社の製品に対する価値観は、競合他社の製品に対する価値観よりも高い**』というのはどうですか。これだったら競争優位性を確立できると思います」

「〝はっきりとした競争優位性〟を確立しないといけないのだから、最後の〝高い〟を〝ずっと高い〟に変えたらどうだ。そのほうがいい」

「だけど私たち、言いたい放題ですね」そうつぶやきながら、ドンはこれを正した。「これで目標の一つ『**はっきりとした競争優位性を確立する**』に到達できますね。簡単だって言ったじゃないですか」

「ドン、競争優位性は証明できたが、その優位性が〝はっきり〟としているかどうかはまだ実証が終わっていない。そのためには、マーケット・シェアが増加することを証明しないといけない」

「確かに……」しかし、ドンはあまり感心した様子もない。「もし『**市場の我が社の製品に対する価値観は、競合他社の製品に対する価値観よりもずっと高い**』かつ『**市場は、我が社が求める製品価格を高いと感じない**』とすれば、『**我が社のマーケット・シェアは拡大する**』となります。市場は競合他社より我が社を好み、その結果我が社のマーケット・シェアは拡大する。どうですか。これで目標に辿り着いてもいいですか」そう言いながらドンは矢印を引いた。

「ドン、ちょっと急ぎすぎじゃないか。まだ、はっきりとした競争優位性を確立したことにはなっていないと思う」

「他に何が足りないんですか」

「もし競合他社がすぐ真似したら、優位性がなくなってしまうかもしれない。そうならないという保証はあるのかね」

「なるほど」ドンは私の言葉にしばらく考え込んだ。「何か別のステートメントが必要でしょうね。『**我が社が講じる策は、競合他社にとって真似が難しい**』というのはどうですか」

「いいんじゃないか」私はうなずいた。

ドンがこれをツリーに書き加えて言った。「同じ考え方をすれば、もう一つの目標『**価格を下げずにすべての生産能力を販売する**』にも辿り着けると思いますが、違いますか」

「いや、駄目だ。まだもう一つ別のステートメントを付け足さないといけない」ドンに付箋を手渡した。

「我が社の製品に対する市場の価値観を高めるわけだが、それを広い市場で、いまの自分たちの生産能力を上回る規模の市場において行わないといけない」

ドンは書き込んだ付箋を読み上げた。「『**ターゲットとする市場は、我が社の生産能力を大きく上回る規模を持つ**』」ドンがこれをフリップチャートに貼り付け、ツリーが完成した。

「しかし言いたい放題、好きなことを付け足せば、簡単に目標に辿り着けますね」ドンが言った。

「ああ、そうだな」私は笑った。「この調子だと、夢物語で終わるかもしれないな。だが、時間の無駄とは言わせないぞ。とにかく、これで次に何をしないといけないかがわかった。市場の価値観を我が社が求める製品価格より高くするだけでは駄目だ。競合他社の製品に対する価値観をも大きく上回らないといけない。これを大きな市場で行う。我が社の生産能力を使い切れるほどの規模を持つ市場でなければ駄目だ。それを競合他社に真似されない方法で行う」

「それで全部ですか？　朝飯前です」ドンが皮肉った。「条件はたった四つだけじゃないですか」

「いや、四つというのは正確じゃない。後から付け足したステートメントは最初のステートメントの補足だ。わかりやすく説明しただけだ」

「わかりやすいとは思いませんが……」ドンがため息をついた。

「慌てるな、まだ終わっていない」私はドンを励ました。「これからが、〈未来問題構造ツリー〉やネガティブ・ブランチの真のパワーの発揮どころだ」

「何ができるんですか」

「夢物語を現実にしてくれるかもしれない」

「はあ……」ドンがつぶやいた。しかし、あまり期待はしていないようだ。

私は出発点を別の付箋に書き写し、フリップチャートの紙をめくって、次のページのいちばん下にこれを貼り付けて読み上げた。**『我が社の製品に対する市場の価値観を十分に高めるために、何らかの策を講じる』**。ドン、何が価値観を高めると思うかね」

「もっといい製品では」

そんなことをしている余裕はない。夢物語だなどと言ったのも、それがわかっているからだ。しかしジョナによれば、このやり方を辿れば実用的なソリューションに辿り着くことができる。彼の言うとおりであることを願いたい。他に考え得る方法など私たちにはない。私は言葉に気をつけながら付箋に書き込んだ。

ドンがこれを読み上げた。「もし『**我が社の製品に対する市場の価値観を十分に高めるために、何らかの策を講じる**』かつ『**市場はより優れた製品を好む**』とすれば、『**我が社がより優れた製品の投入に成功したことは明白**』ということになります。この場合のネガティブ・ブランチははっきりしています。新製品の投入にお金と時間がかかることです。しかしいまの私たちにはそんな余裕はありません」

「そのとおりだが、とりあえず書き出しておこう。もし『**我が社がより優れた製品の投入に成功したことは明白**』かつ『**新製品の投入には時間とお金が必要**』とすれば、『**お金と時間を投資したことは明白**』ということになる。しかし君が言ったように、『**我が社には時間とお金がない**』、だから『**我々経営陣は交代させられる**』という結論になる。明らかなネガティブ・ブランチだな」

私はコーヒーをおかわりしようと、二人のカップを手に立ち上がった。「ドン、いまのネガティブ・ブランチのどこでポジティブからネガティブに変わったのかな。出だしはポジティブ。新しい製品の投入でもたらされる成功もポジティブだ。次のステップ、時間とお金はネガティブだ。ここをもう少し注意して考えてみよう。そこをつなげる矢印の仮定は何だ」

「副社長」ドンが咳払いした。「新製品が、本当に新しい製品だと仮定しているからではないでしょうか」

「どういう意味だ」

「新製品とは言っても、実際には既存の製品を少し変えただけの場合もあります。お金や時間をたくさん投資する必要もありません。これだったら夢物語でなく、相当現実的な話だと思いますが。ピートのソリューションを考えてみてください。それまでのやり方を少し変えただけで、お金や時間もかけませんでした」

「なるほど、なかなかいい考えだ。〈未来問題構造ツリー〉に付け足そう」

「どうやって?」

「君のだ」そう言って、私はドンにカップを手渡し、フリップチャートを一つ前のページに戻した。「もう一つステートメントを追加する。『**我が社の製品に対する市場の価値観を十分に高めるために、小さな変化を導入する**』」私はこれをページのいちばん下に貼り付けた。「この出発点のほうが簡単だろう。もし『**我が社の製品に対する市場の価値観を十分に高めるために、小さな変化を導入する**』とすれば、『**我が社の製品に対する市場の価値観を十分に高めるために、何らかの策を講じる**』ことになる」

「確かに、そのほうが実行しやすいですね。しかし、どこでそんな小さな変化を探したらいいのですか。見当がつきません。まだ夢物語の域を脱したとは思えませんが」ドンが淡々とした口調で答えた。

「そう慌てるな、これからだ」私はまだ楽観的な見方を捨ててはいない。

「これからだって、どうするつもりなんですか」ドンの顔には失望感が浮かんでいる。

「もし、うまくいかなかったら、〈現状問題構造ツリー〉にもう一度戻るんだ」私はジョナの言葉を引用した。「どこかに手がかりがあるとすれば、それは〈現状問題構造ツリー〉の中だ」

ドンは反論さえしない。

私たちはもう一度ツリーを読み直した。驚いたことに、手がかりが見つかった。いちばん下に隠れていた。

「ドン、いいか、『**製品に対する市場の価値観は、その製品を持つことで得られるメリットによって決定される**』」私はこれを付箋に書き写して、いちばん下のステートメントの横に貼り付けた。

「よく関連がわかりませんが」

私はドンの言葉を無視した。これで、ようやくうまくいきそうだ。「もし『**我が社の製品に対する市場**

の価値観を十分に高めるために、小さな変化を導入する』かつ『**製品に対する市場の価値観は、その製品を持つことで得られるメリットによって決定される**』とすれば、『**導入した小さな変化が、市場に対し大きなメリットをもたらすことは明白**』ということになる。おいドン、いったい何がメリットをもたらすんだ。ピートのソリューションはどんなメリットをもたらしたんだ」

「いま自分で言われたじゃないですか。ピートのソリューションがメリットをもたらしたと言われたじゃないですか」

一瞬、ドンが何を言っているのか、私にはわからなかったが、すぐにハッと気づいた。「そうか、そうだったんだ。ドン、まったく君の言うとおりだ。ピートのソリューションは自分たちの会社のためだけではなかったんだ。クライアントが抱えるジレンマをも解決してくれるソリューションだったんだ。しかし、これをどうやってまとめたらいいんだ……」

「簡単です」ドンは、新しく付箋に書き込んでは消してみたり、フリップチャートに貼り付けてある付箋の位置を動かしてはまた書き込んでみたりを繰り返し、最後に次のような付箋を貼り付けた。『**顧客の問題を解消することによってメリットがもたらされる――解消する問題が大きければ大きいほど、もたらされるメリットは大きい**』

「なるほど、いいじゃないか」私もまったく同感だ。

「もし『**顧客の問題を解消することによってメリットがもたらされる――解消する問題が大きければ大きいほど、もたらされるメリットは大きい**』かつ『**導入した小さな変化が、市場に対し大きなメリットをもたらすことは明白**』とすれば、必然的に『**導入する小さな変化は、市場（顧客）の問題の多くを解消する変化である――解消される問題が多ければ多いほどよい**』という結論に辿り着きます。副社長、もう一息だと思うのですが、ここから先がわかりません」

「何を言っているんだ。これで十分だ」私は椅子から飛び上がった。「わからないのか?」

ドンは、まだわけがわからなかった。

「ドン、原因と症状のどちらを突き止めるほうが効果的だと思うかね」

「何の質問ですか……簡単じゃないですか。もちろん原因を突き止めるほうが効果的です」

「それでは、一つの問題の原因を突き止めるのと、たくさんの問題の原因を突き止めるのとでは、どちらが効果的だと思うかね」私は質問を続けた。

ドンが微笑んだ。「たくさんの問題の原因を突き止めるほうが効果的です。でも、どうやって突き止めたらいいのか……なるほど、わかりました。なるほど、簡単なソリューションですね。どうしてこんなこともっと前に気づかなかったのでしょうか。考えてみれば、当たり前のことじゃないですか。マーケティング・ソリューションが必要であれば、自分の会社でなく、顧客、つまり市場を分析しないといけない。ソリューションは市場に隠されているわけです。当たり前のことじゃないですか」

「そうだな。自分のUDEはみんなわかっているが、コアの問題がわかっている人はほとんどいない。市場にメリットを提供するためには、他のみんなと一緒になって症状を指摘していては駄目だ。コアの問題が何かを追究しないといけない。いまの私たちにはそれを行うことができる。そのためのパーフェクトなツール〈現状問題構造ツリー〉を持っている」

ドンが立ち上がって、私の手を握った。

「副社長、あの出発点からでは何もわからないと思っていました。絶対に無理だと思っていました。でも、どうやら私が間違っていたようですね」

「そうか、それじゃ今度は、〈未来問題構造ツリー〉を書き直してみよう。今度の出発点のほうがとっつきやすいと思う。どんな結論に辿り着くか見てみよう」

ドンが新しいステートメントを貼り付けた。『**我が社の市場に関する〈現状問題構造ツリー〉を構築する**』。「これでさっきのステートメントは全部単なる空想ではなくなりますね。現実味を帯びてきます」

「その先はどうなる」私はドンを促した。彼の言うとおりだ。あといくつかステートメントを付け足さないといけないだろうが、とりあえず峠は越えた。

「まず『**〈現状問題構造ツリー〉を用いると、問題、UDEをそれぞれの原因に効率的に結びつけることができる**』というステートメントを追加します。このステートメントからもう一つ別のステートメントが導き出せます。『**顧客への取引条件によって〈現状問題構造ツリー〉に表されたどの原因が解消されるのか判断することができる**』。しかしちょっと待ってください、〈現状問題構造ツリー〉に示される原因が取引条件に関係しているなどと、どうしてわかるのですか」

「それは大丈夫だ、間違いない。顧客はたいてい、サプライヤーに対してＵＤＥをいくつか持っているものだ。製品だけでなく、サービス、支払い条件などもあるからな」

「そうですね」ドンがうなずいた。「我々が原因のＵＤＥですから、それを突き止めれば、我々で対応できるわけですね。すばらしい。ということは、顧客に大きなメリットをもたらすために、どういった小さな変化を実行したらいいのか、それも問題なくわかるということですね。これもツリーに付け足しましょう」

確かに、私たちに正すことのできる根本的な原因が見えてくるはずだ。それを小さな変化だけ行うことができればいい。ＵＤＥの多くは私たちのサービスを原因としているのだから、きっとそうに違いない。

市場の我が社の製品に対する価値観が、競合他社の製品に対する価値観より高い。いったい、これを実現するにはあとどのようなステートメントを付け足したらよいのか、私は思考を集中させていた。ドンも同じだろう。

驚いたのだが、結局、新たなステートメントは必要なかった。我が社のような製品に関連したＵＤＥがすでに市場に存在していたのだ。つまり、これらのＵＤＥの原因であるコアの問題を、まだ誰も突き止めていないということになる。もし我々にそれができれば、我が社の製品に対する市場の価値観は高まることになる。

私のグループ各社それぞれの市場のＵＤＥは決して小さくない。だからこそ、これらのＵＤＥを解消することができれば、きわめて大きなメリットとなる。はっきりとした競争優位性を確立できる。

ドンが考え終わるのを待って、私はフリップチャートに向かい、付箋と矢印を適切な位置に貼り揃えた。これで**『市場の我が社の製品に対する価値観は、競合他社の製品に対する価値観よりずっと高い』**という結論をようやく導き出すことができた。

「どうして副社長が〈未来問題構造ツリー〉を書くことにこだわったのか、これでわかりました」ドンの顔が輝いた。「〈未来問題構造ツリー〉を構築すれば、何をしなければいけないのか、何を突き止めなければいけないのかはっきりわかるわけですね」

「そのとおり、それじゃ突き止めてみよう。次はどこをどうつなげたらいいんだ」

「**『我が社が講じる策は、競合他社にとって真似が難しい』**」ドンがボードに書かれたステートメントを読み上げた。「競合他社に真似されないためには、どうしなければいけないかです」

私とドンは作業を続け、詳細を詰めて強固な青写真を作り上げた。これをボブとステーシーに使わせればいい。

It's Not Luck

V

ザ・ソリューション

21

私は半分寝そべりながらテレビの前にいたが、ニュースはほとんど耳に入っていなかった。今日は疲れた一日だった。退社する直前に、ピートに聞かされた話には驚かされた。大問題だ。すぐに解決できなければ、すべてが崩壊してしまうかもしれない。

ステーシーの会社は売却されてシュレッダーにかけられ、ピートとボブの会社もタダ同然で売り払われ、じきに潰されてしまう。私はどうなるのだ。不面目にも、通りに放り出されてしまうだろう。ブランドンとジムならやりかねない。すべては、この予期せぬ問題を迅速に解決できるかどうかにかかっている。ただ、まったく予期しなかったとは言えない。実のところ、そんなことになるのではと私は当初から危惧していた。しかしこんな大事になるとは誰が予想していただろうか。

すべてが順調にいっていると思える時に限って、そうではないのだと現実を突きつけられる。なぜなのだ。こんなことだったら、何も目新しいことのない単調な人生のほうが楽に思えてくる。多少の刺激は構わないのだが、今回はまるでジェットコースターにでも乗っているようで、翻弄されっぱなしだ。

最悪なのは、自分で何もできないことだ。両手は手すりから離すことはできないし、じっと座っているしかない。じっと身構えて、ピートとドンが大事なきよう事態を収めてくれるのを待つしかない。前線で戦うのも楽ではないが、後方でじっと戦況を見つめながら何もできずに待っているほうが辛い。

本当にそんなに心配するようなことなのだろうか。今日の午後四時、ピートからの電話を秘書のフランがつないでくれた。事は、その時から始まった。

「副社長、少々問題が発生しました」

ピートは英国系の家の出身だ。英国系の人間は物事を控えめに語るところがある。そんなわけで、きっと大きな問題が起こったのだと私はぴんときた。「どうした」さりげない口調で訊ねた。

「例の新しい取引条件ですが、営業スタッフが販売できないでいるんです」声に張りがない。

「どうしてだ」私は正直驚いた。「君の報告書によると、ここ二週間であと三件取引をまとめているじゃないか」

「ええ、副社長。それが問題なんです。取引をまとめたのは私で、営業スタッフじゃないんです。彼らがまとめた取引はまだ一件もありません。努力していないわけではないんです。全員、ちゃんと努力はしています。しかし、みんなもう半分諦め気味で、これ以上の努力は拒むところまできています。ですから、販売予想をまた下方修正しないといけないかもしれません」

「ちょっと待てピート、そう慌てるな。もう少し詳しく説明してくれ」

「他に特に説明することはありません」ピートが沈んだ声で答えた。「いまちょうど営業会議が終わったところなんですが、まだ誰も結果を出せていません。オファーの内容が複雑すぎて、客が理解できないと言っています。営業部長自ら先頭に立って反対しています。彼も四社ほど有力見込み客を相手にあたってみたのですが、結局すべてうまくいかず、これは販売不可能だと決め込んでいます」

「君自身はどうなんだ。何社ぐらいトライしてみたんだ」私は訊ねた。

「五社です」

「結果は？」

「五社とも契約を結びました。ですが、私一人で売り歩くわけにはいきませんし、営業スタッフにこれ以上プレッシャーをかけることもできません」

「待ってくれ、ちょっと考えさせてくれないか」

しばらくの沈黙の後、私は訊ねた。「君自身は、この条件では販売するのが大変だと思うかね」

「いいえ、少しも。だからわからないんです」

「君がどうやって取引をまとめたのか、営業スタッフたちに詳しく教えたのかね」

「もちろんです。わざわざ実際の手順まで書き出してみんなに説明しました。みんなそのとおりにやっているというのですが、それでもうまくいかないのです。いったいどうなっているのか、理解に苦しんでいます」

ピートのこんな絶望的な声を聞くのは久しぶりだ。営業会議で、みんなからひどく突き上げられたに違いない。

「要するに、みんなそんな取引条件で販売できるのは、考案者である君だけだと言っているわけだな」

「そうです」

「君はスーパー営業マンで、でも会社としては普通の営業スタッフでも販売できる取引条件でなくてはいけないと」

「そのとおりです。彼らも同じことを言っています。副社長、営業スタッフの給料の半分近くは歩合給なんです。早く何とかしなければいけません」

「ピート、落ち着くんだ」私は彼をなだめた。「悪いが、君はスーパー営業マンなんかじゃない。そんなことは、君も私も知っている。ということは、誰でも販売できるはずで、特に問題などないはずだ」

ピートがいかにも困ったような笑いをもらした。「みんなにもそう説明したのですが、誰も耳を貸してくれませんでした」

「私の経験から言わせてもらえば、現実に矛盾することなどあり得ない。必ず簡単な理由があるはずだ。今回の場合考えられる理由は、営業スタッフが君とは同じ方法で販売していないということだ。何かが違うはずだ。その違いが致命的なんだよ」

「なるほど、そうかもしれません」ピートが答えた。「たぶん、私がのめり込みすぎているのかもしれません。この間、営業部長と客のところへ行った時、一切口出ししないで見ているだけにしようと決めていたのですが、話が始まってほんの二、三分したら、すっかり私が話の主役になっていました。取引はまとまったのですが、彼のほうはますますやる気をなくしてしまったようです。彼が反対派に回ったのはその時からだと思います。副社長、お願いがあるのですが、しばらくの間ドンを貸していただけませんか。彼に手伝ってもらいたいのです」

「どうしてだね」私はそれほど驚きはしなかった。

「営業スタッフが客のところに行く時に、同行してもらいたいのです。今回の取引条件については私はどうしても自分の感情が入ってしまいますが、彼だったらそんなことがありません。彼だったら、営業スタッフの話を冷静に横から聞いていられると思います。それに、ドンは内容を熟知しています。営業スタッフが間違って理解していることがあれば、的確に指摘してくれると思います」

私はしばらく考えた。ピートの言うことはわかるが、私にもドンが必要だ。いや、いまはピートのソリューションのほうが大事だ。このソリューションが間違っていないことを証明すること以上に、いま大事なことはない。このマーケティング・ソリューションで、短期間に会社を建て直すことができることをピートが証明できるかどうか……。私の計画はすべてそれにかかっている。グループ全体の生き残りにとってそれが不可欠だ。

「いつから、彼が必要なんだ」私は訊ねた。

「早ければ早いほどいいのですが。明日からでもすぐに来てもらいたいと思っています」

「少し考えさせてくれ。後から連絡する」

私は、その足でドンのオフィスへ向かった。


「父さん」憂鬱な気持ちで考え込んでいると、デイブの声が耳に入った。「アドバイスしてほしいことがあるんだけど……。いい？」

私は、我が耳を疑った。デイブからアドバイスを求められることなど滅多にない。

「もちろんだとも」私はテレビを消して、息子の顔を見た。べつに変わった様子はない。「まあ、座りなさい」私は息子に向かって言った。

「立ったままでいいよ」

私はしばらく待ったが、デイブは黙ったまま何も言わず、体を左右に揺らすだけだった。

「それで、どんなアドバイスをしてほしいんだ」私は彼を促した。「何か、問題でもあるのかい」

「べつに問題ってほどじゃないんだけど……」しかし、デイブは落ち着かない。「問題っていうよりは……、どうしたらいいのかわからないことがあってね」

「どうしたらいいのかわからない？」

「うん」

「父さんに相談しにきたのは正解だな。困った状況に首を突っ込むのは、父さんの専門だから」

「父さんの専門?」デイブが驚いた顔をした。

私は微笑んでみせた。子供たちは、父親に対してそれぞれイメージを持っている。それはそのままにしておこう。「さ、話してみなさい」ここから、私はビジネスライクに話を進めた。

そのほうが、デイブも話しやすいだろう。「ハービー、知ってるでしょ?」

私はうなずいた。もちろんだよ。しょっちゅう我が家に入り浸っては、冷蔵庫の中をあさっている。知りたくなくても知らずにはいられない。

「あいつ、面白いこと思いついたんだよ」

「面白いこと?」

「うん、いい話なんだ……」そう言った後、デイブは口ごもった。

この子のくせだ。いつも言いかけては、すぐにやめてしまう。「いいんだ、忘れて」と言って、途中でやめてしまうのだ。

「その面白いことって何だい」

「ハービーが父親譲りの大のクルマ好きだってこと、知ってるでしょ」

「おまえだって、そうじゃないか」

デイブが笑った。「でも、ハービーやあの親父さんほどじゃないよ。クルマのコレクションだってすごいんだ。アンティークカーが六台あって、どれもすごいんだよ」

「そうだね」黙っていたら、彼らのコレクションについて延々と話を聞かされてしまう。私はそう答えて歯止めをかけた。結構な趣味だが、お金がないとできない道楽だ。

「それで……」デイブの話が本題に戻った。「古いポンコツを買って、それを一緒にリストア（復元）しようって言うんだ。あいつ、五六年型のオールズモービルのコンバーチブルを見つけたんだよ。もうほとんどオンボロでエンジンも錆だらけなんだけど、シャーシはまだ大丈夫なんだ。ボディはきれいに直すことができるから、きっとすごいクルマになるよ」

私は黙って聞いていた。

「取り替えないといけない部品の調達先はハービーがちゃんと知ってるし、中古だけどトランスミッションも見つけたんだ。五九年型のだけど、ちゃんと使えるはずだよ。ハービーも僕もメカには自信があるから、二人で力を合わせれば結構すごいコレクターアイテムになると思うよ」

「それじゃ、何が問題なのかな。そのクルマを買うためのお金でも貸してほしいとか、そういう相談なのかい」

「そんなんじゃないよ」デイブはムッとした。そんなこと、これまで一度も頼んだことがないと言わんばかりの語気だ。

「そうか」

「そうだよ。二人合わせて一五〇〇ドルもあれば足りるし、僕は自分の分だったらもうお金はある。夏休みにアルバイトで貯めたお金がまだほとんど残っているし、それからおばあちゃんが一八歳の誕生日のプレゼントに五〇〇ドルくれるって言ってるし、もしお金が足りないとしても、ちょっとの間、借りるだけですむと思うよ」

子供たちの「ちょっとの間」というのは当てにならない。相続する遺産からでも返済するつもりなのだろう。私の母からの五〇〇ドルというのも、デイブが大学にこの秋進む時のお小遣いだ。しかし、クルマを一からリストアするのはいい経験になるだろう。この子ならできるはずだ。

「お金を貸してくれっていう話じゃないなら、いったいどんな相談なんだ」

「それがよくわからないんだ。何かしっくりこない感じがするんだよ」

「特に理由でも？」

「わからない。ハービーがお金を用意できなくて、僕が全額出す羽目になるんじゃないかってことも心配だし……」

「そんなお金、おまえにあるのかい」

「心配しなくていいよ、そんなことにはならないから。そうなる前に、このプロジェクトは中止さ。ハービーはちゃんとお金を用意できるって言ってるから、たぶんそんなことにはならないよ。とにかく、よくわからないんだ。それ以外にも理由はあると思うんだけど……」

「たとえば？」

「たとえば、クルマが完成したら、どっちの家に置いておくのかとか……。いまはいつも一緒に二人でいろいろやってるからいいけど、でも……」

私はデイブの話を黙って聞いた。「気持ちはわかる」しばらくしてから私は言った。

「どうしたらいいと思う、父さん」

私は何と答えていいのかわからなかった。ハービーのアイデアは悪くないし、二人ともどういうことになるのかよくわかっているようだ。しかし問題もいろいろ出てくるだろう。やってみなさいと励ますべきか、やめなさいと忠告すべきか……、私は考え込んでしまった。

アドバイスするのはいいのだが、いつも後からその責めを負わされる羽目になる。「少し考えさせてくれ」とでも言いたいところだが、その時突然、閃いた。

「デイブ」私はゆっくりと言った。「父さんがどんなアドバイスをしても、黙って言うとおりにできるかい。無理だろうな。だったら、父さんにアドバイスしてもらっても何の役にも立たないんじゃないか」

「役に立つよ。父さんの言うことはいつも尊重しているよ」

「そうかい、でも正直言って、父さんもどんなアドバイスをしたらいいのかわからないんだ。簡単な問題じゃないし、リストアするにしても、やめるにしても両方にメリットとデメリットがある」

「そうだね」デイブがため息をついた。すっかり意気消沈している。

「でも、父さんにも手伝えることがある。どうやって決めたらいいのか方法を教えてあげよう。簡単に妥協したり、推測だけで判断したら駄目だ」

「本当、そんなことできるの？　これだっていう答えはないと思うけど……」

「まずは、父さんの書斎に行こう」そう言って私は立ち上がった。

「あまり難しすぎないといいけど……」そうつぶやきながら、デイブは私の後に続いた。

机を挟んで、私とデイブは腰を下ろした。それから私はデイブに一〇セント硬貨を手渡した。

「表が出たらゴー、裏が出たら中止だ」

「それが父さんの方法？」デイブが訊ねた。

「いや、そうじゃない。出発点を決めるだけだ。どっちが出ても関係ない」

「そうなの……」そう言ってデイブはコインを放り上げた。表が出た。

「よし、ゴーだ。まずはクルマをリストアするメリットをすべて挙げてみるんだ」

二行ほど書いたところで、デイブの手が止まった。

「どうした、デイブ」私は訊ねた。「父さんに知られたくないことでもあるのかい」

「まあ、そんなとこかな……」デイブがニヤリとした。

そのほうがいい。「父さんにも同じような経験があったけど、その時もこのテクニックを使ったんだ。その時に書いた紙がまだ残っていると思うんだが……」

その紙を探しながら、私はデイブにその時の経験を話し始めた。「四年ぐらい前だったかなあ、まだジミーおじさんの家の近くに住んでいた頃のことだよ。ある日おじさんが家にやってきて、一緒にボートを買おうって言ったんだ」

「へえ、すごいじゃん」デイブが言った。

「ああ、メリットはいっぱいあるんだが、でもデイブと同じように、ちょっと心配だったんだ。その時、父さんがどうしたのか教えてやろう。どこにいったかな……この引き出しのどこかにしまっておいたと思うんだが」

私は引き出しの中の書類をごそごそ探した。この引き出しの中にはたくさん知恵が詰まっている。そんなこと、長い間考えることもなかった。デイブを見ると、ほとんど諦め顔だ。

「あった、あった、これだ。いちばん下にあった。最初のページにはボートを買うメリットが書いてある」

「この時も、やっぱりコインを使ったの？」

「たぶんな。でも覚えていないな。とにかく、これがジミーと一緒にボートを買ったらどんなメリットがあるのか、その理由だ。**『自分のボートを所有できる』『ボートを買うためのお金と、メンテナンスのためのお金を折半できる（ボートを買うにはこれ以外の方法は無理）』**」

「いまのは両方とも僕の場合とまったく同じだね」デイブが言った。

「そうだな、状況が似通っているからな。他にもメリットがいくつかあるんだが、これもデイブの場合に当てはまると思う。たとえば、『**自分一人でメンテナンスの作業をしなくていい**』『**ジミーがメカに非常に強いので、ボートをいつもいい状態に保っておける**』なんかだ」

「最後のは、当てはまらないよ」デイブが笑った。

「自分で目を通してごらん」息子に紙を手渡した。

さっと眺めてデイブが言った。「いちばん最後以外は、ほとんどすべて僕にも当てはまるよ」ニヤリと笑いながらデイブが読み上げた。「『**ジュリーを説得するための味方ができる**』。なかなか説得力のあるリストじゃない。で、結果はどうなったの」

「次のページを見てごらん。今度はデメリットのリストだが、こっちも説得力があるぞ」

「『**どのボートを買うかで意見が対立するかもしれない**』」デイブがリスト読み始めた。「僕にはこの問題はないな。何を買いたいか、もう決まっているから。次は『**いつ、誰がボートを使うかで、揉めるかもしれない**』。そうだね、これはあり得るね。でも僕たちの場合は、それほどではないと思うよ。ダブルデートするから」

「父さんの時だって、そんな大した問題にはならなかったよ。母さんにとってジミーは自分のお兄さんだから一緒に出かけたりするのを楽しんでいたし、それに父さんもジミーとは気が合う」

「ジェーンおばさんは？」

私はデイブの質問を無視した。「先を読んでごらん」

デイブはリストを上から順に続けて読んだ。一つひとつ読み上げては、いろいろ面白いコメントを付け加えるのだ。なかなか気の利いたことを言う。デイブと私のどっちのほうが楽しんでいるのかわからない。

「けっこう面白いじゃん」読み終えるとデイブが言った。「よくまとまってるけど、でもこれがどう役に立ったの。かえって難しくなっただけのような気もするけど」

「これでおしまいじゃない。ここからが始まりだ。まず『一緒にボートを買うことにした』からスタートして、"If−Then"のロジックを使って、デメリット一つひとつに結びつけるんだ。デイブが父さんにクルマを貸してくれと頼んだ時に使った方法と同じ方法だよ。覚えているかい？」

「覚えてるよ。あの時はありがとう。何も問題はなかったでしょ。ちゃんとクルマのケアはしたし、クルマを貸してくれって、最近あまり言わないでしょ」

「そうだな、前ほどじゃなくなったな」私は認めた。「それで、好ましくない結果の一つひとつにうまく結びつけることができたら、今度はそれを排除するための方法がないかチェックするんだ」

「排除するってどういう意味？」

「問題が起きるのを確実に阻止する方法がないかどうか考えるんだ。ほとんどのデメリットについては方法があったんだが、一つだけどうしてもジミーの協力が必要なことがあった」

「どれ？」

「父さんか、ジミーのどちらかが自分の所有権を売ろうとしたら問題が起きるっていうやつだよ」

「ずいぶんと先のことまで考えていたんだね」デイブは感心した様子だ。

「他に何かいい方法でもあるかい」私は訊ねた。

「ないと思うよ。でもとにかく、それからどうしたの」

「あとは少し時間をかけて、言い方や表現を見直したんだ。ジミーに見せるつもりだったから、彼の気分を害さないようにね。これだよ」そう言って私はデイブにネガティブ・ブランチを手渡した。

「いいかい、まず最初に出発点を書き記すんだ。**『一緒にボートを買うことにした』『相手は所有権を売却するかもしれない』『自分一人でボートを買うお金がない』**。あんな大きなボートを一人で買うのは無理だよ。結論がわかるかい」

「ああ、ジミーおじさんの所有権まで買い取るお金はない」

「それと、父さんが相手にうるさいのは知っているだろ。だったら、どういうことになる。父さんの気に入らない人に、ジミーが所有権を売ってしまうかもしれないじゃないか。わかるかい。そうなったら悲惨なことになるのは目に見えている。中途半端に妥協はできないから、結局、父さんも自分の権利を売ってしまうかもしれない。その頃にはボートにも愛着を感じているだろうから、気は進まないだろうな」

「ジミーおじさんに強制されて自分の権利を売ることはしたくはないんだね」

「それは間違いないな」私は答えた。

「逆に、妥協して好きじゃないパートナーとつき合うことも方法としてはあるけど、あまりいい選択肢とは思えない。そうなったらジミーのことをもっと恨むだろうし、母さんとジミーおじさんの間で板挟みにでもなったら、それこそ最悪だ。それでこのリストをジミーに見せて、何かいいソリューション、懸念解消法はないか訊いてみたんだ」

「それで?」デイブは興味津々だ。

「結果はわかっているだろ。結局ボートは買わなかったし、ジミーと父さんの関係はいまでも良好だ」

「それで、何を言いたいわけ? ハービーと一緒にクルマをリストアするのはやめろって言いたいの?」

「そんなことは言っていないよ。父さんは、ネガティブなことを全部書き出して、"If－Then"のロジックを使って結びつけてごらんと言ってるんだ。気分だけで決めたら駄目だ」

「でも、どうしてそれがそんなに大切なことなの」

「理由は二つある」私は答えた。「まずロジックを詳細に詰めることで、ネガティブを排除するためにどういうアクションを取ったらいいのか、冷静に判断することができるようになる」

「もう一つの理由は?」

「こっちのほうがもっと重要だ。自分一人の力でどうやってネガティブを取り除いたらいいのかわからない、ハービーの協力が必要な場合は、ハービーにああやったらとか、こうやったらと提案したら駄目だ。意見が対立して不愉快な思いをする可能性が高い。その代わりに、どう考えてその結果どういう結論に達したのかを、ロジカルに説明するんだ。父さんがデイブに説明したようにだ。紙に書いて一つひとつステップ・バイ・ステップで読んで聞かせるんだ。もし、いいソリューションがあればハービーが自分で気づくだろうし、二人でそれを磨き上げればいい。それができれば、あとは心配することはもう何もないわけだから、クルマのリストアを諦めないといけない理由もない」

「もしできなかったら?」デイブが訊ねた。「もし、ハービーがいいソリューションを思いつかなかったら、その時はどうしたらいいの」

「その時は二人で判断しないといけないな。でも、その時は問題があっても、〝デイブ〟対〝ハービー〟の対決じゃない。〝デイブ&ハービー〟対〝問題〟の対決だ。ハービーとの友情は安泰のはずだ」

「なるほど、いい考えだね。やってみるよ。父さん、この紙貸してもらえないかな」

「後で、ちゃんとあったところに戻すって約束できるんだったらオーケーだ」

「もちろんだよ」デイブが微笑んだ。「引き出しのいちばん奥だね。わかってるよ」

22

グランビー会長へのプレゼンテーションを準備していると、ドンが私の部屋に入ってきた。

「おめでとう」私は彼に声をかけた。「ピートから、いま電話があったんだが、君のことをずいぶん褒めていたよ。いったい何をしたんだ。彼に魔法でもかけたのかい、それとも、もともと君はそんなすごい奴だったのかな」

ドンが嬉しそうに笑った。「もう、お聞きになったかもしれませんが、今朝注文が取れたんです」

「ああ、聞いたよ」

「思ったより簡単でした」そう言いながら、ドンが椅子に腰を下ろした。「こちらの思っているとおりにいきました」

「おいおい、君が営業マンをやったのかい。そんなことをしにピートのところに行ったんじゃないだろ。営業スタッフ連中の効率がどうして悪いのか、その理由を探りに行ったんじゃなかったのか」

「もちろん、そのために行ったんです。ピートのところには四人営業スタッフがいるんですが、おかげさまで、全員契約を取ることができました。みんなこんな爽快な気分は久しぶりだと言ってます。ただ、ピートのところに行ってもう二週間になるので、そろそろ教えるだけでなくて、自分でも試してみようと思ったんです。それで小さい客なんですが、一社とのミーティングを任せてもらいました。それまではほとんど取引のなかった会社だったんですが、まるで魔法をかけたようにうまくいきました。本当にスカッとしました」

「営業に仕事を変えたほうがいいかもしれないな」ドンをからかった。「それで何が問題だったのかわかったのかね。詳しく説明してくれないか」

「副社長のおっしゃっていたとおりです。みんな正しいプレゼンテーションの仕方を知らなかったんです。客に会ったら、うちの取引条件がどれだけすごいのか、いきなりその説明から始めていたんです。それがいちばんの問題だったと思います。どれだけお金を節約できるのか、どれだけ在庫を減らせるのか、そんな話から始めていたんです」

私には意味がわからなかった。「それのどこが問題なんだね。それが営業の仕事じゃないのかい」

「注文がいらないんだったらそれでも構いませんが、注文が欲しいのであればそれでは駄目です」

「ドン、わけのわからない話はいいから、要点を説明してくれないか」

「ちゃんと説明しているじゃないですか。いいですか副社長、客の立場になって考えてみてください。営業スタッフがやってきて、どれだけ自社の製品がすごいか、まくしたてる。副社長だったら、どんな気持ちになりますか」

「そうだな、もし私が普通の客だったら、反発したくなるだろうな」

「そのとおりです」ドンが言った。「反発したくなるんです。こんなにすごいんですとか、あなたには絶対必要なんですなどと言われると、どうしてもね。今回の私たちの条件提示の場合もそうなんですが、言ってることがいいことばかりだと、逆に信憑性がなくなって客に怪しまれてしまうんです」

「そうだろうな」

「客の抵抗が大きければ大きいほど、当然、取引をまとめるのは難しくなります」

「それはそうだが、いったい何が言いたいんだ。製品の説明を最初にしたら駄目だというのかね。今度の場合のようにこれまでと違う売り方をしようという時は、そんなことをしたら駄目だと言いたいのかね」

ドンは私への即答を避け、ホワイトボードに向かって〈雲〉を書き始めた。私はそれを読み上げた。「**『支払う金額に対して、我が社の製品が最大の価値をもたらすことを買い手に示す』**。なるほど、これが目標か。営業スタッフたちもすぐに納得してくれたかね」

「はい。一応、彼らもプロですから」

「そうか」私は続けて読み上げた。「**『支払う金額に対して、我が社の製品が最大の価値をもたらすことを買い手に示す』**。そのためには、**『我が社の製品の価値を買い手に示す』**。当然だな。同時に**『我が社の製品に対して、買い手が抵抗する原因を作らない』**。これもオーケーだ。次がコンクリフトだな。**『我が社の製品の価値を買い手に示す』**ためには、買い手に**『我が社の製品を提示する』**。当たり前だな。しかし**『我が社の製品に対して、買い手が抵抗する原因を作らない』**ようにするには、**『我が社の製品を提示しない』**」

「さっき説明したことです……」ドンが慌てるように言った。「最初からいきなり製品の説明を始めると、客はまずは疑ってかかります」

「なるほど、確かに対立しているな。営業の連中が苦労するのも無理ない。本題に入る前に、まず客に信用してもらわないといけない。それで、どうやってこの対立を解消したんだ。何をしないといけないんだ」

「ピートと二人で〈移行ツリー〉(Transition Tree)を構築してみたんです。ご覧になりますか」

「ああ、見せてくれ」

ドンは、〈移行ツリー〉を取りに自分の部屋に向かった。待っている間、私は〈雲〉をもう一度見直した。ごくありふれた図だ。特にユニークな点はない。ということは、ドンのソリューションもごくありふれた簡単なものだろうか。そう願いたい。ソリューションがどの程度複雑か、〈雲〉を見ればだいたいわかるからだ。しかし、そうはいかないだろう。ドンのソリューションはこれまでにない斬新なソリューションのはずだ。当然、客からの抵抗も多いはずだ。

ところで、ドンはいったいどこまで行ったのだ。何をそんなに手間取っているんだ、そう考えているところへドンが戻ってきた。

「コピーをとってきました」そう言いながら、ドンが部屋に入ってきた。

私は手渡された二枚の紙に目を通した。典型的な〈移行ツリー〉だ。現在から未来へいかに移行すべきか、その論法を詳しく示した〝ハウツーツリー〟だ。ツリーのいちばん下には、買い手の現在の思考状態を記したステートメントが三つ書かれている。これが出発点だ。二枚目のいちばん上には目標が記されている。

両ページの右端にはボックスがいくつか書かれていて、その中に対応策が提案されている。なかには、まったくわけのわからないものもあった。

「それじゃ、一緒に読ませてもらってもいいかね」私はドンに訊ねた。

「ええ、どうぞ。まずは典型的な買い手を描写してみました。**『買い手は、最初から買う気のあるところを見せてはいけないと考えている』**」

私は思わず微笑んだ。「確かにそういう奴が多いな。ああいう連中は我慢ならない」

ドンが次を続けて読んだ。「**『買い手は、営業が自社の製品をどれだけよく言おうと、完全には信用しな**

い』」

「ずいぶん皮肉った言い方だな」

ドンがニヤリと笑った。「次のを見てください。**『買い手は、印刷会社との取引であまりいい経験をしたことがない』**」

「ずいぶん控えめな言い方だな。ピートが書いたのか？」

「ええ、そうです」ドンが答えた。「さて、この三つの出発点から、同じ結論に辿り着くと思いますか。**『買い手は、我々のオファーに対し関心よりも強い疑いを持つ』**というのが結論です」

「当然、そうなるな」私はうなずいた。

「これを営業の立場から見てください。自分たちの出した条件が客にとって理想的であることはわかっていたわけです。コストは低いし、在庫も驚くほど減る、それに無駄にしなければいけない在庫もなくなる。しかし、自分たちにとっても果たして理想的かどうか、売上げが増えるかどうかは確信はありませんでした。こういう状況の中で、買い手の疑いに対してどう対応したと思いますか」

「相手が欲しがっているものを与える、だが相手もそうやすやすとはこっちの手に乗ってこない」その状況が頭に浮かんだ。しかし滑稽だ。「こっちもプロだから、自分の意見を押しつけたりしなかっただろうな」

「ええ、それは大丈夫です。一応、彼らもプロですから。ただ、言葉以外にも相手に伝わる部分があって、まあボディランゲージとでも言うのでしょうか、それが原因で話が悪い方向にいってしまいました」

「ああ、想像がつくな。それで、君はいったい何をどう変えたのかね」

「まず客と会う時は、しっかり時間を取るようにしました。時間が足りないと客に正しく説明できないからです。少なくとも三〇分は時間を確保させました」

「なるほど、**『時間的プレッシャーのない状況で買い手と会う』**というのはそういう意味だな」

「そうです。時間を確保したうえで客に会うことができたら、まず最初に買い手側の〈現状問題構造ツリー〉について話をさせました」

「ちょっと待ってくれ、どのツリーのことだ。ピートはツリーを作っていないはずだ。彼はいきなり買い手が抱えている〈雲〉を書き出すところから始めたはずだが」

「そのとおりです、しかし結局、〈現状問題構造ツリー〉なしでは無理なことがわかったのです」私がまだ困惑している表情を見て、ドンが説明を続けた。「ピートが例のソリューションを考え出した時は、これだという強い直感があったので、ステップをいくつか飛び越したんです。しかしそれをどうやって買い手に説明できるか考えてみた時に、やはり元に戻って教科書どおりすべてのツリーを構築するしかないという結論に達したのです」

「つまり、手を抜いては駄目だということか。面白いな」しかし、それがなぜなのか私にはまだよく理解できなかった。「わかった。それじゃ、その〈現状問題構造ツリー〉を見せてくれないか」

ドンが私にもう一枚紙を手渡した。「特に驚くようなことは何もありません」ドンが言った。「基本的には、ピートから彼のソリューションの説明を受けた時に話し合った内容と同じです。いちばん下に書いてあるのがピートの会社の方針で、それを原因とする顧客側のＵＤＥ（好ましくない結果）をたくさん書き出してみました。それを下から順に客に示すことにしたのです。最初に、こちらの問題を指摘することから始めるので、客も抵抗なく話を聞けるわけです。これが非常に重要なポイントです。もし、いきなり買い手側の問題を指摘することから始めると、そんな話はいい、早く条件を見せろとなってしまいます。そんな状況で条件を提示しても、うまくいくはずがありません」

「客はちゃんと理解してくれたのかね、ツリーをちゃんと理解してくれたのかね」

「ええ、問題ありませんでした」

彼の言うとおりだ。ツリーを構築する難しさと、ツリーを理解する難しさは別物だ。どうも私はこの二つを混同してしまっている。自分に関係する内容であれば、ツリーを理解するのはそれほど難しくない。子供でもそうだ。ツリーをこれまで一度も見たことのない人でも。「ドン、続けてくれ」

「ツリーを見せてから、今度は数字を使って説明するんです。実際に消費するであろう在庫一つ当たりの価格、つまり〝使用可能ユニット単価〟(Price-Per-Usable Unit)のコンセプトをわかりやすく説明するためです」そう言って、ドンは私にもう一枚紙を手渡した。

「客の反応はどうだった。ちゃんと理解してくれたかね」

「ええ、これも問題ありませんでした。事実、みんな非常に有用な考え方だと言って、すぐにその言葉を使い始めました。内容的には、みんな以前からわかっていたことなんでしょうが、それを実際に言葉に出して使ってみたことがなかったのだと思います」

「なるほど、それで次が『**買い手が興味を示す**』というわけか」

「ええ、そうです。いろいろ意見を言ってくれたのですが、〈現状問題構造ツリー〉の中身について異論を唱えた客は一人もいませんでした。要するに、みんな自分の仕事はよくわかっているということです。

ここまで辿り着くのが大切なんです。現在の我が社の受注方針が原因で、買い手側がどれだけ苦い思いをさせられるのか、〈現状問題構造ツリー〉を使ってはっきり客に示すのです。それがどういうことだかわかりますか。客は、自分のことを理解してくれる人間がようやく現れたと思うのです」

「すごいことだな。これで対立が解消できたわけだ。製品の説明から始めるのではなく、まず買い手側が抱える問題を指摘する。それを客の立場になって説明する。そうやってまず客の信用を取り付けるわけだな。それもうわべだけではなく本音の部分で信用を取り付ける。ドン、客からそれだけの信用を取り付けるのに普通どのくらいかかるか知っているかね。何か月、いや何年もかかることだってある」

「そうですね。とにかく、この段階でもう一度、我が社の受注方針と買い手側のUDEの間にどのような関連があるのか説明します。このページの要点を客にもう一度ちゃんと理解してもらうわけです。客がどんな反応を示すか想像できますか」そう言って、ドンは〈移行ツリー〉を読み上げた。「『**買い手は落胆するが、我が社の営業スタッフを責めることはしない**』」

「もちろんだ。この段階で客は営業の人間がもう自分の味方だと思っている」私は言った。

「そうです。そこで今度は、我が社の方針が買い手側の悪しき原因になっていること自体、我々にとって大きな問題だと告げるんです。要は、自分で自分の首を締めていることを認めるんです」

「そんな告白をされて嫌な気分になる客はいないだろうな」

「ええ。そうすると、みんなだいたいこっちに何かする用意があるのかどうか聞きたがります。そうしたら、しめたものです。話を進めやすくなります。そこで『これが我が社の新しい受注方針です』と言って客の〈未来問題構造ツリー〉を見せるんです」

「一部コピーをくれないか」

「ええ、もちろん」

いちばん下にはこう書いてある。『**発注は二か月単位、納品は二週間単位に分けて行う**』『**第一回納品後、無条件で注文をキャンセルできる**』。ドンの言うとおりだ。従来の受注方針とはずいぶんと違う。

ドンが説明を続けた。「この〈未来問題構造ツリー〉を客に示すんです。ツリーを見せれば、この新しい方針でどうして問題が解決されるのか、はっきり理解してもらえます」

「面白いな」私はドンに言った。「〈現状問題構造ツリー〉を示した時に、客が認めた"If－Then"ロジックだけを使うわけか。賢いじゃないか。そうしたら相手は抵抗しようがない」

「ええ、異論を唱えた人は一人もいませんでした。でも、まだこれで販売が成功したわけではありません。話を〈移行ツリー〉に戻しましょう。もう一つ考えないといけない問題があります。『**売り手が寛容すぎると、買い手は疑いを持ち始める**』」

「当然だ。それでどうしたんだ。どうやってウラがないことを納得させたんだ」

「いちばん手っ取り早いのは、ウラを見せることだと思ったんです。この取引条件はこれですべてではないと告げたんです。その後、何をしたかわかりますか。ネガティブ・ブランチを見せたんです」

「ネガティブ・ブランチ？　どのネガティブ・ブランチだ」

「すみません。これです」そう言って、ドンは私にもう一枚紙を手渡した。

私はその紙にしばらく目を落とした。私がピートに指摘したネガティブ・ブランチだ。客にこちらのオファーを悪用される危険がある、それを示したネガティブ・ブランチだ。本当は小さな注文なのに一個当たりの価格を下げるために大きな注文を装って発注し、一回目の納品後に注文をキャンセルされる危険性がある。

「客の反応はどうだった」私は訊ねた。

「いろいろありましたが、どの客からも、こうすればどうかと逆に提案されました」

「なるほど、こちらの提示条件をまとめるのに相手も巻き込んだわけか。ここまでくれば客ももう引けないな」

「そうです」ドンが笑った。「この段階までくると、相手も当然営業の最後の押しを予想して、どう跳ね返そうかと身構えているんです。そこで面白いことを試してみました。『検討する時間が必要でしょうから、後日また会いましょう』と次のミーティングのアポを取るふりをするんです。これで客の信頼がまた高くなるんです。実際に、また後日会うことになったのは一社だけです」

「他の客は？」

「他は、みんなその場で話を続けることになりました」

「願ったりだな」

「ここでもうひと捻りするんです」ドンの話に私は驚かされっぱなしだ。「契約書を交わすのはやはり慎重を要することなので、間違いのないようここでもうワンクッション置くことにしたんです。何をしたかと言うと、客が契約書を交わすにあたっての懸念事項、問題点をリストアップして客に見せたんです」

「ちょっと待ってくれ」私は自分の耳を疑った。「契約書にサインするのを断る理由を教えたというのかね」

「そう思いますよね」ドンが高笑いした。「しかし副社長、忘れないでください。この段階で客はこちらが提示しているものが自分たちにとって理想的な条件であることを承知しているんです。断ってくる可能性はまずありません」

「なるほど。互いの立場を逆転させたわけか。こちらが大袈裟に問題にすれば、相手は逆の行動をとる。思い切ったことをやったな」

「そうでもありません。しかし実際に、相手のほうからそんなに大した問題ではありませんよと言ってきたり、どうしたらいいでしょうかと営業に相談してくるんです。結果なんですが、小さな取引の場合は、たいていその場で契約書にサインということになりました。大口の客の場合は、こちらが想定していたよりも先方が考えているボリュームのほうが大きくて、見積もりを作り直してくれというのもありました。なかなか好調です。ピートがいま抱えている問題は、どうやってスローダウンしたらいいかです。津波のような勢いで注文が入ってきているので、もう少し時間が必要です」

「すごいじゃないか、ドン。やってくれたな。期待していた以上だ。ボブとステーシーのところでもいずれ使えるな」

ドンが胸を張るように椅子に背をもたれた。それなりの仕事をしたのだから、少しは自慢しても構わないだろう。

「ドン、褒美だ。いまから家に帰って出張の準備をしてくれ」

ドンが立ち上がって背筋を伸ばした。「出張?」

「ああ、ボブのところに行く」

「副社長、二週間ぶりに出張から帰ってきたばかりなんです。それに、今夜はちょっと予定が入っていますので」

「そうか、それだったら気にしないでくれ。君は行かなくてもいい。明日は休みをとってくれ。私はボブのところへ行って、どんなソリューションを見つけたのか確かめてくる。君も一緒に行きたいだろうと思っただけだ」

「それだったら、一緒に行かないわけにいきません」ドンは立ち上がった。「こんな調子だから、いつまでたっても独身なんだな……」そうぼやきながら彼はドアに向かった。

23

ボブには、会議への出席者の数を最低限に抑えるように言っておいた。マーケティング・プランの策定に直接関わる人間だけにしたかったからだ。おそらく一〇人前後になるだろうと、私は予想していた。しかしボブが連れてきたのは、営業部長のスーザンとオペレーション担当部長のジェフの二人だけだった。ジェフなら私もよく知っている。例の流通システムの構築には、彼にもずいぶん活躍してもらった。仕事がよくできる男だ。スーザンについては、よくは知らない。これまで一緒に仕事をしたことはないが、ボブの彼女に対する評価は高い。きっと優秀なのだろう。

「これで全員か？」出されたコーヒーとドーナツを口にしながら、私はボブに訊ねた。

「全員です」怪訝な顔をしている私に向かってボブが言った。「会社が売りに出されていることが公になって以来、いろんな噂が飛び交っています。おかげで仕事がやりにくくて仕方がありません。ちゃんとしたマーケティング・プランを立てて副社長に承認してもらえるまでは、外に漏らすわけにいきません。これ以上のごたごたはご免です」

「そうか、わかった。それじゃ始めよう」

ボブがスーザンに視線を送った。説明を始めろという合図だ。「副社長のツリーを使わせてもらいました」そう言いながら、彼女はフリップチャートに向かった。

「ほう、あれを？　あれが役に立つと信じていたのかね」好奇心から私は訊ねた。

「確信はありませんでしたが、なるほどとは思いました。しかし正直なところ、あれを使ってマーケティング・プランを構築できるなどと思う人は普通はいないと思います」

「しかし、構築できた」

「ええ、できました」スーザンに代わってボブが答えた。「でなければ、副社長にわざわざここまで来ていただいたりはしません」

「しかし、実際に注文が入ってくるまではわかりません」スーザンが言った。「それまでは単なるアイデアにすぎません」

「いい心構えだ。話を続けたまえ」

スーザンがフリップチャートの最初のページをめくった。「まず市場のUDEを列挙して、これをスタート地点にしました」

「ここでいう市場とは、販売店のことです。最終消費者ではありません」ボブが説明を加えた。

「どうしてかね」私は訊ねた。

「副社長のガイドラインに従っただけです」ボブが答えた。「早く結果を出せということだったので、販売店に的を絞りました。自分たちが直接取引しているのは販売店ですから」

「それに消費者を相手にしたら、広告を出さないといけないのでお金がかかってしまいます」

「それでは、副社長に認めてもらえないと思っていましたので」ボブが補った。

「よくわかっているじゃないか」私はうなずいた。

彼らが列挙したUDEを眺めた。当たり前のことばかりだ。化粧品業界で働いたことのない私でもわかることばかりだ。『**販売店は、旧モデルの商品を大幅にディスカウントしないといけない**』、『**多くの販売店では、客が求めている商品がよく欠品している**』、『**多くの販売店では、仕入れ先への支払いに苦労している**』などだ。

「次に、販売店の〈現状問題構造ツリー〉を書いてみました」そう言いながら、スーザンがページをめくった。

「難しかったかね？」

彼らは互いに顔を見合わせてにっこり笑った。「驚くほど、簡単でした」ボブが答えた。

そのままスーザンが説明を続けた。

「副社長のガイドラインでは、ここでツリーを書き直さないといけません。コアの問題を我が社の方針の形でツリーを書き直さないといけませんが、私たちの場合はその必要がありませんでした。自然にそういう形になりました」そう説明すると、スーザンはツリーを下から読み始めた。「『**注文のサイズに合わせて、販売店へディスカウントする**』それと『**大口の注文へはディスカウントが大きい**』。これは我が社の販売方針ですが、これを頭に入れたうえで『**販売店は熾烈に競い合っている**』ということを考えれば、当然『**販売店は、大量に注文せざるを得ない**』という結果になります」

「なるほど。別の言い方をすれば、少しずつ注文する余裕などないということになるな。ボブ、例の新しい流通システムだが、商品の補充は毎日でもすると言っているのに、販売店にあまり利用されていないと言っていなかったかね。それが鍵かもしれないぞ」

「そうなんです」ドンが苦笑いした。「私もただ、新しいやり方に抵抗があったり、従来の習慣から抜け出せないからだと思っていたのですが、そうではないんです。担当者から販売店には毎日でも補充するから注文を出してくれと説得をしているのですが、それを妨げているのが、なんと我々の方針だったんです」

あえてコメントは控え、スーザンに話を先に進めるよう合図した。

「まず経済的な側面を考えてみましょう。大量に仕入れると『**在庫を大量に抱えなければいけない**』ことになります。ご存じのように、ほとんどの販売店は『**現金をあまり持っていない**』のが現実です。私たちの客は大きな店でなく、ほとんどがドラッグストアのような小さな販売店です。ですから大量の在庫を抱えなければいけないということは『**多額のお金を借り入れなければいけない**』ということになります。それがどういうことかわかりますか。『**借り入れ費用が大きい**』、そのため『**利益が減る**』ということになります」

「厄介な問題です」ボブが言った。「小さな販売店のオーナーは、いつも銀行のために働いているようなものだと愚痴をこぼしています。それくらい借り入れの負担は大きいのです」

私はうなずいた。聞いたことのある話だ。化粧品業界に限った話ではない。

スーザンの説明は続いた。「もし『**多額のお金を借り入れなければいけない**』、なおかつ『**借り入れ能力に限度がある**』とすれば、『**支払いに苦労する**』販売店も出てきます。もちろん商品を供給している私たちとしては『**支払ってもらわないといけない**』という状況があります」

「私たちはまるで悪人だな」ボブが大きな声で言った。

「その結果、販売店のなかには『**商品の仕入れに苦慮する**』ところもあって、当然、彼らの利益も減ることになります」

「どの程度深刻なんですか」ドンが訊ねた。

「かなり深刻です」スーザンが答えた。「毎年、相当数の販売店が倒産しています。我が社も他社も販売店が資金繰りに苦労しているのはわかっているので、かなり支払い条件を緩めています。支払いは九〇日以内というのがこの業界の現在の標準です」

「しかし実際には、我が社の売掛金は平均して一二〇日前後まで伸びています。我々にとっても大きな問題です」ボブが補った。

「話を先に進めてもいいですか」スーザンが訊ねた。

「他にも問題があるんです」意味ありげな顔をしてボブが言った。

「『販売店の販売予想は、かなり不正確』という問題があります」スーザンが説明を続けた。「『販売店は、大量に注文せざるを得ない』ということと併せて考えると、『在庫と消費者の実際の需要との間には、大きな隔たりがある』という結果になります。そのため『大量に在庫を抱えているにもかかわらず、必要な商品が不足する』という事態が発生します」

「〝不足する〟とはどういう意味だね」一応、確認のために私は訊ねた。

「店に客がやってきて何か買おうとするのですが、その商品の在庫が店にないという意味です。他の商品で間に合わすこともできない場合です」

「つまり、〝欠品イコール販売機会の喪失〟ということだな」

「ええ、そういうことです」そう言いながら彼女はツリーを指さした。「それだけではありません。販売店は『少しずつ仕入れる余裕がない』、そのため必要な商品の在庫不足が慢性化する。その結果、次に大量に仕入れる余裕ができるまで、在庫不足に耐えなければいけません」

「そのため販売店の収益性は大幅に下がる」そう言いながら私は矢印を目で追った。

「ええ、かなりです」スーザンが言った。

「副社長、最後の枝も見てください」ボブは自分たちの作ったツリーに相当自信があると見える。「化粧品業界というのはまったく大変な業界です。スーザン、副社長に説明してくれ」

スーザンは落ち着いている。あくまで冷静に乾いた口調で説明を続けた。「『**ブランドメーカーは、絶えず新製品を市場に投入し、宣伝している**』。当然、ご存じのことです」

「ああ、最近ますます増えているな」私は言った。

「ええ、そのとおりです」彼女が答えた。「それと、先ほどの販売店の『**在庫と消費者の実際の需要との間には、大きな隔たりがある**』というのを併せて考えてみると、『**販売店は売れ筋から外れた旧モデルの商品を大量に抱えている**』ということになります。そんな旧モデルの商品を長い間抱えておけないことくらい彼らもわかってます。ですから『**販売店は売れ筋から外れた旧モデルの商品を大幅にディスカウントして販売する**』という結果になります。これでは、販売店の収益性は向上しません」

「いいですか副社長、私たちが消費者向けに大金をかけて新製品の宣伝を行っている時に、販売店ではこうした古い商品を買ってくれと消費者を説き伏せようとしているんです。矛盾もいいところです」

「ちょっと待ってくれ」私は言った。「君のツリーを見れば、コアの問題ははっきりしている。販売店が大量に注文せざるを得ないのは、我が社の販売方針が原因だ。しかし大量といっても、いったいどのくらいの量なんだ。販売店の売上げでいったら何週間分くらいなんだ」

これにはスーザンが答えてくれた。「販売店の規模にもよりますが、週で考えるよりも月に換算したほうがわかりやすいと思います。販売店が私たちのところに注文を入れてくる頻度で言えば、大きな販売店の場合、一か月から二か月分程度の注文を一度にしてきます。小さな販売店の場合は、そうですね、六か月分くらいだと思います。全体の平均では、四か月前後ではないでしょうか」

「そうか、悪くないな」

「どういう意味ですか」ドンが驚いた顔をしている。

「販売店の問題は、我が社にも大きな原因があるんだ」私は答えた。「ということは、我々も問題の解決に大きく関わらないといけないということだ。よし、ボブ。そろそろ君たちの考えを聞かせてもらおうか」

ボブがジェフのほうを振り返った。これまでのところ彼はまだ一言もしゃべっていない。「君の番だ」そう言ってボブは、ジェフをフリップチャートのほうへ手招きした。スーザンはとりあえずお役御免ということで一安心したのか、ほっとため息をついている。なぜ、みんな私のことを怖がっているのだろうか。

ジェフが咳払いした。「解決策は、簡単に見つかりました」そう言って彼はフリップチャートのページを一枚めくった。「基本的に〈未来問題構造ツリー〉は、〈現状問題構造ツリー〉をそのまま反映していま す。まず**『ディスカウント率は一回当たりの注文のサイズではなく、年間の注文の合計額をもとに決められる』**、**『販売店への商品の補充は、一日単位で行う』**。この二つのステートメントからスタートしました。ここから〈現状問題構造ツリー〉で描いたロジックに従って進めば、すべてがうまく収まりました」それだけ言うと、ジェフは椅子に腰を下ろした。

彼らが描き上げた〈未来問題構造ツリー〉にざっと目を通した。うまくはまっている。最初の二つのステートメントが、見事にすべてのUDEの解消につながっている。ジェフの言うとおりだ。あらためて声を出してツリーを読み上げる必要もない。

「お気づきかもしれませんが、**『販売店への商品の補充は、一日単位で行う』**というのは例の流通システムに基づいています」ボブが言った。「これであれば、他社はうちの真似ができないはずです。少なくとも当分は安泰です。相手のことはよくわかっていますが、我が社に追いつくには、少なくとも二年はかかると思います」

「すごいじゃないですか」ドンの顔が輝いた。「私たちの仕事が役に立ったわけですね。やりましたね」

「ああ、ずいぶん役に立ってもらったよ」ボブが答えた。「非常にわかりやすかった」

しかし、まだ問題はある、そう私は思った。問題がなければ、ボブはとっくにこのソリューションを公表しているはずだ。まだ私から許可をもらえないと思っているに違いない。なぜだろうか。見た目はパーフェクトだ。ボブに訊くのもいいが、ここは自分で考えてみよう。

コーヒーをおかわりするために席を立った。時間が欲しい時、私はいつもこうする。しかし時間をかけても、答えはまったく見つからない。諦めてボブに訊ねる前に、まずスーザンに質問した。「これで売上げがどのくらい増えると思うかね」

「長期的にはかなり増えると思います。三〇パーセントも無理ではありません。もっと多いかもしれません」

「短期的にはどうかね」

「何とも言えません」彼女が口ごもった。

「予想で構わないから」私は執拗に訊ねた。

「売上げはおそらく落ちると思います。大した落ち込みではないと思いますが」

「売上げが落ちる？　どうしてですか」ドンが驚いた顔をして訊ねた。

なるほど、やはり問題があるのだ。

「販売店が在庫を減らそうとするからだ」私は説明した。「スーザン。販売店は、いまどのくらいの在庫を抱えているんだね。店内のディスプレー用とストック用を合わせたら、どのくらいの在庫を持っていないといけないのかね。多めに言う必要はない。必要に応じて、毎日でも商品を補充できるわけだから」

「販売店が私たちのことをすぐに信用してくれるとは思いませんが、半分くらいにまでは減らすことができると思います。もしかしたら、もう少しいけるかもしれません」

「ということは……」すぐに私は頭の中で計算を始めた。「約二か月分の売上げが失われるということか」

「売れ筋の商品の注文は増えるので、それで多少はカバーされると思います。それから、これまで取引のなかった販売店との取引も増えるかもしれません。ですから売上げは減っても、二か月分というよりは一か月分に近い金額だと思います。そのくらいは覚悟しておかれたほうがいいと思います」

「そんな余裕があるのですか」ボブがさらりと訊ねた。まるで他人事のような口調だ。

「わからない」私は返事をためらった。「今年はもうすでに大きな手を一つ打ったからな。完成品の在庫を大きく減らしたじゃないか。あれは大きかった。一〇〇〇万ドル近くの影響があった。いまの話はそれよりも規模が大きい。さらに二か月分近くの売上げが失われると、今年の損失はとんでもない数字になる。そんな話をどうやって上に認めさせたらいいのか見当もつかない」

「でも、何とかそれができれば来年以降は安泰です。利益も記録的な数字になると思います」ドンの言葉に力がこもった。「トルーマンとダウティーなら理解してくれるはずです。彼らもビジネスに関しては抜け目がないですから」

「ああ、確かに」私は答えた。しかしそんなことをすれば、年内の売却が不可能になることもわかるだろう。果たして、私に彼らを説得できるだろうか。

「提案がある」私はみんなに向かって言った。「君たちは昼食に行ってくれ。私はしばらく独りでその辺を散歩してくる。君たちのおかげで、いろいろ考えないといけないことが増えたからな」

24

ボブの会社の本部は、美しい公園の中にある。天気もいいし、大きな樹木が立ち並び牧歌的な雰囲気だ。しかし、私はそんな風景に目もくれず、腹を立てながら狭い歩道を進んでいった。

また短期的利益志向の影響で苦しめられるのか。「時は金なり」そう語るブランドンの声が聞こえてきそうだ。「インフレを上回る利益を保証できるのか。ユニコの格付けは低すぎる。そんな姿をさらけ出す余裕などない」そんなことは私にもわかり切っている。しかし、こんな絶好の機会をみすみす逃す手はない。

もしかしたら売却を延期するよう、ブランドンとジムを説得できるかもしれない。インフレに負けないぐらいの保証はできる。このソリューションを実行したら、どの程度の投資収益率が期待できるのだろうか。とりあえずは、二か月分の売上げは諦めないといけない。

しかし、本当のところは何も諦めているわけではない。販売店の売上げが増えなければ、我が社の売上げも伸びない。それがわかっていれば、販売店に対する対応も違って当たり前なのだ。販売店に在庫を多く抱えるよう強制することで、自らをマーケットから遠ざける結果になっていた。いったい販売店は、いまどのくらいの在庫を抱えているのだろうか。四か月分？　新しい製品が次々と市場に投入されてくるのがこの業界だ。そんな業界で四か月もの間、市場から遠ざけられたら、壊滅的なダメージに苦しむのは目に見えている。

そんなことは、どうでもいい。いま、考えなければいけないのは利益だ。我々の会計基準では、売上げとは販売店に対する売上げを意味する。その販売店に対する売上げが二か月分も失われる。一方、売れ筋の商品の売上げが増えたり、新規顧客も開拓できるだろうが、その分の販売増はどの程度だろうか。スーザンの予想では、三〇パーセント程度あるいはそれを多少上回る売上げ増が期待できる。この予想はかなり現実的な数字と思っていいだろう。彼女は大口を叩くような人間でもないし、結果を出さなければいけないのも彼女だ。長年この業界に携わってきて、仕事のことはすべて知り尽くしている。

売上げ増を控えめに二五パーセントと想定してみよう。これでいい。つまり長期的には毎年、二か月分の売上げを失う一方、三か月分の売上げが増えることになる。年一五〇パーセントの利回りだ。インフレなど目ではない。金鉱どころの話ではない。

しかし待てよ。長期的といっても、いったいどのくらい先の話なのだ。皮算用が大はずれになってもらっては困る。いつになったら正味の売上げが増えるのだ。販売店による余剰在庫の吐き出しが終わってからか……。それだったら、それほど先の話ではない。四か月から六か月ぐらいだろう。もっと早く終わるかもしれない。そのくらいの時間であれば、上を説得するのもそう無理な話ではない。だが、説得工作は慎重に進めなければならない。

しかし説得すると言っても、何を説得したらいいのだ。アイ・コスメティックスの売却先延ばしか。いったいいつまで。少なくとも来年までは先延ばしさせたい。それだけ時間があれば、それなりの数字を揃えることはできるはずだ。

いや、駄目だ。もっとまずいことになる。仮に売却を先延ばしさせることに成功したとしても、別の問題が発生する。こちらは、死んだも同然になる。

ユニコの格付けは、瀕死の状態になるだろう。これはかりは、私にも何ともしようがない。これを避けるためには、私のグループ会社を売却して十分な資金調達を行わなければいけない。一億ドル以上の資金が必要だと言っていた。要するに、たとえアイ・コスメティックスの売却を思いとどまらせることができたとしても、それ自体、プレッシャー・スチームに死刑宣告をしているも同然だ。プレッシャー・スチームは売却されて、シュレッダーにかけられバラバラにされてしまう。

いや、そんなことをさせるわけにはいかない。ステーシーの会社も守らなければならない。ボブのほうは、とりあえず一安心だ。このマーケティング・ソリューションがあれば、たとえ売却されたとしても、口出しされることなくこれまでどおりのやり方をさせてもらえるはずだ。物わかりのいい相手であれば、もっと高い額でも喜んで支払ってくれるだろう。私のプレゼンテーション次第だ。それなら自信がある。

そういうことでいいのか。

いや、駄目だ。会社の売却が完了するまで、ボブたちはソリューションの実行を先に延ばさないといけないことになる。それは馬鹿げている。帳簿上の数字がどうなろうと、そんなこと知ったことじゃない。何かもっといい方法があるはずだ。

他にも気になることがある。このマーケティング・プランのネガティブ・ブランチだ。ボブたちも、どうしたらいいのか考えあぐねているはずだ。どうして、まだ解決できないのだ。

彼らには十分な経験がある、それに基づいた勘も優れている。自分たちの会社を守ろうとする望みはそれ以上に強いはずだ。そのためには、画期的なマーケティング・ソリューションを編み出すしかないこともわかっているはずだ。このネガティブ・ブランチを除けば、彼らの案は確かにすばらしい。ジョナによると、優れた勘を持っていて、将来どうしたいのかはっきり描くことができ、その目標に向かって〈未来問題構造ツリー〉を描くことができれば、必ずネガティブ・ブランチをすべて解消できる。しかしボブたちは、まだそれができていない。どうしてなんだ。

彼は何か言っていただろうか。私には覚えがない。何か言っていたかもしれない。

私はメイン・ビルディングに戻り、誰もいない部屋に入った。みんなは、まだ昼食から戻ってきていない。ジュリーはいま頃どこだろう。きっと家にいるはずだ。

私はさっそく彼女に電話をかけ、このパズルのような疑問を彼女に説明した。彼女は熱心に聞き入った。説明を終えて、訊ねた。「こんな時どうしたらいいのか、ジョナは何か言っていたかな」

「ええ、言っていたわ」彼女が答えた。「ネガティブ・ブランチを解消する方法があるのに、わざわざそれを使わないことがあるって」

「どうしてそんなことを。ネガティブ・ブランチは消したい。何としても消したいじゃないか」

「別のネガティブ・ブランチを引き起こすような場合は、そういうこともあるって言ってた」彼女が説明を続けた。「そういう時は、実用的ではないと判断して無視してしまうのよ」

「なるほど」

「よくあるミスね。私も何回か経験したことがあるわ。でも諦めないで実行してみると、引き起こされたネガティブ・ブランチは簡単に消すことができることに気づくわ」

「ボブたちも同じことを？　自分たちで解消方法を消してしまったと言うのかい」

「可能性はあるわ。アレックス、とにかく調べてみたら。損はしないでしょ」ジュリーが言った。

彼女の言うとおりだ。このネガティブ・ブランチは、何としても消さなければいけない。多くがこれにかかっている。

「わかった、やってみるよ。ありがとう、ジュリー」

「それから……」ジュリーはまだ言い残したことがあるようだ。「ネガティブな結果が新たに引き起こされたとしても、慌てないで続けるの。最後にはきっとうまくいくはずよ」

「わかった。結果は今夜報告させてもらうよ。とにかくありがとう、それじゃ」

私は会議室に戻り、フリップチャートにネガティブ・ブランチを書いてみた。彼らが書いた〈未来問題構造ツリー〉のステートメント**『販売店は不必要な在庫は持たない』**からスタートして、二か月分相当の売上げが減るという結果まで書いてみた。ちょうど書き終えたところにみんなが戻ってきた。

「それで判決は出ましたか」ボブが訊ねた。

みんな、私の反応を待っている。

「判決？　まだ話は終わっていない」みんなに異論を唱える隙を与えずに、私は話を続けた。「さっきは、このネガティブ・ブランチの話をしていたところで終わったじゃないか」そう言って、私はフリップチャートを指さした。

「これをどうやって消すことができるかだ。君たちの間ではもう話し合って、無理だという結論に達したのかもしれないが、それでもいいから君たちの考えを聞かせてくれないか」

「わかりました。確かにいくつかアイデアを出し合ってみましたが、うまくいきそうなものは一つもありませんでした。そこで、行き詰まってしまいました」ボブが答えた。「消すことができなかったらどうなるんですか。諦めないといけませんせんか」

「まだわからない。結論を出すには早すぎる。とりあえず、うまくいきそうにないという君たちのアイデアを聞かせてくれ」

みんなは、もうこれ以上考えてみても無駄だといった顔をしている。早く結論を出してもらいたいのだ。彼らを責めるわけにはいかない。これまで、相当のプレッシャーに耐えてきたのだ。先行きどうなるかわからない会社で働くのは、決して容易なことではない。彼らにとっては、どんな判決であっても、先が見えない不安よりはましなのだ。しかし、いまこの段階で結論を出すわけにはいかない。これ以外、他には手段はないのだと納得できるまでは結論は出せない。まだ納得はできない。

「せめて、このネガティブ・ブランチを消す手段が本当にないことぐらい確認させてくれ」まだ諦めるのは早いのだと、彼らを説得しようと私は試みた。「まだ判断材料はすべて揃っていないじゃないか。それなのにこんな重要なことを決めろというのかね。どの方法も無理なのかもしれないが、いちばん可能性の高そうなやつでいい、君たちの考えを聞かせてくれ」

「近い将来、売上げを増やすのは無理だという根本的な仮定について話し合いました」ジェフが答えた。

「それをどうやったら増やすことができるのか、アイデアを出し合ってみたんです」

「いいじゃないか」私は言った。「問題の核心を話し合っていたわけだな。それで?」

「それで、いろいろアイデアは浮かんだのですが、どれももっと深刻な問題を引き起こしてしまうんです。そんなのを副社長に認めてもらえるはずがありません」

「いいから話してみたまえ」

「わかりました」ボブが答えた。「委託販売形式で商品を販売店に提供するんです。納品した段階では、販売店には何の支払い義務もありません。実際に売れたときに支払ってもらいます。既存顧客は在庫を減らそうとして売上げが減るかもしれませんが、新しい顧客も獲得できるので、それ以上に売上げが増えるというのがスーザンの予想です。でも、そんなことができないことぐらい私たちも承知しています。そんな予算を副社長が認めてくれるはずがないことぐらいわかっています」

「それ以外にも問題はたくさんあります」スーザンが説明を補った。「委託販売で販売店に商品を提供したら、販売店の手元のキャッシュは増えます」

「それのどこが問題なのかね」そう訊ねながら、私は頭の中で何とか予算を組めないものかと考えていた。短期間なら可能かもしれない。とりあえず、確認だけはしておこう。

「どこが問題なのか、ですか……」スーザンが私の質問をなぞった。「販売店は、余ったキャッシュで他社から商品を仕入れると思います」

「勝手にさせておいたらいいんじゃないのか」私は言った。

「いえ、それでは我が社が打撃を受けてしまいます。販売店の商品陳列スペースには限りがあります。他社の製品が増えれば、その分我が社のスペースが削られることになります。陳列されない商品は売れません」

「スーザン、我が社の製品の陳列スペースの確保を委託販売の条件にすることは可能かね」

「ブランド商品と同じように一定のスペースを確保してもらうということですか？　それは問題ないと思います。向こうは苦労せずに陳列スペースを常に埋めておくことができるわけですから。販売店にとっては、それが委託販売のメリットなんです。キャッシュも必要ないし、毎日商品が補充されるわけですから、空きスペースを作ることもなくなります。逆に、いまよりもっとスペースをくれと要求することもできると思います」

「それなら、売上げは増えるかね」

「ええ、増えます。間違いありません。すぐ増えると思います。スペースが増えれば、当然取り扱う商品も増やさなければいけません。しかし既存顧客の中で、我が社の商品すべてを取り扱っている販売店はほとんどありません。だからといって、同じ商品ばかり並べておくわけにもいかないでしょう。この方法ならうまくいくと思います」

「しかし……」そう言って、スーザンの顔がまた曇った。「しかし、どうやって販売店を管理したらいいんですか。何千もの販売店と取引しているんです。そんなこと不可能です」

「管理するとはどういう意味かね」

「いいですか、商品を委託販売するということは、納品の段階では販売店は支払わなくていいんです」

「支払いはいますぐじゃなくて、九〇日以内だったな」

「ええ、そうですが……」スーザンの言葉に苛立ちが感じ取れた。「でも、通常は販売店に出荷した時点で売買は成立するんです。委託販売に切り替えると、販売店は商品が売れてから初めて支払うことになります。しかし販売店の多くはキャッシュが不足していますから、商品が売れてもきっとすぐには報告してこないと思います。それを管理するのは無理です。実際に何が売れたのか販売店一軒一軒をチェックするわけにはいきません。非現実的です」

「スーザン、それは大きな問題じゃないな」ジェフが静かな声で言った。「商品の出荷方法も変えればいい。売れた分だけ補充するんだ。つまり、販売店は新しい商品を補充してもらうには、毎日あるいは定期的に何が売れたのか報告しないといけない。簡単なシステムだ」

「なるほど……、そうかもしれないわね。少し考えさせてくれないかしら」

「それだったら、すべてうまくいくかもしれません」ボブが私に訴えた。「しかし、そのためにはお金が要ります。用意してもらえますか。委託販売では、販売店が私たちの在庫を抱えることになります。完成品の在庫を減らした時にお金がずいぶん浮いたと思いますが、そのお金を再びこちらに回してもらうことはできませんか」

私はもう答えを決めていた。だが、ここはボブを少しいじめてやろう。「ああ、回してもらうようにする。必要なだけいくらでも回してもらう。だけど、その前にどのくらい必要なのか正確に知りたい」

「わかりました」ボブが答えた。「新しく経理部長になったモリスに計算しておくように言っておきました。数字はもう出ているかもしれません……」

「それでいったいいくら必要なんだ」私は訊ねた。

「まだ私の手元にはきていません。昨日頼んだばかりなので、まだだと思って訊いていません。彼をここに呼びましょうか」

「そうしてくれ」

モリスが現れるまで、みんなは、いま販売店が抱えている古い商品をどうしたらいいのか話し合っていた。いくつかいいアイデアも出された。みんなで話し合えば話し合うほど楽観的になる。彼らも気分が乗っている。必要なお金は回すという私の言葉だけで、みんな肩の荷がずいぶん軽くなったようだ。見ていて愉快だった。

じきモリスがやってきた。「一応、数字と注文をダブルチェックして確認しておきました」

「それでどのくらい必要なんだ」ボブが訊ねた。

「約三四三〇万ドルです」そう言って、モリスは慌てて言葉を付け足した。「スーザンからもらった数字をもとに計算してみたんですが、出荷してから実際に販売店で販売されるまでの平均日数は四五日です」

「参ったな」ボブが渋い顔をしている。「副社長、そんな大金をほんとに回してもらうことができるのですか」

「もう一度、君たちの仮定を見直してみるんだ」私はボブにそう言った。しかしボブはまだ当惑した顔をしている。私は今度はモリスのほうを向いて言った。「売掛金が減っても、販売高は変わらないと仮定しよう。誰のところにそのお金がいくのか、ボブに説明してやってくれないか」

「簡単なことです」モリスが淡々と答えた。「いま現在、売掛金は五七〇九万ドルほどありますが、これは日数に換算して約一一六日分です。スーザンの話では、これが四五日にまで減るわけです。もし彼女の話が本当なら、逆に三四三〇万ドルほど自分たちの懐に戻ってくるはずです」

思わず、私もみんなも笑い出してしまった。

25

夕食の時、私は家族みんなにアイ・コスメティックスのマーケティング・ソリューションについて話して聞かせた。ジュリーとシャロンが興味を示すのはいつものことなのだが、デイブがずいぶんと興味を示したのには驚いた。

「同じ販売店に商品を売っている他の会社をもっと買収したら?」デイブが言った。「アイ・コスメティックスにとっていい考えなら、他の会社にとってもいいはずじゃない」

息子の言うことにも一理ある。こちらが求めているのはキャッシュではなく、商品の陳列スペースだ。それに商品は毎日補充する。これほどの条件でうまくいかないはずがない。

「商品の配送は同じネットワークを使うことができるし……」私も同じことを考えていた。「倉庫はもうほとんど空っぽだって、言ってたじゃない」

「デイブ、いい考えなんだが、でもそんなに投資できるほど会社にはお金がないんだ」

「そんなの問題じゃないよ」デイブの頭の中では考えがどんどん膨らんでいるようだ。「一〇〇日分以上ある売掛金が四五日ぐらいまで減るって言ったよね。だったら、これって現金製造機じゃない。それだったらお金を借りて会社を買収して、その会社の売掛金を減らしてキャッシュを作って、そのお金で借りたお金を返せばいいんじゃない。何か問題ある?」

「そう簡単にはいかないよ。だがデイブも大したもんだ。このままいけば、大したビジネスマンになるよ」私は息子に満足していた。なかなか頭が切れる。

「兄さんは、もう立派なビジネスマンよ。なんてったって、アンティークのキャデラックを持っているんですもの」シャロンが誇らしげに言った。「本物のコレクターアイテムよ」

「ああ、そうだな」私は笑った。「結局、クルマをリストアすることにしたのか、頑張れよ」私はデイブを励ました。

「あれっ、父さんに言わなかった？」デイブは気まずい顔をしている。「でも、父さん、ありがとう。父さんのアドバイスのおかげだよ。ハービーと一緒にクルマをリストアすることにしたよ。でも、シャロンが言ったように、五六年型のオールズモービルじゃなくて、四六年型のキャデラックなんだ。もう作業も始めたよ。ピカピカのキャデラックに乗っている僕を想像できる？」

「かっこいい！」茶化すようにシャロンが金切り声をあげた。「デビーと私を乗せてくれるって約束したの、覚えてる？　女の子はみんな大喜びするわ。やったあー！」

「まあ落ち着きなさい、シャロン」何とも気の早い娘だ。「まずは、クルマを直さないといけない。エンジンもまだ付いていないんだろ」

「エンジンならもう付いてるよ」デイブが答えた。「それも昔のままのオリジナルのエンジンなんだ。修理ももう済んでる。ちゃんと動くんだ。夢みたいだよ。だけど通りを走らせるには、まだやらないといけないことがたくさんあるけど」

「しかし、いつの間に五六年型のオールズモービルが、四六年型のキャデラックに変わったんだ。そんなお金どこにあったんだ。四六年型のキャデラックで、ちゃんとしたエンジンが付いているのだったら、一五〇〇ドルでは買えないだろう。一万五〇〇〇ドルだって無理じゃないのか」

「父さんのおかげさ」

「父さんの?」

「例のジミーおじさんとボートの話、あの話が参考になったんだよ」

「ボートって何のこと?」シャロンは興味津々だ。

「静かにしてくれよ、後で話すから」デイブがシャロンに向かって言った。「とにかく父さん、自分でネガティブ・ブランチを書き出してみたんだ。そうしたら、問題を二つに絞り込むことができたんだ」

「デイブ、〈思考プロセス〉の話はいいから、早く教えてくれないか。どこからお金を集めてきたんだ」

「いま、話してるじゃない」デイブがムッとした。

「いいから、デイブの話を聞いてあげて。すごいのよ」ジュリーが言った。

「とにかく、ネガティブ・ブランチを二つ書いてみたんだ」デイブはまだふくれている。「一つはハービーとクルマを共有することで起きる問題だよ。父さんもジミーおじさんとの間でいろいろ問題があったって言ってたよね。もう一つはハービーがお金を用意できるかどうかさ」

私は、ほとんど上の空だった。一五〇〇ドルだって子供にしてみたらかき集めるのは大変なことなのに、あんな高いクルマを買うお金をどこから集めてきたんだ。それに、いったい、いくらしたんだ。三万ドル、四万ドル、それとも五万ドル?

「まずは、簡単なほうから始めたんだ」デイブは説明を続けた。「クルマを共有するほうの問題だよ。ハービーにロジックを説明したんだ。書いたことを全部ハービーに声を出して読ませたんだ。こっちも時間をかけて書いたんだから、そのくらいはやってもらったよ。でも、あいつ、ほんの五秒でこのネガティブ・ブランチを解決してしまったんだ」

「どうやったのか、お父さんに説明したら」ジュリーが横から口を挟んだ。

「簡単だったよ。ハービーも僕も九月には大学に入って、この街から出て行くから、八月の終わりにクルマを売ることにしたんだ。それまでだったら時間も短いから、そう揉めることもないと思うんだ」

「クルマはいつ完成するんだ」私は訊ねた。

「七月の初めにはできると思う。だから、喧嘩している暇なんかないよ」

「そうか。もう一つのネガティブ・ブランチはどうなんだ」

「二つ目のは、少し気をつかったよ。ハービーがお金をちゃんと用意できるかどうかだからね。後でわかったんだけど、あいつ、マリファナを売ってお金を貯めようなんて考えていたんだ」

「何ですって！　そんな話聞いてないわよ」

「まあ母さん、落ち着いて。そんなこと、僕が認めるわけないだろ。ハービーもそれはわかっていたんだ。だからあいつ、いままでずっと隠していたんだよ」

「そう。それじゃ、ハービーは諦めたのね」ジュリーが言った。

「ああ、マリファナを売るのは諦めたけど、クルマをリストアするのは諦めなかったんだ。二つ目のネガティブ・ブランチだけど、ハービーがいい考えを思いついたんだ。どうせすぐにクルマを売るんだから、将来クルマを買ってくれる人からお金を借りたらどうかって言うんだ。クルマと部品代で、一五〇〇ドルぐらいかかることはわかっていたんだ。その時はまだオールズモービルを買うつもりで、キャデラックなんて少しも考えていなかったからね。一五〇〇ドル以外にも、お互い三か月ぐらいずつは作業に時間をかけるつもりだったから、二五〇〇ドルで売っても安いかなと考えたんだ」

「それでクルマをいったい誰に売るんだ」私は訊ねた。

「父さんにだよ」デイブが私に向かってにっこり笑った。

「まだ、オールズモービルを売るつもりでいたんだろ。どうして、父さんがオールズモービルを買わなきゃいけないいんだ」

「そう、それなんだよ」デイブの顔が輝いた。「父さんが教えてくれたんじゃないか、サプライヤーの価値観と市場の価値観の違いを」

「それとこれと、いったいどんな関係があるんだ」私にはデイブの言っていることがわからなかった。

「クルマのコストと僕たちが費やす作業、これをもとに二人でクルマの価格を決めたんだけど、これってサプライヤーが自分の製品の価格を決めるのと同じだよね。この価格を父さんにどうやって納得させたらいいか考えてみたら、父さんの立場から考えないといけないって思ったんだ。そうしたら、もし父さんがオールズモービルを買ってくれたら、もう二度と父さんのＢＭＷには触らないって約束したらどうだろうって考えたんだ」

「なるほど」なかなか手が込んでいる。

「でも、そういう理由で売るんだったら、ハービーの親父さんに売ったほうがうまくいくと思ったんだ。ハービーも時々、アンティークカーを借りて乗り回してるんだけど、もしキズでもつけたら修理代だけでも馬鹿にならないことぐらいわかるよね」

「そんな約束だったら、父さんよりハービーの親父さんのほうが喜ぶと考えたわけだな」私は胸をなでおろした。「それで親父さんには訊いてみたのかい。何て言っていた」

「ハービーの親父さんが、もっといい考えを思いついたんだ。キャデラックをもう持っていたんだよ。それに修理に必要な部品も用意してあって、リストアしてくれないかって向こうから提案してきたんだ。もちろん他のクルマにはもう触らないって、ハービーは約束させられたけどね」

「それでいったいどんな条件だったんだ」私は訊ねた。

「大学に行くまでは、ハービーと半分ずつクルマを使えるし、もし二五〇〇マイル走った後、何も問題がなければハービーの親父さんが一〇〇〇ドルくれるって言うんだ。これだったら自分のお金を使う必要もないし、おばあちゃんからもらうお金も手をつけないでおくことができる。大学に行ってから、使えるお金が増えるってわけさ。どう、父さん」

「すごいじゃないか」なかなかの名案だ。

「父さんには、二度助けられたよ」デイブが言った。「父さんの教えてくれたネガティブ・ブランチのおかげでハービーにはすぐ解決策を見つけてもらうことができたし、それから価値観の違いも説明してもらった」

「やったな、デイブ。さっそく実践するなんて大したもんだ。それにしても、うまく応用したな。価値観の違いだって、父さんが話したのはずっと事業を継続している普通の会社の話だ。それを一度きりの取引にまで応用するとは実に見事なもんだ。確かにそのとおりだな。一度きりの取引でも応用できる。どんな取引にだって応用できるはずだ」

「あなたの会社の売却にも応用できる?」ジュリーが横からいきなり訊ねた。「あれだって、一回きりの取引でしょう」

「いや、そうは簡単にいかない」

「どうして」デイブが訊いた。「どうやって会社の価値を決めるの」

「ちょっと複雑だ。基本的には、会社の純利益に業界の平均的な売上利益率を掛けて算出して、これをベースにする。それから会社が保有している資産も考慮する。それによって価値が変わってくることもある」

「でも、それはサプライヤー側の価値観だけじゃない」デイブが主張した。「製品だけ見て、買い手のニーズを無視しているようなものじゃない」

「おまえの言うとおりかもしれない。だけど現実はそうなんだ」

「そんなことないと思うわ」ジュリーが異議を唱えた。「ステーシーの会社の話をしてくれたことがあるけど、そうじゃなかったと思うわ」

そのとおりだ。プレッシャー・スチームという会社そのものだけを考えたら、その価値は非常に低い。しかし特定の買い手、非常に限られた特定の買い手、つまりプレッシャー・スチームの競合相手だが、彼らのニーズを考慮したら価値は大きく変わる。四倍にも跳ね上がる。

私は視線を上げてジュリーの顔を見た。「ジュリー、君の言うとおりかもしれない。もっと違う考え方をしないといけないのかもしれないな。ピートやボブの会社も買い手のニーズを考えれば、もっと高い値段で売却できるかもしれない。だが、ニーズといってもいったいどんなニーズなのかわからない。見当さえつかないよ」

「買い手は、どんな会社が買収してくれるの」

「ピートの会社だったら印刷業界のどこか大手が買うだろう。アイ・コスメティックスのほうは、狙いを広げていろいろな会社にアプローチしている。ただ、これはブランドンとジムの専門だから、彼らに訊いてみないとわからないな」

「アレックス。あなたも印刷業界のことなら、少しはわかっているでしょ。去年は、ずいぶんピートの会社に足を運んだじゃない」

「ああ、そうだったな、でも……」

ジュリーは黙ったまま、私の答えを待っていた。「それで？」彼女が急かした。

「ピートの会社は任されたときは、まだ平均的な印刷会社だったよ」私は答えた。

「どういう意味」

「コストを節約することしか頭になかったんだ。でも本当の作業経費でなく、コスト会計のコストだよ。そんなこととしたら、どんな結果になるか君にも想像できるだろ。何回も説明したじゃないか。でも一般の会社はみんなそういうやり方をしているんだ。だから、ピートの会社が売却されて、これまでのやり方に口出しされるんじゃないかと心配なんだよ」

ピートの会社の話をするのは楽しい。一度話し始めると止まらなくなってしまう。「いまはとにかく絶好調さ。品質、出荷、客への対応の速さ、どれをとっても非の打ち所がないっていうところかな。いちばん注目してほしいのは利益の伸びだよ。間違いなく大幅に利益が伸びるはずだ。年内にもその結果が現れるかもしれない。

でも利益といっても、その数字だけで実態をはっきり伝えるのは難しいな。これまでの印刷業界の常識を覆すような新しい考え方なんだ。どこから見ても、これが理想的なモデルなんだ。印刷会社とはいかにあるべきか、いかに経営すべきかを示してくれるモデルなんだよ。自慢したい気分さ」

「だったら自慢したらいいんじゃない、当然の権利よ」ジュリーが私ににっこり笑った。

「そうしたモデル会社を必要としている企業もあるんじゃないかな」デイブが言った。

「モデル会社として売却したらっていうことかい。利益や資産じゃなくて、モデルとしての利用価値をべースに売却するわけか。面白い考え方だな」

「アレックス。デイブの言うとおりかもしれないわ。企業はみんなベンチマーキングにたくさんお金をかけているって、あなた言ってたじゃない。自分の傘下に業界ナンバーワンの会社があるなんて理想的じゃないの」

「そうだな。大金をかけてわざわざコンサルタントを雇っているところだってある。だが印刷業界に限っていえば、ピートたちより優れたコンサルタントなんかいないよ。知識だけでなく自分たちで実証済みだ」

「それじゃ、ピートたちが先生ね」シャロンが言った。

みんな、私のほうを見た。「もう一度、話をまとめてみよう」私は頭の中を整理することにした。「大手の印刷会社、特に業界最大手クラスの会社だが、彼らにとってはピートの会社がこれまでの経営手法を見直すいいきっかけになるかもしれない。印刷業務のスケジューリングや管理手法としてはパーフェクトなモデルだし、見せかけのコストでなく本当に重要なものは何か、短期的、長期的な利益への影響はどうなのか、それをベースに考えている。

特に製版室での作業については、参考にしてもらえることが多いと思う。他の会社で何週間もかかる作業を、ほんの四日間で仕上げてしまう。しかしなんといってもいちばん重要なのは、マーケティングだ。いかにマーケティング手法を構築すべきか、それを理解している。彼らのやり方が、将来、業界標準と目される可能性だってある。その時は彼らが学校であり、コンサルタントだ」

「でも、ピートたちは売却されたくないんでしょ」ジュリーが言った。

「とんでもない。大手の印刷会社の傘下に入って、変化をもたらすきっかけになる仕事ができれば、そんな楽しいことはないじゃないか。理想的な仕事だし、願ってもないチャンスだ。ユニコの傘下では、肩身の狭い思いをするだけだよ。ユニコ自体のコア・ビジネスとは関係ないし、いつまでもよそ者扱いだ」

私は胸が高鳴った。利益が増えれば、会社の売却価格も高くなる。しかし、これまでにない新しい変化をもたらすというキャッチフレーズで、大手印刷会社にアプローチすれば、価格に上限はない。

それにみんながメリットを享受することができる。買い手、ユニコ、グランビー会長もだ。ブランドンとジムも大喜びするだろう。しかし、何よりいちばん大切なのは、ピートたちが理想的な環境で仕事ができることだ。

しかし……、私はどうなるのだ。

まあ何とかなるだろう。

「それで?」考え込んでいると、デイブの声が耳に飛び込んできた。

「そうだな、おまえの言うとおりだ。大手の印刷会社にとっては、またとない機会かもしれない。それをどうやって相手に伝えたらいいのか考えていたんだよ」

「父さんだったら、できるよ」口々にみんなが励ましてくれた。

26

ジュリーと二人だけになると、予想どおり彼女が例の話を持ち出してきた。

「アレックス、あなたの仕事はどうなるの。会社は売却されるみたいだけど、それにちゃんとしたところに買われるように頑張っているのはわかるけど、あなた自身はどうなるの」

「わからないよ」ため息が出た。「本当に、まだわからないんだ」

「これまで訊かないようにしていたけど、そろそろ考えたほうがいいんじゃない」ジュリーは優しい声で言った。「他の人の世話をするのもいいけど、自分自身のことも考えてみたら」

「家族のこともだろ」私は言った。「ジュリー、どうしたらいいと思う。職探しでもしたほうがいいのかな。でも自分の立場を考えたら、いまはそんなことはできないな。それに、まだ闘いは終わっていない。多少成果は上がっているけど、本番はこれからなんだ。他のことを考えている余裕なんかないよ。わかってくれるかい」

彼女は考え込んだが、しばらくして口を開いた。「でも、何か考えていることはないの？　何か計画があるのかないのか、それがわかっているだけでも気が楽になるわ。会社だけじゃなくて、あなた自身のこともよ。そのくらいは訊いてもいいでしょう」

普通の人とは違い、私は計画するのがあまり好きではない。ジュリーの前では特にそうだ。彼女が言う計画とは、単にやるべきことをリストアップするような作業ではない。巧みに私を操って事細かに分析させるのだ。その意味では、彼女はジョナよりジョナらしいと言える。

しかし、それが悪いと言っているわけではない。計画を立てるのはいいことだ。

「君の言うとおりだよ。そろそろ、ちゃんとした計画を立てたほうがいいかもしれないな」

「どうなるのか、だいたいの見当はつくでしょ」さっそくジュリーの質問攻撃が始まった。

「ああ、そうだな」確かにここ数か月、何も考えていなかったわけではない。

「よかった」ジュリーはさっそく付箋を手にしている。「会社や会社の人たちの話じゃなくて、あなた自身の話よ。目標は『**いまと同等か、あるいはそれ以上の仕事に就く**』で構わないわね」

彼女は、やると決めたら仕事が速い。

「構わないよ」私は彼女のペースに合わせようと努めた。

「それなら、どの〈思考プロセス〉を使うかも異議ないわね」彼女が決めつけるような口調で言った。

「ああ、〈前提条件ツリー〉(Prerequisite Tree)だろ」私も一応ジョナの生徒だ。

「そうよ。それじゃ、まず障害を出し合ってみましょう」

変に聞こえるかもしれない。野心的な目標を達成しようというのに、なぜ障害を列挙することから始めるのか。逆効果と思われるかもしれない。

しかし、これがジョナのやり方だ。ジョナいわく、「必ずみんなが、いちばん得意としていることから始めるんだ」。不平不満を言ったり、愚痴をこぼすことだったら、みんな得意なはずだ。つまり、この目標を達成できない理由をすべて列挙する、それが障害を出し合うということだ。

「『**ステーシーの会社に、まだマーケティング・ソリューションが見つかっていない**』。これは大きな問題だな」私がまず口火を切った。

「そうね」そう言ってジュリーがこれを書き取った。「他には？」

「ピートの会社もボブの会社も、利益はまだ満足というにはほど遠い。やるべきことはやったけど、結果が出るのはまだこれからだよ。いますぐ売却しないといけないとしたら、大した金額にはならないだろうな」

「いまのは、二つに分けて書くわ」ジュリーが言った。

「**『ピートの会社とボブの会社の利益は、まだ十分でない』**と**『ピートの会社とボブの会社の価値はまだ低い』**。これでいいかしら」

「ああ、いいよ。それじゃ、今度は夕食の時の話に戻るけど、まだ買い手のニーズが何なのか、はっきりわからないんだ。説得力のあるプレゼンテーションに仕上げるにはまだ理解が足りない」

「それって、そんなに重要なことなの」ジュリーが訊ねた。

「何を言ってるんだい」私は、彼女の質問に驚いた。「相手のニーズがわからないで、どうやってピートやボブの会社の値段を吊り上げることができるって言うんだい」

ジュリーは、私の言葉を書き取った。「アレックス。そういう話もいいけど、本当の障害は何なの。もしどこか他の会社で副社長クラスの仕事を見つけようと思えば、それなりの人から推薦してもらえるんでしょ。コネは必要よね」

「ああ、確かに。それもリストに付け足してくれ」

「他は？」彼女が言った。

「他？」

「ええ。他に似たような障害はないの？　私よりあなたのほうが、よくわかっているでしょ」

「そんなことないよ。君も、どんどん言ってくれ」

「そうね、そういった仕事ってなかなか空きがないわよね」彼女は、自分からそういう話を持ち出すのは気乗りしないらしい。

「ずいぶん控えめな言い方だな。でも、数少ない中からいい仕事を獲得するには、推薦してもらうだけでは不十分だよ。それなりの実績がないといけない。でなければ可能性は低い。どこの会社だって最初はまず社内にいい人材がいないか探すし、それにジュリー、副社長としての僕にはまだ大した実績がないんだ」

「赤字会社をあそこまで立派に建て直したじゃない。それでも不十分だって言うの」

「ああ、もし買収した時に支払った金額より少ない価格でしか売却できなければ駄目だね。それに、ステーシーの会社もまだ残っている。いまのままでは、どこか他の会社に売却されていずれ潰されてしまうことになるだろうな。そんな汚点を背負った人間が、どこか他の会社で同じような仕事を見つけようって言ったってそれは無理だよ」

ジュリーは浮かない顔をしている。こんな話は前にも聞かせたことがある。「アレックス、他に何かない？　何かリストに付け足すことはない？」ジュリーが淡々とした口調で訊ねた。

「そうだな、ブランドンとジムの二人だが、彼らは子供じゃないんだ。これまで見てきた中でも最高に抜け目がなくて、最高に頭の切れるビジネスマンだ。さっき、それなりの人から推薦してもらえるって言っていたけど、あの二人のことを言っているのかい」

「ええ、あなたに対する彼らの評価はずいぶんと高いんじゃないの。当然だと思うけど」

「ジュリー、この世界は厳しいんだ。ブランドンとジムは一〇〇パーセント確信がなければ、推薦なんて絶対にしないよ。彼らだって自分自身の評判を守らないといけないんだ。もし推薦するとしたら、相当の人間じゃないと無理だろうね」

「そうなの？　でも何が問題なの。まだ、わからないわ」ジュリーは必死だ。

「理由はどうあれ、会社を売却して十分なお金が得られなかったら、ブランドンもジムも僕のことを大した奴だなんて思わないよ。僕は結果を出すことを求められているんだ。言い訳はいらない。結果だけなんだよ。他はどうでもいいんだ」

私は感情を露わにして説明した。しかし、ジュリーは特に感じたふうもない。「他には？」「リストを見せてくれ」私は注意深く目を通した。「いや、これで十分だ。主な障害は全部列挙したと思う。次のステップに進もう」

次のステップは、特に説明もいらない。目標が大きい場合、自然と最終目標に達するための中間的な目標が生まれてくる。今回の中間目標も、最終目標の前に立ちはだかる障害を克服するのがその目的だ。他に理由はない。

要するに、列挙した障害一つひとつについて、中間目標を設定すればいい。障害を克服するための目標だ。

「最初の『**ステーシーの会社に、まだマーケティング・ソリューションが見つかっていない**』っていう障害だけど、どんな中間目標が考えられるかしら。どうやったら克服できるかしら」

私もジュリーにならってプロらしく振る舞おうとしたが、そう容易ではない。彼女は結婚カウンセラーという仕事柄、冷静に状況を分析する能力を身につけている。問題がいかに感情的な内容であろうと、それは彼女には関係ない。そうでなければならないのだ。

「特にこれといった目標は考えられないな。ただ、時間は十分に必要だ。僕とドンの二人で考えたガイドラインに従えばきっと結果が出るはずだから、それほど心配はしていないんだ。とにかくステーシーには時間が必要なんだ。それ以外に特に必要なものはないな」

ジュリーは私の言葉を書き取り、話を先に進めた。「次の障害は、『**ピートの会社とボブの会社の利益は、まだ十分でない**』。中間目標はさっきと同じじゃないかしら。『**十分な時間を確保する**』よね」

「ああ。時間は問題なく確保できると思う。ブランドンとジムとは、今度また会うことになっているんだが、あの二人だったらボブのソリューションもすぐ理解してくれるはずだ。少しぐらい我慢して待ってくれると思うよ。いいかい、このソリューションを実行すれば、会社を売って得られるお金よりたくさん、しかも実行して何か月もしないうちにすぐ、キャッシュが入ってくるんだ。そして、いずれ少なくともいまの三倍の金額で会社を売却できるんだ。時間を稼ぐのは問題ないよ。もちろんピートの会社については、ハナから問題なんてないし」

「いいわね。次は『**ピートの会社とボブの会社の価値はまだ低い**』。この中間目標は『**ピートの会社とボブの会社の価値を高める**』かしら。そのための策は、もう打ってあるんでしょ」

「ああ、だけど保証されているわけじゃないよ。でも、その中間目標はそれでいいよ。じゃあ、次の障害は？」

「『**買い手に対して、説得力あるプレゼンテーションを構築するだけの知識が足りない**』って書いたんだけど、これを克服するには何をしないといけないのかしら」

「いっぱいあるけど、とりあえずは、ブランドンとジムに相談してみるよ。彼らの力を借りることができれば、何とかなると思うし、あの二人を巻き込んでおいたほうが何かと便利さ。結局、最後に売却を判断するのは彼らだし。でも基本的には、やっぱり時間かな。十分時間を確保することだと思うよ」それなら私には自信がある。

「それができれば、次の障害は楽ね。『**ピートの会社とボブの会社の価値が十分理解されていない**』だけど、これは『**ピートの会社とボブの会社が理想的モデルであることを買い手に納得させる**』が中間目標ね」

私がうなずくと、ジュリーが話を続けた。「ここまでは大丈夫ね。次は手強いわよ。『**有力者からの推薦が不可欠**』。とりあえず頼めるとしたら、ブランドンとジムでしょ」

「ああ、それからグランビー会長もだよ。でも前の上司から推薦してもらっても、あまり重みがないな。その推薦がそっけなかったら、それこそ逆効果だよ」

「『**ブランドン、ジム、グランビー会長から強力な推薦をとりつける**』っていうのはどうかしら。さっきの中間目標を達成できれば、結果としてこうなるわね」

「たぶん」

「次の障害は『**望んでいる仕事は、空きが少ない**』よね。アレックス、この中間目標ははっきりしているんじゃない。『**望んでいる仕事の空きを見つける**』。だけど、どうするつもりなの」

「そういう質問は、中間目標を順に全部出し終わってから訊くはずじゃなかったのかい。ジョナのガイドラインではそのはずだと思うけど」私はジュリーをからかった。「でもジュリー、他の障害をすべて解消できなければ、仕事を探しても意味がないよ。全部障害を解決してからでも、職探しする時間はいくらでもある。いいかい、もし他の中間目標を全部達成することができれば、ユニコを辞めても、きっとどこかでうまい仕事に就ける。それは間違いない。ゆっくり好きな仕事を探すことができるんだよ」

ジュリーは私の答えが気に食わないようだが、少々ためらいがちに話を先に進めた。「次の障害は……」

他の中間目標は簡単だった。中間目標がすべて出揃ったところで、今度はこれを計画に変える作業に入った。

同時並行して達成できる中間目標はどれとどれか、きちんと順に並べて達成しないといけない中間目標はどれか、見極めなければいけなかった。

しかし、それぞれの中間目標に対応する障害がすでにわかっていたのは役立った。事実、目標を順に並べる作業は比較的簡単に済んだ。

どうやったのかだが、たとえば、目標Xを達成してからでなければ、目標Yを達成できないとする。その理由は何なのかを考えてみればわかる。目標Yの達成を阻止している障害があって、その障害は目標Xを達成することで、克服することができる。だから、Yの前にXを達成しなければいけない。理に適っているだろうか。

中間目標を順に並べるには、どの障害がどの目標を阻止しているのか考えるだけでいい。それだけだ。その作業が終わってから、私たちはでき上がった〈前提条件ツリー〉を検証した。問題はない。どこから見てもしっかりしている。

「このツリーから判断する限り、**『望んでいる仕事の空きを見つける』**の前に達成しないといけない中間目標はないわよ。いますぐ始めてもいいんじゃない」

「ああ、だけど……」

「そうね、やっぱりあなたの言うとおりよ。いますぐ始めても意味がないわ。あくまで最終目標を達成するための条件の一つにすぎないのよね。実績を残すことや強力な推薦をもらうことのほうが大事ね。慌てる必要はないわ」

しばらく間をおいてからジュリーが付け足した。「やっぱり、あなたの言うとおりよ。さすがね。あなたのやったことは、結局、みんな最初から的を射ていたわけね」そう言うと、ジュリーは付箋を脇に置いて私の腕の中に抱きついてきた。

ジュリーはリラックスしている。私も同じ気持ちを味わいたいところだが、ステーシーの会社がまだ残っている。まだ何も変わっていないのだ。売却話が表に出てから、従業員はみんな戦々恐々としている。そろそろ、私が顔を出さないといけないようだ。だが、私に何かできるのだろうか。もし解決できなければ、他がすべて無意味になってしまう。

それだけではない。他にもやらなければならないことが山ほどある。毎日、書類に目を通すだけで、半日かかってしまう。そんな無意味な仕事に時間をかけすぎている。こんなことでは、やることすべてが中途半端になってしまう。もっと大事なことに集中しなければ。

この〈前提条件ツリー〉によれば、そういうことらしい。このツリーから学べることはこうだ。まず、ステーシーに確固たる競争優位性を約束するようなしっかりしたマーケティング・アプローチを構築させる。次に、ピートの会社（近い将来はボブの会社も）を〝理想モデル〟として売り込むという構想をブランドンとジムにも支持してもらう。それから、ボブのソリューションができ得る限りスムーズに導入されるよう尽力することだ。

とにかく、いまいちばん大切なことは、私自身が他のことに気をとられないで、これらをやり遂げることだ。

27

今日は、最高の一日だった。一週間前、ボブたちが私に例のソリューションを説明してくれた翌日の午前中、私はブランドンとジムに電話をかけ、近況報告にニューヨークに行くと伝えた。彼らと会ったのは、ツインタワーの最上階に近いブランドンの事務所だった。

なんという眺めだろう。全世界が自分の足元にひれ伏している。地上は遥か下だ。

このミーティングの目的の一つは、ステーシーたちのためにもう少し時間をもらうことだった。プレッシャー・スチームにも、現状を打破するようなマーケティング・ソリューションを構築できる可能性があることを二人に納得させなければいけなかった。そのために、まずボブたちのソリューションの近況報告から始めることにした。決して偶発的な閃きではなく、ドンと私が構築したプロセスを忠実に実行した結果であることを示すだけで十分だと考えた。競争優位性をいかに築くべきか、それを示す〈未来問題構造ツリー〉を示すだけで十分と考えたのだ。彼らもツリーには精通している。

まず、ブランドンとジムにボブたちが用意したクライアントのUDEリストを見せた。さっそく二人はこれに目を通したが、特に驚くようなことは何も書かれていない。次に、このリストをもとに作った〈現状問題構造ツリー〉に三人で目を通した。ブランドン、ジム、そして私の三人で以前に一緒にツリーを作ったことがあるが、それに比べればこのツリーは朝飯前だ、そうブランドンがコメントした。ジムも同感らしい。

〈現状問題構造ツリー〉に目を通した二人は、さほど苦労もせずにコアの問題からソリューションを難なく導き出した。それから今度は、〈未来問題構造ツリー〉に目を通した。これは重要だった。このツリーのおかげで、このソリューションが販売店にとっていかに魅力的なものであるかを、二人に納得させることができたからだ。

もちろん二人からは、問題点も数多く指摘された。だが、それがなかなか愉快なものだった。二人が指摘する問題点は、もうすべてボブたちが詳しく分析済みのものばかりで、余裕をもって受け答えすることができた。一つひとつ彼らが指摘するたびに「はい、これです」と、資料を一枚ずつポンと手渡すだけで事足りてしまったのだ。手渡した資料には、それぞれの問題にどう対応すべきか、ネガティブが排除されるだけでなく、いかにポジティブが助長されるのかが説明されている。とにかく痛快だった。

指摘すべき問題点が出つくしたところで、今度はソリューションを実際に導入する場合の懸案事項を二人は列挙し始めた。しかし、こちらも準備万端だ。必要な準備は、ボブたちがすべてやっておいてくれた。その用意周到ぶりにブランドンとジムは感心していた。ただ感心するだけではなく、完全に納得していた。しかし正直なところ、私自身、ブランドンとジムの二人に説明するまでは、このソリューションの真のすごさには気づいていなかった。説明し終わって初めて、いかに強力ですごいソリューションなのかに気づいた。

私の計画も効を奏した。ブランドンは自らいまや〈思考プロセス〉の信奉者であると言い出すし、ジムからはジョナのテクニックを駆使できるようになりたいので、その方法を教えてほしいと頼まれた。

私が切り札を使ったのはその後だ。この先四か月で、ボブの会社がどれだけのキャッシュを生み出せるか計算してみようと、こちらから提案した。その結果に、彼らは目を疑った。何度も何度も数字を確認し直したが、計算ミスはなかった。いかに仮定を厳しくしても、売掛金の回収時間が減ることで得られる金額のほうが、会社を売却して得られる金額より多くなるのだ。そのお金をわざわざ見逃してまで会社を売却するのは賢明な判断ではない、そう二人に納得させるのにさほど苦労しなかった。容易に想像してもらえるだろう。

さあ、これで次のステップに進む準備ができた。しかし、これだけでステーシーたちのためにもう少し時間をくださいと頼めるはずはない。そのくらいのことは私もわかっていた。ブランドンとジムが求めているのは結果だ。彼らにとって、結果とはお金だ。お金がたくさん入ってくることを見せる必要がある。そこで、私はアイ・コスメティックスの今後の年間利益を予想してみようと提案した。どれだけ大きな数字が期待できるのか、彼らに理解してもらうためだ。ボブのソリューション導入後、アイ・コスメティックスの利益は正味売上高の一八パーセントになるという計算結果になった。それも現在の売上高ではなく、ソリューション導入後の増えた売上高を基準にした計算結果である。金額では、年間三七〇〇万ドルの純利益だ。一週間前、三〇〇〇万ドルに満たない金額で売却することを考えていた会社としては悪くない。

株主資本利益率は、年六〇パーセント近くになる。もちろんバランスシートの数字には疑問があるが、それでも六〇パーセントという数字はすごい。独自の技術も特許も何もない会社の株主資本利益率が六〇パーセントである。

ブランドンとジムは、慌ててボブの会社の売却価格をさっそく計算し直していた。彼らはまだ売却するつもりなのだ。ユニコ社本体の格付けを改善するためには是が非でもお金が要るのだ。

アイ・コスメティックスをどの程度の価格で売却できるのか計算するのに、売上利益率を七パーセントとして計算してみた。これで計算すると、売却価格はなんと二億五〇〇〇万ドルになる。利益が一気に伸びて会社の価値も急騰するのだから、当然のことかもしれない。

しかし、こんな金額で売れるはずがない——そう、すぐにブランドンが指摘した。過去の実績でなく、予想だけに基づいた数字では無理だというのだ。ただし一億五〇〇〇万ドルなら何とか狙えるかもしれないというのだ。もともとは多角事業グループ三社全部を一億五〇〇〇万ドルで売ろうと考えていたわけだが、その金額をボブの会社一社だけで手にしようというのだ。

ボブの会社の話がまとまってきたところで、今度はステーシーの会社の話に話題を移した。プレッシャー・スチームのほうは、競合他社との交渉がなかなか前に進んでいないのが現状だった。ブランドンとジムの二人が期待するペースで考えれば、前に進んでいないも同然だ。とにかくこの二人は特急列車並みのペースでなければ駄目なのだ。この調子では、会社は年内にも売却されてしまうかもしれない。

私はさっそく説明を始めた。ボブたちと同じようにステーシーの会社でも競争優位性を確立して他社のシェアを獲得できればどうなるのか、その予想をブランドンとジムに説明した。二人はすぐさま理解してくれた。敵陣の背後に爆弾を放り込むようなものなのだ。売却するにしても、もっと高い金額を要求できる。二人への説得工作はうまくいき、売却交渉をこの先六週間凍結してもらう約束をいとも簡単に取り付けることができた。私たちならプレッシャー・スチームの競争優位性を確立できる、そう二人は信じて疑わない。私たち以上に私たちのことを信頼しているのだ。

ステーシーの会社の話が片づいたところで、私は話を次に進めた。先ほどのボブの会社の売却額だ。二人が考えている額よりもっと大きな額を要求できるはずだと私は説明した。これまでのアプローチの仕方に問題があるのだと説明した。二人は私の言葉に驚く様子もない。もう私がどんなことを言っても、この二人は驚かないのだろう。私は、デイブから学んだことを二人に説明した。利益などの経済的側面だけをベースに会社を評価すべきではない、買収することで得られるさまざまなメリットをベースに評価すべきなのだ。そのメリットも、買収した会社から得られる利益だけには限らない。

私が二人に説明したのは、私たちの会社を〝理想モデル〟として大手企業に売却するというコンセプトだ。つまり、パフォーマンスを向上させるための触媒として売却できるという考えだ。もちろん二人は最初難色を示した。しかしピートの会社の例、印刷業界の例を挙げて説明すると、二人はすぐにその可能性にうなずいてくれた。

最後の三時間は三人で、交渉相手となるであろう大手印刷会社にどのようなプレゼンテーションをしたらよいのか、その組み立てに精を出した。基本的なコンセプトに関してブランドンとジムの同意を取り付けたのはよかったが、完成したプレゼンテーションが私は気に入らなかった。あまりいいプレゼンテーションではない。まったく駄目だ。こうなったら二人に〈移行ツリー〉の作り方を説明しないといけない。こんな複雑なメッセージを相手にスムーズに伝えるには〈移行ツリー〉を使うしかない。というわけで二週間後の週末、家族連れでリゾートに集合しようということになった。

今回のこのブランドンとジムとのミーティングでも、私は〈移行ツリー〉を使った。それを二人に言うべきだろうか。二人とも私にうまく乗せられたと思うかもしれない。それはまずい。

とりあえずは、今日の成果の復習をしよう。ステーシーの会社には十分時間を稼ぐことができた。ボブの会社はあと四か月は売却されない。その間に最高のプレゼンテーションに仕上げればいい。それが終わってから、ピートの会社の売却は考えればいい。

ところで、ブランドンとジムの二人は、ピートの会社を一億ドル強の値段で売却するつもりだ。しかし、もし本当に最高のプレゼンテーションを作り上げることができれば、二億ドルに近い数字も無理ではないと私は思っている。

悪くないな。三か月前、取締役会の決定を聞いた時は、ガーンと頭をレンガで殴られたような気分だったが、その時のことを考えれば大した進歩だ。

さあ、これからステーシーのところに行かなければならない。ドンとは空港で待ち合わせて、明日は午前中、プレッシャー・スチームの経営陣とミーティングを行う予定だ。何とか彼らが前進できるよう、方法を見つけてやらなければいけない。ソリューションを構築するにはエネルギーがいる。そのためのスタミナを与えてやらなければいけない。彼らには豊富な経験に基づいた勘とノウハウがある。ソリューションを構築してそれを実行するのは彼らだ。

十分な時間を確保できたこともそうだが、ブランドンとジムが快諾してくれたことをみんなに説明すれば、大きな問題はないだろう。

ゲートには、ドンだけでなくステーシーも来ていた。駐車場に向かう途中、私はステーシーに時間を稼ぐことに成功したことを伝えた。だが、彼女にはあまり喜ぶ様子が見えない。

「〈現状問題構造ツリー〉はでき上がったかね」私は訊ねた。

「いいえ、まだ全然です」ステーシーが苦い顔をして答えた。「UDEさえ、みんなの意見がまとまりません」

「いつになったらできるんだ」私は苛立ちを覚えた。

「副社長、私には無理です。流通システムでさえ、みんなを真剣に取り組ませることができないで苦労しています」

「どうしてだ。細かいことは、もう一か月以上前に全部まとまっていたはずじゃないのか」

「ええ、ですが……」

「ステーシー、いったいどうしたんだ。何か問題でもあるのか」私は訊ねた。「まだ時間が足りないと言うのかね。六週間ではマーケティング・ソリューションを構築できないとでも言うのかね。ボブたちは二週間で仕上げたんだぞ」

彼女は黙ったまま答えない。

私はイライラが募ってきた。「もちろん、六週間じゃ足りない」私は声を荒げた。「UDEを書き出すのに三週間以上もかかっていたら当たり前だ。いいか、君のために時間を稼ごうとこっちがどれだけ苦労したと思っているんだ。その貴重な時間をみんなで無駄にするのか。いったい、どういうことなんだ」

「副社長、口答えするわけではありませんが、よくおわかりになっていないのは副社長のほうだと思います。無理なものは無理なんです。私の会社の状況をわかっていらっしゃいますか」ステーシーがこれほどやけになっている姿を私は見たことがない。「この間の報告書を見ていただけましたか。売上げも出荷もダウンしています」

「確かに従業員の士気は低下しているみたいだな。それは理解できる」私は答えた。

「低下しているどころじゃありません」ステーシーが私の言葉を正した。「落ちるところまで落ちています」

これは重症だ。「ステーシー。つまり、もうみんな敗北宣言をしたということなのかね」

「いえ、そういうことではなく、みんなには心配しないといけない現実があるということです。食べさせないといけない家族を抱えているんです。貯金はゼロ。住宅ローンはまだ残っている。みんなが新しい仕事を探すことで頭がいっぱいだとしても、責めることはできません。

いいですか、副社長。四年前にユニコがこの会社を買収してから、いったい会社が彼らのために何をしてくれたと言うんですか。この会社を近代化するために、いったいいくら投資したと言うのですか。ゼロです。何もしてくれませんでした。

それを今度は売り払おうって言うんですか。彼らを犠牲にして、ユニコにはお金が入るかもしれませんが、彼らは路頭に迷うことになるんですよ。もう無理難題を押し付けるのは、やめていただけませんか。この会社に協力してくれる従業員など一人もいません」

まるで敗北者の態度だ。ステーシーが目を覚ましてくれなければ、私には選択肢が一つしかない。彼女をクビにして、私が代わりを務めるしかない。どうやら彼女と話し合う必要がありそうだ。彼女に、まだ聞く耳が残っていればいいのだが。

じきに私たちはホテルに着いた。私はステーシーのほうを振り返り、彼女が私の顔を見るまで待った。

「ステーシー、君は間違っている。とんでもない間違いをしている。残された最後のチャンスをみんなから奪おうとしているのがわからないのか。生き残るチャンスはまだあるんだ。本物のチャンスだ。会社を建て直すことはまだ可能なんだ。会社を建て直し、みんなの仕事を守ってやることができるんだ。しかし今の君の態度では無理だ。戦いが始まる前から、敗北を宣言するようでは無理だ。

君はこの会社の社長じゃないか。この会社が生き延びて繁栄できるかどうかは、君の肩にかかっているんだ。それなのに、君は何をしているんだ。もう最初から無理だと決め込んでいる。なんでそんなことができるんだ。

もしこの会社を解体屋にでも売り払うと、上が決断したらどうするんだ。決定を覆すのは無理だと言うのかい。ああ、無理だろう。いまのこの会社の業績じゃ無理だ。だが、そのどん底の業績を変えるのはいったい誰の責任なんだ。誰がやらないといけないんだ。それに時間が足りないと言っていたのは、いったいどこの誰なんだ。慎重に策を講じて、とりあえずでいいからそれなりに満足のいく結果を出すことができれば、あとは時間ならなんとでもなる。

取締役会や私や市場のせいにするのは君の勝手だ。従業員のせいにしたって構わない。しかし結局、最後は君だ。君次第なんだよ、ステーシー。できるかどうか決めるのは君なんだ。どちらの結論が出たとしてもそれは仕方ない。

それだけだ。じゃ、明日の朝また会おう。ドン、行くぞ」

28

　ドンと私は会議室に案内された。みんな、私たちのことを待っていた。室内は人でいっぱいだった。営業スタッフは全員集まっていたが、それ以外にも製造担当のスーパーバイザーや組合役員も集まっていた。席が足りず、壁際にまで椅子が並べられていた。

　私はテーブルのいちばん奥の席に歩を進めたが、途中で顔見知りの従業員何人かと握手を交わした。みんな丁寧なのだが、歓迎している雰囲気ではない。ドンは後ろのほうのドアの近くに席を陣取った。賢い考えだ。

「おはようございます」ステーシーがまず挨拶をした。

「おはようございます」もう一度ステーシーがみんなに向かって言った。しばらくすると会議室の中が静まった。

「こちらにいらっしゃる方は、アレックス・ロゴ副社長です。本社からおいでいただきました」ステーシーが私をみんなに紹介した。「今日、副社長がこちらにいらっしゃったのは、このプレッシャー・スチームの将来をまだ信じておられるからです。私たちの力でこの会社を守ることができると信じておられるからです。昨日のことですが、副社長は取締役会のメンバー二人と会われ、この会社のために時間の猶予を取り付けてくださいました。この会社にもまだチャンスはあることを力説され、売却交渉を当面凍結してもらうところまで話をまとめてきてくださいました」

ところどころから拍手がパラパラと聞こえた。

ステーシーは、私を支持してくれるだろうか。みんなの先頭に立って頑張る覚悟はあるのだろうか。もし彼女にその覚悟がなければ、話はまた大きく後退してしまう。そんな余裕など、私たちにはない。今朝もいろいろ考えたが、結局、私は彼女に賭けてみることにした。彼女ならできる、その能力はある。問題は、彼女にその気があるかどうかだ。

「それでは、さっそく副社長からお話を伺いたいと思います」そう言ってステーシーは席に着いた。さあ、私の番だ。私は立ち上がった。

私は全員の顔を見回した。その表情には困惑と敗北感がありありと浮かんでいた。まずは、全体的な状況から説明しよう。私は状況をありのまま正確に伝えようと慎重を期した。余計な話は禁物だ。しかし、それだけでは駄目だ。私の話を聞いて、みんなに目を覚ましてもらわないといけない。然るべき行動をとってもらわなければならない。だが、どうやったらいいのだ。

「副社長のロゴです。本社から参りました」冒頭、私はそう挨拶した。「私にとって、重要なのは数字です。利益です。多角事業グループの三社は、どれもこの一年でずいぶん改善しました。ですが、まだどこも満足できる状態ではありません。大幅な赤字からようやくブレイクイーブンに漕ぎつけたところです。我々が求めているのは利益です。

ユニコ社にはお金が必要です。喉から手が出るほど必要です。多角事業グループ三社はそのお金をまったく生み出すことのできない状況にあります。ですから、取締役会が売却を決定したのも仕方のないことなのです。これはビジネスです。単純明快なビジネスなのです。

三か月ほど前のことですが、取締役会でグループ三社全部の売却が決定されました。どの会社もいずれ潰されてしまうのではという危機感に襲われました。取締役会の決定を覆すことはできません。唯一残された道は、パフォーマンスを改善させることです、それもできるだけ早く。たとえ売却されても、新しいオーナーがこちらのやり方に口出しできないぐらいのパフォーマンスを示さなければいけません。

そのためには、利益を増やさなければなりません。一〇パーセント、一〇〇パーセント、五〇〇パーセントでも駄目です。目を見張るような数字を示さないといけないのです。

これはコスト削減だけでできることではありません。一生懸命働くだけでも駄目です。もしかすると、みなさん方はどんな努力をしても無理だと考えているかもしれません」

ようやく全員が反応を示した。しかし、ここでうなずかれるとは何とも皮肉だ。

「唯一の方法は、売上げを増やす何か新しい方法を見つけることです」

全員の反応をうかがうのはそれほど難しくない。少しでも彼らの中に望みが残っているなら、顔に表れるはずだ。

「聞いてください」私は全員に向かって言った。「グループ三社のうち一社は、もうすでに成功しています。二か月前の彼らの予想では、今年度の純利益は九〇万ドルでした。ですが、いまでは一〇〇〇万ドルを楽に超えることがわかっています。ユニコ社本社から一セントの金銭的サポートも受けずにです。市場の環境が好転したからではありません。自分たちの力で成し遂げたのです。市場に対して、これまでのやり方とは異なる画期的なアプローチを提案したのです」

ここでひと呼吸置いた。

「アイ・コスメティックス社の場合、最初はみなさん方よりも厳しい状況にありました。昨年は一〇〇万ドル近くの赤字を出しましたし、今年の予想はブレイクイーブンでした。しかし、彼らも画期的なマーケティング・ソリューションを見つけ出しました。今年の純利益が三〇〇〇万ドルを超えるのは間違いありません。多角事業グループの中で職を失う心配をしている人がいるのはもはやこの会社だけです。他の二社はもう大丈夫です。

今度はみなさん方の番です。みなさん方も、現状を打破するような何か新しいマーケティング手法を探してください。いままでの考えにとらわれない画期的な考え方をしてください」

私を見つめる顔は無表情で、視線は冷たい。

無理もない。これまでさんざん痛めつけられてきたのだ。私がどんな話をしても何も変わらない。もう、そんな段階はとうに過ぎているのだ。

彼らには、はっきりと実感できる出口を見せてやる必要がある。マーケティング・ソリューションを見せ、それが自分たちに実行可能なものであることを見せてやる必要がある。でなければ、誰ひとりとして動かないだろう。

「売上げが増えない理由はいったい何ですか」私は訊ねた。誰も答えようとしない。私は質問を変え、もう一度訊ねた。

「顧客からの主なクレームは何ですか」だんだんと気まずい雰囲気が漂ってきた。

「客はどんなことを求めていますか」私は諦めなかった。「客はオーダー時にどんな注文をつけてきますか」

「値段を下げろと言ってきます」何人かが答えた。全員、私が不愉快な気持ちを感じているのを見て楽しんでいるようだ。何もわかっていない本社のお偉いさんをいじめて楽しんでいるのだ。

市場のＵＤＥを見つけ出すのにさえ、こんなにてこずっている。どうやら違う手を使わなければいけないようだ。相手はそんな都合のいい方法などあるわけないと主張し、歪んだ快感を楽しんでいる。〈雲〉を書いて、彼らの問題を指摘してみてはどうだろうか。少しは役に立つだろうか。私の指摘に彼らがうなずいてくれれば、それを使ってソリューションを導き出せるかもしれない。可能性は低いが、試して失うものは何もない。

「値段を下げろですか、なるほど。それでは、実際に値段を下げたらどうなりますか」私は訊ねた。さあ〈雲〉の構築開始だ。

「特に何も……」営業部長のジョーが無愛想な声で答えた。

「どうしてですか」私は彼に訊ねた。

「競合相手も、すぐに私たちに合わせて価格を引き下げてくるからです」

「ということは利益が減る。何かが変わるわけですね」みんな笑いもしない。

私はオーバーヘッドプロジェクターのスイッチを入れながら、全員に言った。「目標は**『売上げを増やす』**ことです。**『売上げを増やす』**ためには、**『客のニーズに応える』**ことが必要です。つまり、**『価格を下げる』**ということです。

しかし一方では、**『売上げを増やす』**ためには、**『競合相手がすぐに真似できないことをする』**必要があります。つまり**『価格は下げない』**ということになります」

私はスクリーンに映し出された〈雲〉にしばらく目をやった。説明を続ける前に、頭に入れてもらいたかったからだ。「違いますか」私は全員に向かって訊ねた。

「そうです」ジョーが静かに答えた。

「ここにいる営業スタッフ全員に質問しているんです。違いますか」

「そうです」みんなが答えた。

「これは、簡単な問題ではありません。非常に難しい問題です」私は言った。「ジョー、すまないがちょっと手伝ってくれないか」

彼は渋々立ち上がった。「何をするんですか」

「何かいい解決策がないかどうか探すんだ」

彼は口元をゆがめ、怪訝な顔をしながら前に出てきた。

「この図の中で、いちばん気に入らないのはどの部分だね」私は訊ねた。

しばらく〈雲〉を眺めてからジョーが答えた。「下のほうはいいと思います……。客の喜ぶことをするのは私も好きですから。ただ価格を下げるというのは抵抗感があります」

「みなさん、ジョーと同じ意見ですか？」全員同じ意見かどうか私は確かめた。

「はい」と声を出して答える者もいれば、うなずくだけの者もいる。

「いいでしょう。それではその仮定について考えてみましょう。**『客のニーズに応える』**ためには、**『価格を下げる』**。どうしてそうなるのですか……。ジョー、なぜだね」

「客が求めているからです」彼が答えた。

困った奴だ。「ジョー、真面目に答えてくれ。顧客が何を求めているのか、ちゃんと彼らのニーズを考えて答えてくれ」

彼は私の言葉が気に入らないようだ。営業スタッフは常に客のニーズを第一に考えることを求められている。そんな当たり前のことを指摘されてしゃくに障ったのだ。

「客にとっては、価格の引き下げが必要なんです」ジョーがかしこまった口調で答えた。

「どうしてだね」

「会社からコストを削減するように求められているからです。彼らも私たちと同じ企業です。会社から利益を上げるよう圧力をかけられています」

ジョーには、まだ私に反論するだけの気迫が残っている。悪くない。

「なるほど」私は彼の皮肉には気づかぬふりをした。「要するに『**客のニーズに応える**』ためには、『**価格を下げる**』必要がある。なぜなら『**客が抱えているプレッシャーに応える唯一の方法は、価格引き下げである**』からだ。こういうことかね」

「客が私たちに求めているのは価格の引き下げです」ジョーが言葉を繰り返した。「それは間違いありません。だけど彼らの言うことにいちいち耳を貸していたら、経済的負担を全部こちらに負わそうとしてきます。スペアパーツを委託販売で提供しろと言ってくるクライアントさえいます。信じられますか」ジョーはとにかくすべてが気に入らない。

ジョーの態度は協力的ではない。と言いながらも、彼の言葉はしっかり使わせてもらうおう。フェアでないかもしれないが、この際利用できることは何でも利用させてもらう。とにかく前に進まないことには何も起こらない。ジョーの顔から、〈雲〉、全員の顔へと私は視線を順に移動させた。「つまり、この仮定は間違っているというのかね。価格を引き下げること以外にも、客のプレッシャーに応える方法はあるというのかね。スペアパーツを委託販売形式で提供することも、客のプレッシャーを減らすことにつながるかもしれないというのかね」

ジョーは、唐突な質問に面食らい言葉を失っている。

ジョーが黙っていると、今度はフィルが声をあげた。フィルは東海岸地区のセールスマネジャーで、私たちのやり取りを黙って聞いていられなくなったのだ。「しかし、副社長。それがどう違うというのですか。委託販売も結局は価格を下げるための方法だと思うのですが」質問の仕方は丁寧なのだが、私が本社の副社長だからだろう。そうでなければ、彼はもっと無遠慮な訊き方をしていたに違いない。

「フィル。価格を下げることと、スペアパーツを委託販売で提供することには大きな違いがある」私は苛立ちを抑えた。

「私にはよくわかりません」

「例を使って説明しよう。クライアントのところに一〇万ドル相当のスペアパーツがあるとしよう。それを月に平均約一万ドル分使う」私はオーバーヘッドプロジェクターを使って説明を始めた。「典型的な中規模のクライアントだ。スペアパーツの値段を一〇パーセント引き下げたとしたら、クライアントにはどんな影響があると思う」

「大打撃を受けます」フィルは黙っていられない。「クライアントはともかく、私たちの収入は減るだけです。値下げしてもスペアパーツの売上げは少しも増えないと思います。本気でそんなことを考えているんですか」

「もちろんビジネスとして理に適ったことでなければ、やるつもりはない。いまのはただ君の問いに答えただけだ。価格を引き下げることと委託販売の違いは何か、君は違いは何もないと言ったが、私は大きな違いがあると思う。確かめてみようじゃないか」

嬉しそうな顔をしている者は一人としていない。「まるで学者気どりだ」「時間の無駄だ」「勝手にさせておけ」などと小声でささやく声が聞こえてきた。

私はそれを無視して、先ほどの質問を繰り返した。「ジョー、クライアントには経済的にどんな影響があるかね」

「もしスペアパーツの値段を一〇パーセント下げれば、私たちの一か月当たりの売上げは一〇〇〇ドル減ります。それだけです。それほど重大なことのようには思われませんが」ジョーは、あくまでクライアントの観点からは答えたくないらしい。

彼らには是が非でも客の立場から考えてもらう必要がある。それができなければ、生産的な話し合いは無理だ。

「裏を返せば、クライアント側では毎月、利益とキャッシュが一〇〇〇ドルずつ増えることになる」私はジョーの答えをなぞった。「今度は、代わりにスペアパーツを委託販売で提供するとしよう。どういう影響があるかね。我々への影響ではなく、客への影響だ」

ジョーは黙ったまま答えない。

「客の経理課長にでも聞かないとわかりません」フィルが横から口を挟んだ。

私はこれを無視してジョーに続けて質問した。「ジョー、もし委託販売に切り替えたら、どういうことになるかね。最初の月、客は在庫から一万ドル分のスペアパーツを消費する。それをこちらが補充する。委託販売でだ。ということは、客のキャッシュは一万ドル増え、逆に帳簿上は在庫が一万ドル減る。客にとっては、値段を一〇パーセント下げてもらうより魅力的なはずだと思うんだが」

「次の月、クライアントは……」

ジョーは、私の話が耐え難いらしい。「ええ、魅力的でたまらないと思います。彼らのキャッシュは一万ドル増えて、私たちのキャッシュは一万ドル減る。彼らの在庫は一万ドル減って、私たちの在庫は一万ドル増える。当たり前じゃないですか」

「本当か、スティーブ？」

スティーブとは、プレッシャー・スチームの経理部長だ。彼の答えは私の予想どおりだった。

「いいえ、私たちの在庫は二五〇〇ドルしか増えません。帳簿上はそれだけです。在庫は販売価格で計上しませんから」

「それがどうしたっていうんだ」ジョーはますます苛立っている。「そんなことをするんだったら、どうせだから、設備ごと客に委託販売したらどうですか」

「面白いじゃないか」私は落ち着いた口調で答えた。「それだったら、客は設備投資の心配をしなくてすむ」

「しかし……」ジョーは言葉を失った。

「投資収益率も改善されるから、客は大喜びするだろうな。最初はキャッシュも要らないし、こんな願ったりかなったりの条件はないんじゃないかな」

「ご冗談のつもりですか」

「いや、冗談ではない」私は冷めた口調で答えた。「客の立場から何が魅力的なのかを考えているだけだ」

この言葉にジョーはついにキレてしまった。「魅力的？　魅力的なことならいくらだってお教えします」

「ほう、たとえば、どんなことがあるんだ」私は訊ねた。

「本当にお訊きになりたいんですか。いいでしょう」とジョーはためらわなかった。「客が望むことを全部してあげればいいんです。客の高圧蒸気のニーズを全部こちらで丸抱えにしてやればいいんです。しかし、そんなことは馬鹿げています」

私はジョーの顔を見つめた。長い時間眺めた。これが答えだ。単純明快な答えだ。こんな答えでいいのだろうか。

私の視線にさらされて、ジョーは体を縮こまらせた。

その時、突然ステーシーが口を開いた。「ジョー、いまのをもう一度言ってくれないかしら、同じ言葉で。お願い」

「客に魅力的と思われたいんだったら、客の高圧蒸気のニーズを全部こちらで丸抱えにしてやればいいんです」ジョーは憤りながら半ば呆れたような口調だ。

「そうよ」ステーシーが立ち上がった。「設備やスペアパーツや保守の人間……、全部こっちで丸抱えにしてあげればいいのよ。クライアントの高圧蒸気のニーズはすべて私たちが面倒見てあげればいいのよ。販売するのは高圧蒸気。設備やスペアパーツではなく、高圧蒸気を販売するのよ。でも心配しないで、タダにしたりはしないから」

「でも、どうやって料金を決めるんですか」ジョーが吐き捨てるように言った。

「わからないわ」ステーシーが答えた。「消費したエネルギーで計算するとか……」

「それだけでは駄目です」ジョーが言った。「炉からの距離も考慮しないと。パイプやバルブ、他の部品もそれによって変わってきますから」

どうやら、ジョーはうまく罠にはまってくれそうだ。

「ヤード当たりの消費エネルギーをもとに料金を請求したらどうですか」誰かが大声で言った。

「それだったらできるわ」ステーシーがみんなに訊ねた。「問題はないわ」ステーシーがみんなに訊ねた。「どう思いますか。設備やスペアパーツだけではなく高圧蒸気を販売するんです。客が必要としている時に、必要な場所で、必要な量を提供する。どう思いますか」

すぐに返事をする者は一人もいない。疑うような顔をしてうなずく者、天井を見上げる者、互いの顔を見合わせる者もいる。しかし、後ろ向きな反応は一つもなかった。みんな、まだよくのみ込めていないのだろう。とりあえず、私は腰を下ろした。

最初に口を開いたのはフィルだった。彼は一言「ゼロックスと同じだ」と言った。

「そうよ、ゼロックスよ」ステーシーがフィルの言葉をなぞった。「コピー機と同じよ。あれは買ったわけでもないし、所有しているわけでもないわ。メンテナンスも自分たちでやらないわ。いちばん大きいコピー機は、操作だって自分たちでやらないわ。全部ゼロックスの人間がやってくれるじゃない。こっちは料金を払うだけ。毎月固定料金とコピー一枚ごとに決められた料金を支払う。彼らは私たちにコピー機を販売するのではなく、こっちが必要とするコピーそのものを販売しているわけよ。ジョー、どう思う」

「そうはうまくはいきません。我が社の収入と利益のほとんどは、スペアパーツの販売からきています。もしスペアパーツを委託販売で提供したら餓死してしまいます」

「誰が委託販売なんかの話をしているの」ステーシーが驚いた顔をしてみせた。「新規のクライアントにいまの方法を試してみたらどうかって言っているの。新しい工場や既存の設備を拡張するところに提供してみるのよ」

「それだったら、話は別です」ジョーの顔が多少緩んだ。

「そう、それだったらどう思う」

「わかりません」先ほどまでのジョーの勢いはどこかへ消えてしまった。「もしかしたら、うまくいくかもしれません。失うものもそれほど多くはないし。しかし考えてみれば、いまでも客を獲得するために、初期設備の導入については客に原材料コストしか請求していません」

ステーシーが、ジョーに向かって話を続けた。「毎月、固定料金プラス使用量に応じた金額を請求するのよ。客は乗ってくると思う?」

「価格次第だと思いますが、適切な価格なら可能だと思います。そのためにはいくらで提供したらブレイクイーブンできるか、まず把握しなければいけません」

「ブレイクイーブンはコスト次第よ」ステーシーが答えた。「コストで大きいのはスペアパーツでしょ。新しい流通システムを導入したら、必要なパーツはみんな数時間内に届けることができるから客のところにはそれほどスペアパーツを置いておく必要がないわ。つまり、こちらのコストも大幅にカットできるっていうことよ」

「ええ、少しはカットできるかもしれませんが……」ジョーが渋々同意した。

「それに……」ステーシーが話を続けた。「うちがメンテナンスすれば、客の保守コストの何分の一かでメンテナンスできる」

「それは間違いないですね」フィルが言った。「設備のメンテナンス方法がよくわかっていない客もいますから。メンテナンスどころか、機械をわざと止めてサボタージュみたいなことをやっているところもあります」

「つまり、彼らの何分の一かの保守コストでメンテナンスしてあげることができる。ジョー、それだったら料金も安くできると思わない? かなり」

「計算してみなければわかりません」ジョーはまだ納得していない。

「計算しなくてもわかるわ。いい、ジョー、こっちは生産能力を持て余しているのよ。いまの条件で新規顧客を獲得して、ある程度の価格を払ってもらえれば、間違いなく利益は増えるわ。わからないの？」

「でも、それがうまくいったとしても、他社がすぐうちの真似をし始めますよ。結局のところ無意味なことになるのでは？」彼はあくまで抵抗を諦めない。

「それは防げると思います」フィルが言った。「どんなスペアパーツでも、客が必要だと言ったら数時間内に届けるんです。それができれば客から確固たる信頼を得ることができます。客の設備が故障したりして不具合が発生した場合、一定の時間、たとえば二四時間以内に復旧させることができなければ、ペナルティーを払うことにしてはどうですか」

「ペナルティー？　どうしてペナルティーを払う必要があるんだ」ジョーがすぐさま突っかかってきた。

「そうすれば、他社もすぐにはうちの真似はできないわ」ステーシーが答えた。

「万が一、真似しようとしたって無理です」フィルが言った。

ジョーは黙ったまま答えない。周りでは、ジョーの様子を見てみんながニヤニヤ笑っている。ジョーがみんなからあまり好かれていないことを、この時まで私は知らなかった。みんなの気持ちはわかる。正直言って、私も彼のことはあまり好きではない。

ステーシーがみんなに提案した。「試してみましょう。この方法に客がどれだけ興味を示すか、真剣に検討してみましょう」

その言葉をきっかけに、みんなが意見を言い始めた。

しばらくして、ステーシーがオーバーヘッドプロジェクターを使って図を描き始めた。いちばん下にまず『**必要な場所で、必要な時に、必要な量だけ高圧蒸気を提供する**』と書いた。いよいよ〈未来問題構造ツリー〉の構築開始だ。話し合いが進むにつれ、どんどんツリーに書き足されていった。

二時間ほど激しい意見の応酬があった後、ツリーは三ページにも及んでいた。ここまでくると反対する者はもう誰もいない。話し合いはソリューションの最後の仕上げの局面に入っていた。何か間違いはないか、見落としていることはないかの確認作業だ。

なかなかの〈未来問題構造ツリー〉だ。どれだけ多くのメリットがもたらされるのか、これを見れば一目瞭然だ。プレッシャー・スチーム、クライアント双方に甚大なメリットがもたらされる。すばらしい出来栄えだ。

内容自体は複雑なのだが、コンセプトは単純明快だ。これまでの彼らのやり方と比べると、クルマを購入するのとリースする違いのようなものだ。クルマのリースでは税金面の有利さが強調されるが、今回の場合、税金はあまり関係ない。

事の重大さを理解してもらうにはこう考えてもらいたい。クルマだけを購入してもらうのではなく、車庫、スペアパーツ、ガソリンスタンド、つまりクルマに必要なものすべてをまとめて買ってもらうのだと想像してもらえればいい。

客にはクルマを提供し、走行距離に応じて料金を請求するという考え方だ。料金はリーズナブルな価格設定とする。保守のための人件費や維持コストも含めトータルに考えれば、客にとってこのほうが安くつく。

想像していただきたい。クルマをとにかく一台用意しなければいけない。しかし、そのパフォーマンスは投資収益率で評価されるとしよう。当然のことながら、リースと購入では雲泥の差が出る。

コストや投資収益率などについて、企業がどう考えているのかは十分に承知している。承知していればこそ、客に説得力あるプレゼンテーションができれば、新規設備の導入は総なめにすることができると確信を持っている。余剰能力が相当あることを併せて考えれば、莫大な利益を上げることができるはずだ。どのくらいの利益になるだろうか。それは詳細がもう少し煮詰まるまで、あと一、二週間待たなければいけない。

話もだいぶまとまり、そろそろ昼休みかという時だった。フィルが声をあげた。「どうして新規設備だけなんですか。競合相手の既存顧客にも条件を提示してみてはどうですか。この内容だったら、客を奪い取るのも簡単にできるでしょうし、相手は何もできないと思います」

この声をきっかけに、また会議室内が騒然となった。全員が意見を出し合った。問題点もたくさん指摘された。一つひとつ潰していかなければいけない。

私の役目はここまでだ。残っていても何の役にも立たない。いればかえって逆効果かもしれない。ステーシーが先頭に立ち、しっかりとみんなを引っ張っている。売上げを増やす方法などないと反論する者はもう誰もいない。みんな、血に飢えた顔つきに変わった。競合他社の血を吸い取ってやろうという目つきだ。

ドンはそのままミーティングに残ることにした。ステーシーもそのほうが助かるらしい。私はドンを残し、その場を去った。

It's Not Luck

VI

究極の企業戦略

29

あれから六か月が過ぎた。私はボブと二人、自分の部屋で待機していた。

「いったい、どれだけ時間がかかるんですか」同じことをボブはもう一〇回は訊いただろう。

「コーヒーのおかわりは？」

私の声を無視して、ボブが続けた。「あいつら、本当に何をやってるんだ。鉛筆でも削ってるんじゃないんですか。変更することなんかそんなにないのに、なんでそんなに時間が要るんですかね」

私たちは、弁護士が契約書に最終的な修正を加えるのを待っていた。それが終了したら、グランビー会長と売却先のＣＥＯのネルソンが契約書に署名する。それで晴れてアイ・コスメティックスは、ユニコの子会社ではなくなる。

ボブが立ち上がって、部屋の中をゆっくりと歩き始めた。「だけど、安すぎませんか」

「ボブ、いいじゃないか。二億七〇〇〇万ドルは悪くない値段だ。それに、君には関係のないことじゃないか。あと一時間もすれば、君は向こうの人間だ。最後になって、何か後悔することでもあるのか」

「そんなことはありません」そう言って、ボブはもう一度腰を下ろした。「べつに何も心配していることなんかありません。ピートの話を聞いてからは、だいぶ気が楽になりました」

「そうか」私は笑った。「ピートの奴、いまは楽しそうにやっているからな」

「当たり前ですよ。思う存分やらせてもらっていますから」

「何よりも、みんなに教えることができるのがいちばん楽しいようだな。君も知っていると思うが、彼は人に教えるのが好きなんだよ。聞いた話では、マネジャークラスは全員、一度は彼の会社に配属されて指導を受ける計画らしいぞ。本社の経理部長も二週間、ピートのところに派遣されるらしい。どんな指導をするのか楽しみだな」

　ボブの笑い声が部屋中に響いた。

「ところで副社長。いったい、どうやってあんな大金を相手に出させたんですか。ピートのあんな小さな会社に一億六八〇〇万ドルもどうやって出させたんですか」

「あんな小さな会社なんて言い方は、ピートに失礼だぞ」

「そうですね。聞かれたら命がないかも。でも、馬鹿にするわけではありませんが、小さい会社には違いないと思うんです。売上げだって、七〇〇〇万ドルはないはずです。ということは、年間売上げの倍以上の金額を出させたわけじゃないですか」

「だけど、利益はしっかり出しているぞ。年一四〇〇万ドルも捻り出している。だが、本当の理由はそんなことじゃないんだ。君の会社と同じだよ。ただ会社を売ったわけじゃない。コンセプトを売ったんだ。非常に価値あるコンセプトを。会社とその経営陣は、そのコンセプトを実行するためのツールなんだよ」

「なるほど」ボブの声が静かになった。「副社長からは、学ぶことがまだまだたくさんあるようですね。ユニコを去るのは早すぎるかもしれません」

「何を言ってるんだ。こんなチャンスを見逃すつもりか。ユニコ社に残っても将来はないぞ」

「冗談です。こんなチャンスはもう二度とないかもしれません。アイ・コスメティックスだけでなく、ドラッグストアのサプライ・グループまで任せてもらえるんです。ですが、副社長の息子さんのおかげです。あのアイデアのおかげです。まったく大したものです。全部で五社、九工場、営業スタッフは二〇〇人以上、予算もたっぷり用意してくれています。もう待ちきれません。あの弁護士連中、いったい何をもたついているんでしょうかね」

また、ボブのぼやきが始まった。

私は、秘書のフランに今度は紅茶を持ってくるように頼んだ。コーヒーはもうやめておいたほうがいいだろう。

「ところで副社長、ステーシーの会社の売却が済んだら、どうされるおつもりですか。何か、お考えでもあるんですか」

「君のところででも雇ってもらうかな」私は茶化した。「考えていることはいくつかあるが、まだ何も決めていないよ。まあ、心配してもらわなくても大丈夫だ」

「そうですね、副社長だったら心配ないですね。きてくれっていうところなら、いくらでもあるでしょうから。副社長ほどの実績とコネがあれば、何も心配ないですね。ただ、何かもう決めていらっしゃるのかなと思っただけです」

だが正直なところ、少し気にはなっている。時間の空いている時に少し探してみたが、やりたいと思う仕事があまり見つからない。やりたい仕事があったとしても、その仕事に就けるとは限らない。しかし、時間はまだある。

「副社長！」考え込んでいると、ボブの声が耳に飛び込んできた。「今度の仕事ですが、気に入らないことが一つあります。もう副社長に相談できなくなることです。前からずっと副社長に言いたいと思っていたことがあるんです。誤解されたくなかったので、これまで言わなかったのですが、いまはもう、ご機嫌取りする必要もないので言わせてもらいます」

「まだ、わからないぞ。まだ契約書にサインしたわけじゃないからな」

「いいですから、黙って聞いてください。真面目な話です。いまは冗談は結構です」

「わかった、黙って聞こう」

私がそう言うと、ボブは座ったまましばらく黙り込んだ。「……やっぱり、言わせてもらいます。副社長、私は副社長より六つも年齢が上です。いまのポジションも自分で苦労して手に入れました。誰かがポンと贈り物をしてくれたわけではありません。特に副社長、あなたにはさんざん苦しめられました。あなたのような上司は他にはいません。でも長年あなたの下で働いてきて、いまでは副社長がまるで父親のように思えます。笑わないでください。こちらは真剣なんです。

副社長がいつも私のことを気にかけ、見守っていてくれたことはわかっていました。私がミスを犯しても黙って成長するのを見守っていてくれましたし、私が助けを必要としている時はいつも導いてくれました。

どんな問題があっても、いつも側にいて問題を解決できるように導いてくれました。副社長が見守ってくれているとわかっているだけで、どれだけ安心して仕事ができたかわかりますか。副社長、本当にありがとうございました。

フーッ、ついに言ってしまった。何もおっしゃらないでください」

私は、言葉が見つからなかった。

調印式が終わると、グランビー会長が部屋に残るよう私に合図した。みんなは次々と役員会議室を後にした。連れ立って出ていく者もいた。部屋から出ていくみんなの顔は晴れ晴れしていた。まさにWin-Winの取引が成立した瞬間だ。

後に残ったのは会長、ブランドン、ジム、それに私の四人だけだ。我々は部屋の一隅に集まって腰を下ろした。今回はみんなずいぶんと頑張った。この瞬間がもう少し続いてほしい、そんな空気が私たちの間に漂っていた。

「おめでとう、アレックス」会長が、私に向かって言った。「君には個人的に感謝したい。よく、あんな会社をここまでにしてくれた。これで私も安心して身を引ける。とにかくありがとう」

「ちゃんと聞いておくんだぞ、アレックス」ブランドンとジムが冷やかした。

「ところで、プレッシャー・スチームのほうはどうかね。いつになったら売却の準備を始められるかね」

「まだ、何とも言えません」私は答えた。「業績は上がっていますが、売却してどういう影響が出るのかはっきりと把握できるまでは、具体的に提案するのは非常に難しいと思います」

彼らには心配する様子もない。「もう少し詳しく説明してくれないか」ブランドンが言った。

「すべて計画どおりに進んでいます。特に驚くようなことは何もありません。新しいクライアントも大きいところが四社ほど取れ、他にも十数社と話を進めています。

いま最大の課題は、クライアントを増やしながら、いかにボトルネックを発生させないようにするかです。そこのところの微妙なバランスが難しいんです」

「高圧蒸気を使っている会社だったらみんな、うちのクライアントの様子に注目しているんだろうな」グランビー会長が言った。

「そうだと思います」私は答えた。「だからこそ、慎重に動かないといけないんです。ここで大きなミスでもしたら、他社のいい餌食になってしまいます。みんな、いまでは私たちに一目置いていますから。パニックを起こしているところもあります」

「当然だ」ブランドンが言った。「しかし、いまでもよくわからない。どうしてこんなことができたのかよくわからないのだ。ツリーなら全部目を通した。ネガティブ・ブランチは四七個、他にも問題がたくさんあったはずだ。あそこまで細かいプランニングはいままで見たことがない」

「時間を少ししかもらえなかったので、途中でミスをしている余裕などなかったんです。ですから遠回りに思えるかもしれませんが、最初に少し時間をかけて計画をしっかり立てることにしたんです」私は皮肉った。「もちろん、ステーシーたちの仕事ぶりも大したものでした。

特に新規クライアントの現場に新しく設備を増やすのに合わせて、各地のスペアパーツの在庫を減らしていくタイミングの測り方には感心させられました。それも、ユニコ本社からは一セントのサポートも受けずにです。まさに究極の業としか言いようがありません」

「私がいちばん感心したのは、メンテナンス部隊だ」グランビー会長が言った。「取引の一環としてクライアントからメンテナンスの人間を引き抜くとは、すばらしく独創的だった。あれで、みんなの問題が一気に解消された。感心したよ」

私はにっこり笑った。従業員の新規雇用は凍結されていたので、この件に関しては会長とずいぶんやりあったが、会長はそんなことさえ覚えていないのだろう。

「それで、売却の交渉はいつになったら再開できるのかね」ジムが訊ねた。

「わかりません。まだ何とも言えません。いずれ決めないといけないのでしょうが、いますぐでないことは確かです」

「二か月もしたら、どの程度のマーケット・シェアが獲得できるか、だいたいの見当はつくだろう。その頃になったらわかるかね」ブランドンが訊ねた。

「そうですね、その頃までには、おそらくステーシーも余剰能力を使い切っているでしょうから。それにはもっとたくさんエンジニアを養成しないといけませんが、どれだけ速くトレーニングできるかによると思います。他社からエンジニアを引き抜いてくるようなことも必要かもしれません。それでもこっちのやり方に慣れてもらうにはしばらく時間がかかります。我が社のやり方は他社とはずいぶん違いますから。ですから二か月ぐらいはかかると思います」

「そうか、二か月か」グランビー会長は神妙な面持ちだ。

「何か問題でも」ブランドンが丁寧な口調で訊ねた。

「いやべつに。辞める前に少し身の回りを片づける時間が欲しかっただけだよ。私はあと三か月で引退だが、最後のひと月は、工場を全部回っておこうと思っている。ブランドン、ジム、君たちにはもう十分すぎるほどの仕事をしてきてもらった。それでまたこんなことを頼むのは申し訳ないのだが、今度の売却交渉も君たちがやってくれないか」

「それよりもいい考えがある」ブランドンがすぐさま答えた。「これまでの二つの売却交渉をまとめた真の立役者はアレックスだ。相手に何を売るのか、そのコンセプトを考えついたのはアレックスだ。相手を選んだのもアレックスだ。彼のプレゼンテーションがなければ、こうもうまくはいかなかっただろう。それに、売却価格をここまで引き上げることに成功したのも彼の手腕だ。我々を納得させるだけでも苦労したはずなのに、相手まで説き伏せた。まったく大した腕だ。ジム、そう思わないか」

「まったくそのとおりだ」ジムがうなずいた。

「もちろん、私たちも手助けはさせてもらう。しかし、今度の売却交渉は正式にアレックスが先頭に立つべきだと思う。アレックス、そう思わないか」

「いえ、そんな」

「謙遜するのはやめてくれ。君には似合わない」ジムが私に向かって微笑んだ。

「いや、べつに謙遜しているわけではありません。私がそう思わないのは、売却すべきではないと思っているからです」

「おいおい、またかい」ブランドンがため息をついた。「今度は、何を考えているんだ」

「ナポレオンと鐘のジョークを知っていますか」要点をわかりやすく説明するには、これがいちばんの方法だと思った。彼らに異論を唱える隙を与えず、説明を続けた。「ナポレオンが小さな村にやってきたのですが、村人は歓迎の鐘を鳴らしませんでした。ナポレオンは怒って村長を呼びつけ説明を求めました。村長は答えました。『理由は三つあります』。村長は恐る恐るその理由を説明しました。『一つ目の理由は、閣下がいらっしゃることを知らなかったこと。二つ目は、鐘を鳴らす男が病気だったこと。三つ目は、鳴らす鐘がこの村にはないことです』」

「面白いジョークだな」ジムは素直に私のジョークを面白がっている。「しかし、何が言いたいのかよくわからない」

「プレッシャー・スチームの売却話はこちらから始めるべきではありません。理由は三つあります。まず、売却する理由がもうありません。次に、売却相手としてふさわしい会社が見当たりません。最後は、ユニコにとってプレッシャー・スチームが必要な会社だからです」

「アレックス、もう少しわかるように説明してくれないか」

「多角事業グループ三社を売却しようというもともとの理由は何だったのですか。ユニコの格付けを改善することだったと思います。グループ三社を売却してどのくらいの金額を手にできると思っていましたか。一億五〇〇〇万ドルは無理だろうという話だったと思います。しかし、実際にこれまでにいくら手にしました? 今日のを足すと、合計で四億三八〇〇万ドルです。これ以上、いったいいくら必要なんですか。格付けのことを心配する必要はもうないし、それにこれまでに手にしたお金にしても、どう使うのかまだ決まっていないではないですか。違いますか」

私はみんなの反応を待たずに説明を続けた。

「そして二番目の理由ですが、いちばん高い金額を取れる相手は、プレッシャー・スチームの競合相手です。しかしいったいいくら取れるでしょうか。どうあがいても、彼らにはそんな金額は用意できません。だからといって他の会社に売却しても、豚に真珠です。

三つ目の理由ですが、ユニコは全体としては並みの会社です。こんなこと言って、すみません。しかしユニコグループの中で業界ナンバーワンを誇れる会社がありますか。トップテンでも構いません。一つもないじゃないですか。我々にはグループ内にモデルにできるような会社が必要です。グループ内に新風を送り込む会社が必要なんです。ピートの会社は駄目です。ユニコ社の本業は、印刷とは無縁なのですから。ボブの会社も同じです。しかし、ステーシーの会社は違います。まさに我々に必要な会社なんです。

コア・ビジネスに携わっているグループ会社はどれも、多かれ少なかれ機械とエレクトロニクスに関連した仕事をしています。どれも顧客のニーズに合わせた技術開発が必要です。そのモデルとしてどこを探しても、プレッシャー・スチームほど理想的な会社はありません。いいですか、ユニコにもう一度かつてのような業界リーダーとしての姿を取り戻すためには、この会社が必要なんです。プレッシャー・スチームがどうしても必要なんです」

みんな黙って考え込んだ。しばらくして、ブランドンがグランビー会長のほうに向き直って言った。

「来週、取締役会で今後の投資計画を発表するはずだったと思うが、売却で得た金をどう使うべきだと提案するつもりなのか、教えてくれないか」

「投資計画は提出しないことに決めたよ」会長の言葉に、ブランドンは驚いた。「ビル・ピーチとヒルトン・スミスにいろいろ案を考えてもらったんだが、満足できるようなものが一つもなくてね。新しいCEOに任せるに足る案は出てこなかったんだ。頭の痛いところだが、これは私の後継者に任せることにしたよ」

「なるほど」ブランドンはさほど驚いた様子もない。彼は私のほうを見ると、「君だったらどんな投資案を提案するかね」と訊ねた。

どうすべきか、そんなことは明白だ。しかし、私がそれを言う立場ではない。

「アレックス、言ってみたまえ。君のことだから、何か考えているはずだ。言ってくれないか」ジムが私を急かした。

「遠慮させてください」

「アレックス、私たちは友達じゃないか。ここだけの話だから教えてくれ」ジムは執拗だ。

「わかりました、ジム。いいですか、投資計画だけ切り離して話をするのは無理です。会社としての戦略があって初めて投資計画があるべきなのです。つまり投資計画についてどう思うかということは、ユニコ社の戦略がどうあるべきか私に意見を求めているのと同じです。そんな話をし始めたら、少なくても一時間はかかります」

「いいじゃないか」ブランドンが声を高めた。「今夜は、四人で一緒にディナーだ。お祝いもしないといけない」

「いい考えだ。私も賛成だ」会長も乗り気だ。

私はあまり気乗りしなかった。企業戦略の構築方法について話をさせられるのは勘弁してもらいたい。しかし、ディナーの誘いを断るわけにはいかない。

ジュリーに職探しを急かされたのがよかった。とりあえず時間稼ぎにと思って企業戦略の構築方法などを考えていたのだが、思わぬところで役に立ちそうだ。ディナーまではまだ四時間近くある。ツリーを見直して見栄えのいいプレゼンテーションを作り上げるには、四時間もあれば十分だ。

しかし、その前に片づけなければいけない仕事が一つある。タイミングとしてはパーフェクトだ。

私はグランビー会長の後を追って、彼の部屋に入った。

「それで、いったい何の話だね」会長が訊ねた。

「私の次の仕事ですが、そろそろ考えてくださってもいい頃だと思いまして。アイ・コスメティックスの売却も終わったし、プレッシャー・スチームのほうは売却しないことになるかもしれません。ステーシーも私の助けはもう必要ないでしょうし……」

ここで会長に軽くあしらわれてはいけない。私は間をおかずに話を続けた。この先何か月も指をくわえて何もしないでいるのだけはご免だ。

「いろいろ考えていたのですが、生産性をどうやって向上させたらいいのか、いいアイデアがあります。ユニコグループ全社の生産性です。多角事業グループでやったように、一気に大幅に向上させます。単なる手法というよりサイエンスと言ってもいいかもしれません。今夜、それをお見せします。詳しく説明させていただきます」

「それは楽しみだな」

「それで私がお願いしたいのは、企業戦略担当の副社長職を新しく設けて、その仕事を私に任せてもらえないかと思いまして……」

会長は黙ったままだ。

「ビル・ピーチと一緒に仕事をするのは問題ありません。歓迎してくれると思います。ヒルトン・スミスがどう思うかは多少心配ですが、それは会長にお任せします。どうでしょう」

「もうしばらく待ったほうがいいと思う」そう言うと、会長は私の肩に軽く手を置いた。「アレックス、君の提案はこの会社の組織に大きな影響を及ぼす。あと三か月で引退する私は、そんなことを決める立場にはない。新しいＣＥＯが任命されるまで待ったほうがいいだろう」

30

カクテルを注文するなり、ジムが私に催促した。「アレックス。さあ、君の意見を聞かせてもらおうか。ユニコ社の戦略がどうあるべきか、意見を聞かせてもらう約束だ。期待しているぞ」

「もしよろしければ、ユニコに話を限定しないで話をしたいんですが」

「アレックス、勘弁してくれよ」ブランドンが両手を胸に当てる仕草をした。「戦略の立て方なんていう、そんな一般論のプレゼンテーションはもう何百回も聞かされた。そんな話はもういいから、君の具体的な意見を聞かせてくれ」そう言いつつも、ブランドンは上機嫌だ。

「そうはいきませんよ。まずは、一般論から話をさせていただきます。たとえば『企業の目的は?』みたいな問いからです。みなさん、嫌になるほど聞いてこられたと思います」

「ああ、数え切れないよ」

「お金をどう使うべきか私の意見を聞きたいのでしたら、申し訳ありませんが少々我慢してください」私は譲らなかった。「話を戻しますが、企業の目的、つまりゴールはいったい何でしょうか。我々のようなメーカーの目的は何ですか」

「本当に話はちゃんと最後まで辿り着くんだろうな。今夜中に頼むぞ」ブランドンが訴えた。

「企業の目的は、現在から将来にわたって、お金を儲けることだ」ジムが答えた。

「それが目的なら、いい考えがあります。高利貸しでも始めればいいんです」私は茶化した。

みんなが笑い終わるのを待って、私は話を続けた。「目標を決めるのは簡単なことではありません。目標だけを切り離して話し合うことはできないからです。物事には限界があり、その範囲内で活動しなければいけません。目標達成に向けた活動範囲の境界線を定めずに、目標を定義しても無駄です」

「確かに、目標を達成するためだからといって、何をしても構わないということにはならない」ブランドンがうなずいた。「つまり、目標を決めるのと同時に、侵してはならない必要条件も定めなければいけない、そう言いたいわけだな。その条件を教えてくれるのかね」

「まずは、ご自分で考えてみてください」

「今夜は勘弁してくれ。山ほどあるじゃないか。きりがない」

「ブランドン、私たちが初めて話をした時のことを覚えていますか。もう九か月近くになります。ロンドンに向かう飛行機の中です」

「覚えているよ。売上げをどうやって上げたらいいのか、さっぱり見当がつかないと君はぼやいていたな」

「ええ、そうでしたね」私は微笑んだ。「一緒に〈雲〉を書きましたが、覚えていますか。株主の利益を守ることと、従業員の利益を守ることの対立点を示した図です」

「忘れるわけないじゃないか」ジムが横から口を挟んだ。「あの図のおかげで、〈思考プロセス〉の世界が開けたんだ。いいから話を続けてくれ」

今夜のジムは忍耐が足りない。何を焦っているのだ。そう思いながら、私は説明を続けた。「『**現在から将来にわたって、お金を儲ける**』という目標ですが、これは株主の利益を守るための目標です。では、従業員はどうなりますか。従業員の利益を守ることも不可欠です。これには、みなさんも異論はないと思います」

「ああ、異論はない」ブランドンが協力的な態度を見せ始めた。「それも必要条件の一つということだな」

「ええ、**『現在から将来にわたって、従業員に対して安心で満足できる環境を与える』**というのはどうですか」

「ずいぶんと要求が大きいな」グランビー会長が言った。「いまのが目標では、我が社は成功者とは言えないな。それができれば結構なことには違いないが」

彼はわかっていない、私は心の中でそうつぶやいた。しかし、ここで会長を辱めてもしょうがない。結構とか、結構じゃないとかいう問題ではないのだ。必要条件を侵したら、目標は達成できないのだ。「必要条件」という言葉の意味はそういうことなのだ。

我がユニコ社は、この必要条件を何度も侵してきた。従順な従業員を何千人も解雇してきた。従業員に安心で満足できる環境を与えることが、自分たちの仕事だなどと考えたこともなかった。金儲けがうまくいかなかったのも当然の結果と言える。従業員の士気が低下して、どうやって成功できようか。

私は声を大にして言った。「もう一つあります。市場の競争状態について一緒に検証した時のことを覚えていますか。市場の価値観を満たすことができないと、市場から見放されてしまうという結論に達したと思います」

「少々の客だったら、長い期間騙し続けることはできる。大勢客がいても、短い間なら欺くことはできる。しかし、大勢の客を長期間欺くことはできない」ブランドンが言った。うまく言ったものだ。

「それも必要条件です」私は言った。「つまり、**『現在から将来にわたって、市場を満足させる』**。これで全部です。これ以外には必要条件は要りません」

「これ以外には要らないとは、どういう意味だね」ジムは腑に落ちない顔をしている。「いま言った二つ以外に必要条件は何もないと言うのかね。社会のルールに従うとか、他にも何かありそうだが」

「さっき言った条件でちゃんとカバーしています。**『現在から将来にわたって、市場を満足させる』**でカバーしているはずです。考えてみてください、ジム。社会の規律とか道徳観みたいなものは、全部、この二つの必要条件でカバーされているんです」

ジムが納得していないのは、顔を見ればわかった。無理もない、ビジネスの価値観と社会の価値観は相容れないというのがこれまでの通説だ。以前は確かにそうだったのかもしれないが、いまは違う。

どうやったら納得してもらえるだろうか。私は説明を続けた。「これまでの話をまとめてみましょう。**『現在から将来にわたって、お金を儲ける』**、**『現在から将来にわたって、従業員に対して安心で満足できる環境を与える』**、**『現在から将来にわたって、市場を満足させる』**。この三つについては、みなさん異論はなかったと思います。**『現在から将来にわたって、お金を儲ける』**は企業を所有する側の考え方です。二番目の**『現在から将来にわたって、従業員に対して安心で満足できる環境を与える』**は従業員を代表する組合側の考え方です。三つ目の**『現在から将来にわたって、市場を満足させる』**ですが、これは最近の経営手法で特に強く唱えられていることです。我々企業の経営者は、この三つすべてを実現しなければいけません」

「言うは易し、行うは難しだな」グランビー会長がため息をついた。「この三つを同時に実現するのは難しい。こちらを立てればあちらが立たず、あちらを立てればこちらが立たずだよ」

「いえ、そんなことはありません」私は言った。「企業活動の行動一つひとつをとってみれば、この三つの必要条件のいずれかと衝突するものもあるでしょう。ずっと続けていれば、いずれ三つの必要条件全部と対立を起こしてしまうでしょう。しかし、必要条件同士はそんなことはありません」

「つまり、君が言いたいのは……」ジムは理解しようと必死だ。「三つの必要条件同士を対立させてはいけない。必要条件同士は、対立するものではなく本来補完し合うものだ、ということかね」

「そのとおりです」

「アレックスの言うとおりだと思う」ブランドンが私を援護してくれた。「企業の目的はお金を儲けることだと私たちも信じているが、その目的の達成には他の二つの条件も絶対的に必要なことに私たちも気づいた」

「みんな、気づき始めています」私は言葉を補った。「会社が赤字を出しているのに、従業員がクビになることはないと思っている組合幹部がいるでしょうか。会社が赤字を出しているのに、いいサービスを提供し続けることができると思っている経営者がいるでしょうか」

「つまり、この三つの必要条件は同じように重要だと言いたいわけだな」ようやく、ジムものみ込めたようだ。「もしそうなら、どうしてみんなお金を儲けることが目的だと言っているんだ」

「ウォール街の連中はそう言うかもしれません。お金を儲けることのほうが、実態がつかみやすいからだと思います。数字ではっきりと測れるのはお金だけですから」

「やはりそうか」ブランドンがにっこり笑った。

「でもだからと言って、お金を儲けることがいちばん大切だということにはなりません。そういう罠には、はまらないでください」私は、ブランドンに警告した。「お金儲けが数字で測れるというのは、たまたまなんです。太古の昔、ある天才が麦とヤギの価値を比べる方法を発明しました。お金の抽象的な単位である通貨を発明したんです。しかし、満足度や安心感などを測る単位はいまだに発明されていません」

「私は三・七Xで安全、ジムは一四・五Yでちょっと危険といった具合にかい」ブランドンが例を挙げた。「わかったから、もうそろそろ食事を注文しよう」ジムが言った。「だんだん、わけがわからなくなってきたよ」

前菜が運ばれてくるのを待つ間、ジムが私に迫った。「アレックス、君の話は非常に面白いんだが、まだ戦略や投資については君の意見を一言も聞かせてもらっていない」

「そんなことはありません。いい戦略とはどんなものか、駄目な戦略とはどんなものか、きちんと話しているじゃないですか」

「そうかもしれないが、私の耳にはきちんと届いていないな」

「そうですか。それでは、戦略とは目的を達成するための手段だということには賛成していただけますか」

「当然」ジムが答えた。

「それから、さっきの三つの必要条件ですが、どれか一つでも阻害したら目標達成は叶わないというのはどうですか。これにも賛成していただけますか。三つのうちいずれを目標に選んだとしても、他の二つの条件も無視できないということは納得していただけたと思いますが」

「つまり、いい戦略ならば、どの条件とも衝突しないはずだということだな」ブランドンが話をまとめてくれた。「しかし、そんな戦略をどうやって見つけるんだね。それに、たとえそんな戦略が見つかったとしても、うまくいくかどうかどうやってわかるんだね」

「まず、うまくいかないとわかっている戦略は選択しません。いま言われたように、三つの必要条件のいずれかと衝突するような戦略はまず切り捨てます。これまで目にしてきた戦略の半分はこれで排除することができます」

「半分以上だ」グランビー会長が私の言葉を正した。

「そうかもしれません」私はうなずいた。「半分以上は、戦略といっても賢明な戦略ではありません。危機に迫られたパニック型の戦略がせいぜいです」多角事業グループの売却を決定した時のことを思い出してもらえればおわかりでしょうと、私は喉まで出かかった言葉をのみ込んだ。「思いついた戦略が三つの条件のいずれかと衝突するようであれば、別の戦略を探し続けなければいけません」

「ああ。しかし、どうやって」ジムは追及の手をなかなか緩めない。

「もうちょっと待ってください、まだ説明は終わっていませんから。市場の予想をもとに戦略を立てることも避けなければいけません」

「それを切り捨てたら、残りの戦略も全部消えてしまう」グランビー会長が笑った。「だが、君が言わんとしていることはわかる。市場の予想からスタートして戦略を立ててはいけないと言いたいのではないかね。しかし、それがいちばん自然な形に私には思えるがね」

「いえ、それは違います。市場を予想するというのは、吹いている風を捕まえるようなものです」私は答えた。「これまで長年、私たちもずっと売上げの予想を立ててきましたが、一度でも当たったことがありますか。売上げ予想ほど信頼できないものが他にありますか」ヒルトン・スミス君よ……。心の中で私はそう密かにつぶやいた。

「それを我々はずっと予想手法のせいにしてきた」ジムが私を後押ししてくれた。「どこかの記事で読んだんだが、天気予報の精度を上げるのは、センサーや大型コンピュータをもっと導入するとかいうことではなく、単に理論的に無理なんだそうだ。市場を予想することも同じだと思う。となると、アレックス。

君はどこから始めるんだね」

「まずは、確固たる競争優位性を構築するところから始めます。独自の技術や非常に優れた製品がなければ、多角事業グループでやったことと同じことを行います。市場側の問題を解消するような小さな変化に専念します」

「あれが小さな変化だと言うのかね」グランビー会長は驚いてサラダを喉に詰まらせかけた。

会長が落ち着くのを待って、私は説明した。「製品には何も物理的な変化は加えていません。方針を大幅に変えました。製品を物理的に変えたわけではありません。小さな変化とはそういう意味です。適切な表現ではないかもしれませんが、最初にこの方法を考え出した時にそう呼んでいたので、いまでもそう呼んでいるだけです」

ブランドンとジムは、うんうんとうなずいている。

「しかし、それで終わりではありません」私は続けた。「次は、市場をセグメントします」

「多角事業グループでもやったのかね」ジムが訊ねた。

「はい、プレッシャー・スチームでやりましたが、簡単でした。クライアントのニーズに合わせて製品を大きくカスタマイズしないといけない場合、セグメンテーションは簡単です。ボブとピートの会社ではやりませんでしたが。いいですか、セグメントごとに確固たる競争優位性を築くことができなければ、安心はできません」

「どうしてかね」

「競合他社が追いかけてくるからです」私は言った。「絶対的な競争優位性ではなく、時間的に多少先を走っているだけにすぎないからです。いずれ追いつかれてしまいます」

「つまり、常に走り続けなければいけないのか」ジムが言った。

「もちろんです」

「いつになったら、息を抜いてリラックスできるんだ」ブランドンが冗談めかした。

「引退してからだな」グランビー会長が答えた。

それよりもっと早く息を抜きたいものだ。競合相手にすぐに追いつかれないような時間的優位性を確保する方法はいくつかある。しかし、それはいま言わないほうがいいだろう。それこそ明日の朝まで帰してもらえなくなる。

「多くのセグメントで確固たる競争優位性を築くことができても、それだけでは、まだまだ十分とは言えません」私は言った。

「それ以上に何が要るんだ」ブランドンが驚いた表情をしてみせた。「アレックス、君は果たして『もうこれで十分だ』なんて思うことがあるのかね」

「ええ、もちろん。必要な条件がすべて満たされれば」

「ということは、セグメントごとに確固たる競争優位性を築いたとしても十分でない、CEOとしての責任を十分に果たしたことにはならないと君は考えているんだな」ジムはそう言うと、しばらく私の反応をうかがった。

「それだけで十分だと言うのですか」今度は、逆に私が驚いてみせた。「市場を正確に予想するのは無理だとみなさんも賛成してくれたではないですか。市場が変動するのは、私よりもみなさんのほうがよくわかっているはずです。今日はよくても、明日は不況に追い込まれるかもしれません」

「だから、不況を乗り越えられるように、景気のいい時に十分稼いでおかないといけない」グランビー会長が言った。

しかし、重要なのはそんなことではない。もう少しはっきり説明したほうがよさそうだ。「会社の生存能力を超えるところまで市場が悪化したら、どうしますか。従業員をクビにしますか、それとも何もさせないでぶらぶらさせておきますか」

「不況の時は、耐えるしかないだろうな」会長がまた答えた。

会長の考えていることはわかっている。会長が言う〝耐える〟という言葉の意味だが、こちらは経験済みだ。

しかし、ここではその話は適切ではない。私には彼らが必要だ。新しい仕事を見つけるのを彼らに手伝ってもらわなければいけない。そのために一生懸命頑張ってきたのだ。

「二つ目の必要条件をもう忘れたのですか。**『従業員に対して安心で満足できる環境を与える』**です」

みんな黙ったまま一言も言わない。いったい何を考えているのだ。どうして、そんな顔をして私の顔を眺めているのだ。

「アレックス」そう私の名を呼ぶと、ジムが慎重な口調で言った。「会社の利益がどうであっても、君はレイオフには反対だというのかね」

「そうです」

なぜか滑稽だ。三人とも、急進論者が変装して紛れ込んでいるのを発見したような気分なのだろう。三人ともにこりともしない。黙ったまま互いの顔を見合わせている。だんだん周りの空気が重くなってきた。

ジムがしばらくして口を開いた。「それはあまり現実的ではないな」

グランビー会長も言った。「危険だな」

やはり、そうなるのか。こんな当たり前のことがどうしてわからないのだ。自分たちがもっと多くの責任を負うことになるからなのか。好き勝手に考えさせておけばいい。自分の本来の責任を認めようとしない連中にはうんざりだ。自分の責任は認めないで、従業員を犠牲にする。

権限は欲しいが、責任は要らない——それが彼らのモットーなのだろう。

こんなことでは彼らのコネも当てにできない。コネよ、さようならだな。

ジュリーはわかってくれるだろうか。きっと理解してくれるはずだ。

31

「それから、どうなったの」ジュリーは私に不満だ。

「しばらくは、べつに何も……」

「でも、その後どうなったのよ。ねえ、アレックス。もったいぶるのはやめて」

「あったことをそのまま話しているだけだよ」私は平然と答えた。

「いい、あなた。あなたともう何年一緒にいると思っているのよ。自分のキャリアを棒に振って、そんな平気な顔をしていられる人じゃないことぐらいわかってるわ。もったいぶらないで、いいからどうなったのか早く話してちょうだい」

「結論だけ知りたいのかい。過程はどうでもいいのかい。それは駄目だ。過程から結論まですべて話を聞くか、それが嫌なら何も教えない」

「わかったわ。ちゃんと聞くから、続けて」

「それから、どんな状況でも僕がレイオフに反対なのかどうか、ブランドンが訊いてきたんだ。とんでもない質問だろ。もちろんキャッシュが回らなくなったら、従業員を解雇しなければいけない。でなければ、みんな仕事を失ってしまう」

「ごめんなさい、よくわからないわ。もしそうなら、会社が利益を出せない時に従業員をレイオフすることについてジムが訊いた時は、どうして反対したの」

「キャッシュがないことと、利益がないことは別物なんだよ。いいかい、ジュリー。六、七年前、いや五年前までユニコは狂ったように従業員のクビを切っていた。利益は十分に出ていなかったけど、キャッシュは有り余るほどあった。従業員をレイオフする理由なんかなかったんだ。でも会社のトップにしてみれば、それが利益を増やすいちばん手っ取り早い方法だったんだ。市場を満足させることより、コストを減らすことを考えていたんだ。もちろん、そんなのでうまくいくはずがない。レイオフしても赤字は止まらなかった。それでまた、レイオフを繰り返す。最悪のパターンだよ。僕が反対しているのは、そういうことなんだ」

「なるほど、わかったわ。それで、みんなの反応は」

「君と同じだよ。ちゃんと違いを説明しないといけなかった」

「それで？」

「不服そうな顔をしていたよ。特に会長はね。市場を満足させられる新しい方法をみんながみんな思いつくわけじゃないって言ってたよ」

「それもそうね」

「いや、そうじゃない。他社に対して競争優位性を確立済みであることを前提に、よい戦略とは何かを話していたんだ」

「言っていることの意味がよくわからないわ。業界ナンバーワンの会社だったら、損失なんか出ようがないじゃない」

「いいかい、もう一度説明するよ。会社が確固たる競争優位性を築く。君の言い方だと、業界ナンバーワンということだ。みんなフル稼働で、会社はたくさん儲かる。みんなハッピーだ。しかし、市場が落ち込んで需要が減る。その結果、必要以上の人員を抱えることになる。問題は、そういう時どうするのかなんだ」

「なるほど、それでどうしたらいいの」

「正しい戦略を取っていれば、そんな事態は起きないというのが僕の答えだ」

「また、わからなくなったわ。企業とか市場とかは私の専門じゃないの。私は結婚カウンセラーよ。回りくどい説明は抜きにして結論を教えてくれない。どうして、そんなに嬉しそうな顔をしているのよ」

「ジュリー、駄目だよ。ブランドンたちだって同じだよ。君と同じように、僕の言っていることなんて最初はさっぱりだったんだ。でも実は、常識でわかる話なんだ。業界の知識なんか必要ない。新聞で読んでいることがわかれば、それで十分だ。それで、君の場合はいったい何がわからないんだい」

「何だったかしら……。そう、思い出したわ。戦略が正しければ、市場が悪くなっても影響を受けないって言ったでしょ。いったい、どういう意味なの。市場が悪くなれば、会社だって落ち込むはずじゃないの」

「彼らも同じことが理解できないでいたよ。ジムには、君とまったく同じ質問をされた」

「頭が悪いのは私だけじゃないのね。安心したわ」

「ジムは頭なんか悪くないよ。全然悪くない。ただ、みんなと同じで市場のせいにすることに慣れきっているだけなんだ。本来前もって準備しなかった自分を責めるべきなのに、周りの環境のせいにしてしまうんだ。アリが夏の間せっせと働いて食べ物を集めたのに、キリギリスは働かないで冬がきて嘆いているのと同じだよ」

「私は子供じゃないわ。そんな喩えはやめてよ」ジュリーが笑った。「ちゃんと説明してちょうだい。どうしたら、市場が落ち込むのを防げるの」

「市場が落ち込むのを防ぐ？　それは無理だよ。でも戦略が正しければ、従業員全員に十分仕事を与えられなくなるような事態は避けることができる」

「どうやって」

「単純さ。柔軟性を持てばいいんだよ。一つのセグメントだけじゃなくて、すべての従業員がいくつかの仕事に対応できるようにすればいいんだよ。たとえば、いま、すでに使っているリソースと同じリソースを使って別の製品を新たに開発するんだよ。できると思うかい」

「ええ、できると思うわ」ジュリーが答えた。「でもアレックス、落ち着いて。そんな大声を出さなくてもいいわ」

「でも、普通の会社はこれとは正反対のことをやっているんだ。従業員に柔軟性を持たせるには、従業員でなく市場をセグメントしないといけない。でも、普通の会社はどうしていると思う。市場がもともとセグメントされていても、新しい市場が現れると、馬鹿な連中はすぐに新しい工場を作ってしまうんだ。市場ではなくリソースをセグメントしているんだよ。本末転倒さ」

「なるほど、だんだんわかってきたわ。でもアレックス、もう夜中の一時よ。もうそろそろ結論を教えてくれてもいいんじゃない。お願いだから、手短に話してちょうだいね。詳しいことは、また今度ちゃんと聞かせてもらうから」

「わかった。大切なところだけ話そう」私はうなずいた。「彼らに言ったんだ。いい戦略には、あと二つ大事なことがあるってね。一つは、あるセグメントで絶対的な競争優位性を誇っていたとしても、そのセグメントすべてを独り占めしてはいけないということ」

「どうして。あら、いけない、いまの質問は取り消し」

「いますぐわかるよ。もう一つは、複数のセグメントに参入する場合、同時に上がったり下がったりするようなセグメントには参入しないこと。これにはいろいろ深い意味があるんだよ」

「それはまた今度ゆっくり聞かせてもらうわ。それで、結局どうなったの」

お手上げだ。こっちの話を真剣に聞く気のない人間に、大切な話を聞かせようと思っても容易ではない。

「結論は単純明快だよ。僕が言ったことを会社が全部やったとしよう。その場合、もしもっと儲けの大きいセグメントが現れたら、会社は儲けの少ないセグメントからこのセグメントに乗り換える。リソースが柔軟だから、それができるんだよ。セグメントが悪化したら、別のセグメントへ照準を移す。だから、セグメントを最初からすべて独り占めしてはいけないんだよ。

いいかい、その結果、会社は従業員をレイオフする必要がほとんどなくなる。三つの必要条件もすべて同時に満たすことができる」

「面白いわね。でも、それでどうなったの」

「みんな感心していたよ、君よりもっと感心していたよ。いつも僕には驚かされっぱなしだってブランンは呆れ顔だったな。『本業をどう強化したらいいか僕から意見を聞けるとは思っていたけど、期待していた以上だった』なんて言われたよ。期待以上だってさ！」

「ダウティーは、何て言ってたの」

「『君の勝ちだ』って言われたよ」

「だから、そんな嬉しそうな顔をしているのね。約束が果たせて喜んでいるのかと思ったわ。彼らに仕事の世話をしてもらえるように頼んでみるって言ってたでしょ」

「ああ、頼んだよ」

「そうなの。それで何だって。ちゃんと世話してくれるって？」

「それが、ちょっと違うんだ。三人で顔を見合わせた後、ジムが僕の顔を見てにっこり笑って、ちゃんと面倒見てくれるって言うんだ。そうしたら、ブランドンが言ったんだ。『ユニコの次期ＣＥＯは、どうかね』ってね」

●用語解説

思考プロセス（Thinking Process）
ゴールドラット博士が開発した問題解決手法。「何を変えればよいか（What to change?)」「何に変えればよいか（What to change to?)」「どのように変えればよいか（How to cause the change?)」といった一連のプロセスを系統的に考えることから思考プロセスと呼ばれる。思考プロセスを実行するためのツール（論理ツリー）には以下が用意されており、順に系統的に使用したり単独で使用したりする。①現状問題構造ツリー（Current Reality Tree）、②雲（対立解消図＝Cloud）、③未来問題構造ツリー（Future Reality Tree）、④前提条件ツリー（Prerequisite Tree）、⑤移行ツリー（Transition Tree）。

現状問題構造ツリー（Current Reality Tree）
問題解決にあたって「何を変えれば最大の結果が得られるか」を明確にするための手法。まず現状の問題点（好ましくない結果＝ＵＤＥ）を列挙し、これらの因果関係を見つけることで、その中から〝変えるべき〟根本的問題を見つけ出す。思考プロセスを系統的に実行する場合、この現状問題構造ツリーの構築が最初のステップとなる。

好ましくない結果（Undesirable Effects＝ＵＤＥ）
現状問題構造ツリーを構築する際に列挙する現状の問題点。通常、目にする問題点の大部分は本質的な問題ではなく、もっと根本的な問題の結果や症状にすぎないことからこう呼ばれる。

雲（Cloud）
問題の根本的な原因となっている矛盾や対立（コンフリクト）を解消するための手法で「対立解消図」とも呼ばれる。五つの枠が矢印（因果関係）で結ばれた定型的なフォーマットを使用（本文一八ページ図参照）。これらの矢印のうちいずれかの矢印を解消するような画期的なアイデアを注入することで矛盾や対立を解消する。思考プロセスを系統的に実行する場合、現状問題構造ツリーで根本的な問題を見つけ出した後、この雲を使ってどう解消したらいいのか（「何に変えればよいのか（What to change to?)」）を考える。

未来問題構造ツリー（Future Reality Tree）
雲（対立解消図）を使って見つけた問題解決策を実行したらどうなるかを検証するための手法。根本的な問題が解決した状態で現状問題構造ツリーがどう変化するのかを示し、新たな問題（ネガティブ・ブランチ）が発生していないかどうかなどを検証する。

ネガティブ・ブランチ（Negative Branch）
雲（対立解消図）を使って見つけた対立解消アイデアを実行した場合に、新たに発生する問題（マイナス面）。未来問題構造ツリーを構築して示され、「マイナスの枝」とも呼ばれる。

前提条件ツリー（Prerequisite Tree）
思考プロセスの「どのように変えればよいか（How to cause the change?）」を考えるための手法で、目標を達成する過程で発生する障害（前提条件）とそれを克服する中間目標を展開する。現状問題構造ツリーや未来問題構造ツリーとは異なり、因果関係だけでなくアイデア実行の時間的順序関係が重要。

移行ツリー（Transition Tree）
思考プロセス最後のステップで、実行計画に相当する。前提条件ツリーで展開した各中間目標を達成するために何をしなければいけないのか、必要な行動を示す。前提条件ツリーと同様、時間的順序関係が重要。

ステートメント（Statement）
思考プロセスの各ツリーや雲（対立解消図）の中に描かれる一つひとつの文言のこと。英語の直訳は、声明、陳述など。

訳者あとがき

『ザ・ゴール――企業の究極の目的とは何か』が昨年五月に出版されて早や八か月近くになる。原書*The Goal*が全米で二五〇万部を超えるベストセラーだったので、日本でもある程度の反響は予想していたが、それをはるかに超える大きな反響を呼び起こした。その理由としては、まず原書で読んでいた人が数多くいて、こうした方々がまず興味を示してくれたこと、第二に、*The Goal*の初版が一九八四年に米国で出版されて以来、TOC(制約条件の理論)が米国の産業界や教育界で広く普及していったにもかかわらず、日本では一七年間も翻訳出版が許されず産業界を中心に邦訳が長く待たれていたことなどが挙げられると思う。これは実に嬉しい誤算だった、と同時に、この本に関わった責務の重大さを私は感じた。

しかし、ここで新たな課題が表面化してきた。「TOCとは何か?」である。前書『ザ・ゴール』は、採算悪化を理由に閉鎖を通告された工場を、主人公のアレックス・ロゴが恩師ジョナの助言を参考に、三か月という短期間に建て直すというストーリーである。同書を読んだ方の中には、TOCとは生産現場における理論だと思われた方が多いと思う。それが決して間違いだとは言わないが、それだけでは十分ではない。正確な表現でないことは間違いない。

『ザ・ゴール』を翻訳したことをきっかけに、昨年来、私は著者のエリヤフ・ゴールドラット博士とは何度か直接会ったり、緊密に連絡をとらせてもらっている。日本で『ザ・ゴール』が広く読まれていることを博士も非常に喜んでいるが、その一方で、日本においてＴＯＣが正確に理解してもらえているかどうか非常に気にかけている。つまり『ザ・ゴール』の中で紹介されているボトルネックの考え方だけが独り歩きして、「ＴＯＣ＝生産管理理論」と誤解されていないかと心配しているのである。博士いわく、一九八四年の*The Goal* 初版発行以来、ＴＯＣは常に進化している。現在、ＴＯＣにおいてマニュファクチャリング（製造）はほんの一部分にしかすぎない。ＴＯＣとは単なる生産管理理論ではなく、ビジネス全体の理論なのである。コンストレインツ（Constraints＝制約条件）とは何もメーカーの生産現場に限ったことではない。流通やマーケティング、販売などビジネスのありとあらゆる局面に制約条件は存在しており、これを排除していかに効率よく企業活動を運営するかがＴＯＣの本質なのだということである。このことを早く日本の読者、ＴＯＣに関心を持たれている方、ひいては日本の産業界全体に伝えなければいけないというのが、博士にとって現在、大きな課題となっているのである。

簡単に言えば、ＴＯＣにはさまざまな要素が含まれており、『ザ・ゴール』で紹介したボトルネックの考え方はその一つにすぎないということである。本書『ザ・ゴール２――思考プロセス』（原題 *It's Not Luck*）で紹介する〈思考プロセス〉（Thinking Process）もその要素の一つで、ＴＯＣの中では非常に重要な位置を占めている。本書を読まれた方の中には、本のタイトルを見て単に『ザ・ゴール』の続編と思われた人もいただろうが、そうではないことを理解していただきたい。ＴＯＣにはこれ以外にも多くの重要な要素が含まれている。これらについては本書に続いて日本語版の出版が予定されている *Necessary But Not Sufficient* *Critical Chain* などで続けて紹介していきたいと思う。

さて、本書の翻訳作業だが、前書『ザ・ゴール』にもまして苦労した。もう読まれた方はお気づきだろうが、本書には〈雲（対立解消図）〉〈現状問題構造ツリー〉〈未来問題構造ツリー〉〈ネガティブ・ブランチ〉などといった専門用語が数多く登場してくる。これらの用語は特に日本語訳が確立しているわけではないが、すでに本書に関連した解説書や専門書が日本でも数冊出されており、日本語訳はこれらの書籍で使用されている和訳に準拠させていただくことにした。特に本書および前書『ザ・ゴール』で解説をお願いしたジェイビルサーキットジャパン(株)社長の稲垣公夫氏の著書『TOC革命』などは大いに参考にさせていただいた。

苦労したのは専門用語だけではない。これらの用語を本文中でいかにわかりやすくスムーズに読んでもらうかにあたっては、編集者との間でも数多くの議論を闘わせた。〈思考プロセス〉という新しい手法を紹介するのが本書の使命ではあるが、かといって堅苦しい理論書のようにはしたくなかった。できるだけ多くの人に読んでもらいたいという願いもあり、できるだけ柔らかい表現で読みやすくなるようにと気をつかった。

その作業にあたっては、前書同様、多くの人々に助けていただいた。特に翻訳家の山本映子氏には、堅苦しい表現をいかに柔らかく小説風に仕上げたらいいのか、数々の貴重なアドバイスをいただいた。また大和證券時代の同僚、山本昇氏（現プライスウオーターハウス・ファイナンシャルアドバイザリーサービス）にも多くの助言をいただいた。同氏は大和証券SMBC企業提携部で長年、企業M&Aに携わってきたこともあり、本書でたびたび出てくる企業買収の場面については、参考になる意見を数々いただいた。またドゥエイン・パルマー氏、原稿チェックを手伝ってくれた妻の妙子、そしてつい訳出が遅れがちになった私を忍耐強く励ましてくださったダイヤモンド社の御立英史氏、久我茂氏には前回同様、多大の感謝を申し上げたい。

TOCは非常に有用な考え方だと思う。米国ではそれが数多くの企業によって長年にわたって実証されてきた。しかし、かといって万人向けの理論かどうかは、各人、各社が判断すればいいことだと思う。しかし、それはあくまでこの理論の真髄を理解してから判断していただきたいと考えている。そのためには、前書『ザ・ゴール』および本書『ザ・ゴール２』、そしてこれに続く*Necessary But Not Sufficient*、*Critical Chain*（いずれもダイヤモンド社から出版予定）もぜひ読んでいただきたいと願う。訳者としての私の使命は、ゴールドラット博士の理念、メッセージをより多くの人に理解していただくために、これらの本をタイムリーに世に送り出すことである。訳者として、単に書籍の翻訳に携わるだけでなく、こうした使命をも感じることができることに私は深く感謝したい。

二〇〇二年一月

三本木　亮

解説

イスラエルの物理学者エリヤフ・ゴールドラット博士の小説 *The Goal* の日本語版が、ようやく昨年五月に出版され大いに話題を呼んだ。画期的な生産スケジューリング法を発明し、その手法を組み込んだソフトウェアの事業に成功した博士は、その基本原理をわかりやすく解説した小説を書くことを思い立った。それが、『ザ・ゴール』である。アメリカでは、生産管理に関する小説など売れるはずがないという周囲の予想を見事に裏切り、一九八四年に出版されるや大ベストセラーになり、今日でもまだ売れ続けている。これはこの本が小説としても面白く、しかもアメリカの大部分の工場関係者が日夜悩んでいる問題の解決法を鮮やかに示したからだった。

『ザ・ゴール』はユニコ社の出世街道を順調に歩んできたアレックス・ロゴという人物が、故郷ベアリントンの工場長に栄転してしばらくしたところから始まる。この工場は在庫の山で、慢性的に納期が遅れ、顧客からの苦情で工場幹部は右往左往していた。毎日毎日、工場での火消し作業に追われているアレックスが大学時代の恩師であるジョナに偶然に会い、それがきっかけでジョナからTOC（Theory of Constraints：制約条件の理論）の原理を教えられていく。このジョナこそがゴールドラット博士であり、アレックスは博士が指導した多くの企業の工場長たちである。

『ザ・ゴール』の中で説明されているのは、TOCの生産改善の手法である。TOCでは企業の目的が金を儲けることである以上、スループット（売上高から材料費を引いたもの）を最大にすることが最も重要なことであるという考え方から出発する。スループットを最大化するには、それを阻害しているもの、つまり工場の中のボトルネック工程を探せばよい。ボトルネックに徹底的に集中して改善を加えれば自然とスループットは最大化する。これがＴＯＣの生産改善手法の最も大きなメッセージであり、『ザ・ゴール』の中ではまさしくこの考え方で改善が進んでいった。

しかし『ザ・ゴール』の出版後しばらくしてアメリカの景気が悪くなると、多くのメーカーが工場の人員整理を行った。博士が指導して生産性が最も上がった工場が、その生産性の高さゆえに従業員の解雇がいちばん激しかった。そうなると工場の人々は、ＴＯＣを含むあらゆる改善活動に拒否反応を示すようになった。彼らにとって改善活動とは、自分で自分の首を締めるものであると映ったからだ。そこで博士は「生産の改善は、あくまでも需要が供給を上回っている場合にのみ行うべきである」と確信するに至った。博士が目撃した悲劇を二度と繰り返さないようにするには、ボトルネックが工場にあるのか市場にあるのかをまず見極め、市場にボトルネックがある場合には、市場のボトルネックを解消する活動を始める必要があると感じた。

そこで博士は市場のボトルネックを解消する手法として〈思考プロセス〉を開発し、その教育を始めた。〈思考プロセス〉が多くの企業で市場の制約条件を打破するのに役立っていることを確認して、博士は再び〈思考プロセス〉を解説する小説を出版することにした。それが本書『ザ・ゴール２』（原題は*It's Not Luck*）である。

本書は『ザ・ゴール』の主人公、アレックス・ロゴが再び登場する。彼は工場長からユニコ社が多角化のために買収した三つの多角事業グループを統括する副社長に出世している。ところが会社の業績不振を理由に、アレックスは会社のトップからこれらの事業グループを売却すると通告された。そこで多角事業グループの売却を防ぐために各社とも数か月以内に画期的に業績を上げるという、不可能に近い難題に挑戦することになる。

いろいろと考えた結果、短期間に業績を改善するには物理的製品はそのままで〈製品を改善するだけの時間的余裕がないため〉、製品に付随するサービスや販売条件などを変えるだけで売上げを圧倒的に増やす必要があるということであった。そのためにTOCの二つの手法が活躍する。一つは、これら三社で導入済みの生産改善手法である。このおかげで三社とも業界水準よりはるかに短い製造リードタイムと少ない在庫水準を達成していた。もう一つの手法が〈思考プロセス〉で、これによって生産上の優位性をマーケティングに応用して急激にシェアを伸ばす方策を考え出すことができるのだ。

次に本書で紹介されている〈思考プロセス〉について簡単に解説したい。

〈思考プロセス〉を一言でいえば「変化を起こし、実行に移すための手法」である。そして変化を実現するには「何を変えればよいか」「どのような姿に現状を変えればよいか」「どのように変化を起こせばよいか」という質問に答えることが必要になってくる。〈思考プロセス〉では、これらの質問に対して順次答えるためにいくつかのステップがある。そこで以下に順を追ってそのステップを解説していきたい。

◎現状問題構造ツリー

最初のステップは「何を変えるのか」という問いに答える〈現状問題構造ツリー〉という手法である。この手法の根底にあるのは現実に観察される問題点（TOCでは、UDE［好ましくない結果という英語の略」と呼ぶ）はより根本的な原因の兆候にすぎないという考え方である。したがって〈現状問題構造ツリー〉を作るには、まず分析しようとする対象の表面的な問題点を列挙して、それらの原因をどんどん遡る。これはトヨタ生産方式で使われる「なぜを五回繰り返す」という手法に類似しているが、最大の違いは「なぜを五回」は五段階の直線的な因果関係を表示するのに対して、〈思考プロセス〉は複合的な因果関係を表示できるため二次元の因果関係を表現でき、したがって多数の好ましくない結果（ＵＤＥ）に共通するコアの問題を表示できることである。〈現状問題構造ツリー〉は観察されるＵＤＥを列挙した後、それらの原因、またその原因というように上から下に向かってより根本的な原因を作成していく。このように結果から原因を順次展開していくと、ちょうど木が多数の枝から一本の幹へと集約されるように多数の現象が少数の原因に起因していることが図から明確になる。そしてこの図を作成することにより「根本原因」や「コアの問題」が明らかになる。根本原因とは、ちょうどトヨタ生産方式の「なぜを五回繰り返す」結果出てくる原因のようなもので、これ以上原因を遡るのが困難である。またコアの問題とは図全体のＵＤＥの大部分の原因になっている根本原因である。

このツリーを作成する目的は「どの問題を解決するのが最も効率的か」という問いに答えることだ。つまりコアの問題を解決すれば、図の中の大半の好ましくない結果は消え去る。他の問題を解決してもほんの一部の問題の解決にしかならない。したがってコアの問題に取り組むことが最も少ない労力で大きな成果を得られることになる。これはＴＯＣの生産改善手法の中でどの工程を集中して改善するのが最も効率的か（答えはボトルネック工程）という問いかけをするのと同じ意味を持つ。このステップは本書第15章に例が出てくる。

◎対立解消図

〈思考プロセス〉の次のステップは「何に変わるのか」という問いに答える〈対立解消図〉の作成である。〈対立解消図〉は一見解決不可能な対立や矛盾を含む問題構造に対してその矛盾を解消する考え方を注入してブレイクスルー解を求めることが狙いである。〈思考プロセス〉の全体の流れの中では、特にコアの問題の解決策を見出すために使われるが、これだけを単独に使うことも可能だ。コアの問題の解決策は通常、非常に大きな別の悪影響があって、そのため実施することができない。だからこそ解決されずに放置されてきたのだ。したがってコアの問題を解決するには何らかのブレイクスルーが必要となる。そのブレイクスルーを誘発する手段として〈対立解消図〉が使われる。このステップは本書では最も多く取り上げられており、第2章、第3章と第10章に例が出てくる。

◎未来問題構造ツリー

次のステップは〈対立解消図〉を使って出てきたコアの問題を解決する画期的なアイデアを実行したらどうなるかを検証するための〈未来問題構造ツリー〉を作成することである。コアの問題は全体の好ましくない結果の七、八割方の原因になっているのでそれらの問題点は解消しているはずである。したがって〈未来問題構造ツリー〉は、〈現状問題構造ツリー〉と構造的には非常に似ているはずである。しかしコアの問題の対立を解消するのに注入したアイデアのおかげで、いままでなかった否定的な側面が出てくる可能性がある。したがって〈未来問題構造ツリー〉を作成する目的は、コアの問題を解決する画期的なアイデアを実施する際に発生するマイナス面を事前に発見し、それに対して手を打つことにある。画期的なアイデアを思いつくような閃きタイプの人間は、得てしてそのマイナス面に気がつかないか、気がついても軽視する。逆にそのアイデアを思いつかなかった人間は、あら探しをしてそのマイナス面だけを強調する。〈未来問題構造ツリー〉は、客観的に新しいアイデアのプラス面とマイナス面を同じ図の中に表現することで閃き派の人間と現実派の人間が互いに協力して最善の案を考えることを可能にする。このステップは第8章に例が出てくる。

◎前提条件ツリー

〈思考プロセス〉最後の二つのステップは「どのようにして変化するか」——つまり実際に変化を起こすための実行計画を作成するものだ。その最初のステップが〈前提条件ツリー〉の作成である。このツリーの目的はアイデアを実行するうえでの障害と、それを克服するための中間目標を展開することにある。そこで〈前提条件ツリー〉ではまずいちばん上に注入されたアイデアを一つ置く。この「ありたい姿」から出発して「この状態が成り立つにはどのような障害が考えられ、それを避けるにはどのような前提条件が必要か」ということを考えていく。その前提条件に対してもどのような障害があるかを考えていくというふうに図を下に向かって展開していく。このステップは第26章に例が出てくる。

◎移行ツリー

〈移行ツリー〉は〈思考プロセス〉で最後のツリーで、いわば詳細実行計画に相当する。このツリーでは、各中間目標を達成するために何をどの順番で行えばよいかを表現する。このためには〈前提条件ツリー〉で展開した中間結果を並べて、それぞれの中間目標の実現のために必要な行動を考えていく。このツリーは全員に究極的な目標を達成するためにはどのようなアクションが必要かということを伝えるコミュニケーション・ツールとして使える。このステップは第22章に例が出てくる。

以上のように、生産改善手法に比べて〈思考プロセス〉はステップが多く、しかも各ステップごとに実施するだけでもかなり時間がかかる。だが、大掛かりな変化のプロセスを推進するためには、これだけの手間をかけても十分ペイする手法であることはアメリカの実践例で証明されている。

しかし〈思考プロセス〉の全ステップを通して使う必要はない。それぞれのステップを単独、または一部のステップを組み合わせて使っても十分に効果がある。実際、本書の中では全ステップを単一の問題解決のために通して使ってはおらず、それぞれのステップがいろいろな問題の解決の場に使われている。

本書は〈思考プロセス〉のマーケティングへの応用を中心にして展開している。そこで本書に登場するマーケティングの考え方について簡単に説明してみよう。まず本書の中では「企業は自社の製品の価値をそれにかかったコストをベースに考えるが、市場はその製品を使った便益をベースに価値を考える」という問題意識から出発する。競争が激しい市場では各社が顧客に提供する価値は似たり寄ったり（つまり差別化ができていない）のため各社とも低い利益率に悩む。製品で差別化しようとしても開発コストに見合った差別化ができない場合が多い。そこで本書では製品自体はそのままで、それに付随したサービスや売り方を変えることによって顧客に対する価値を創造して他社に対して差別化するという考え方が出てくる。その際に問題になるのは何で差別化するか、つまりどのような価値を顧客に提供するかということであるが、本書では「顧客の悩んでいる問題を解決する」ことが最も顧客に売りやすい価値であるとしている。それだけでは誰でも考えつくことで差別化にならないが、顧客の悩みを〈現状問題構造ツリー〉で分析して、個々の問題点に対する解決策ではなく顧客のコアの問題に対する解決策を製品の売り方の中に組み込めば顧客は絶対飛びつく。しかもその売り方が小ロット生産が効率的にできるといった、他社に対して優位に立っている要因に立脚していれば他社は容易に追従できないという筋書きだ。

本書に出てきた化粧品会社（アイ・コスメティックス社）の例でこれを見てみよう。この会社は全米にある数千の小売店に化粧品を直接販売しているが、従来は地区倉庫に大半の在庫を置いていたのを、ＴＯＣの生産・物流改善手法により生産を小ロット化し、在庫を集中化し、また小売店への配送頻度を増やすことにより自社の在庫を激減させることに成功した。しかし、小売店自身が多くの在庫を抱えていることが大きな問題だった。小売店は大量に発注すると安く製品を仕入れることができるため必要以上の在庫を抱えている。このため資金繰りが苦しくなり、多額の借金にあえいでいる。そこで、この化粧品会社は小売店に対して次のような提案をする。「我が社の製品に一定以上の棚スペースを割り当てた場合は、貴店の店頭在庫は我が社の負担にします。つまり貴店は我が社の製品が売れた時点で支払いをしていただいて結構です。ただし買掛金の支払いは従来より半減してください」というものだ。これは当然店の悩みである資金繰りが非常に楽になるので店としては飛びつく。また化粧品会社にとっては、これによって小売店の在庫を引き取るデメリットは、売掛金回収日数が減ることで相殺されキャッシュフロー的にはプラスになるうえ、小売店での棚スペースが増えるので自然にシェアが増える。これはまさしくいままで説明してきた顧客の抱える最大の悩みを解決する方法を製品の売り方に組み込むという好例である。

昨秋、『ザ・ゴール』出版をきっかけにゴールドラット博士が初来日した。その講演の際、私はパネラーとして出席する機会があった。そこで博士は「いままで日本だけはＴＯＣを積極的に普及させないようにしていたが、最近の日本経済の停滞を見て考え方を変えた。これから日本にＴＯＣの教育機関を作っていきたい」と語っていた。

ＴＯＣの中でも〈思考プロセス〉は習得が難しい手法である反面、一度身につけると幅広い領域で活用できる。特に本書に取り上げられているようなマーケティング上のブレイクスルーは、多くの日本企業に渇望されているものである。本書の出版によって日本でもＴＯＣの〈思考プロセス〉に関する関心が高まり、〈思考プロセス〉を本格的に習得したいという読者が増えることを期待するものである。

稲垣　公夫

二〇〇二年一月

著者略歴

エリヤフ・ゴールドラット（Eliyahu M. Goldratt）
イスラエルの物理学者。1947年生まれ。『ザ・ゴール』で説明した生産管理の手法をTOC（Theory of Constraints：制約の理論）と名づけ、その研究や教育を推進する研究所を設立した。その後、博士はTOCを単なる生産管理の理論から、新しい会計方法（スループット会計）や一般的な問題解決の手法（思考プロセス）へと発展させ、アメリカの生産管理やサプライチェーン・マネジメントに大きな影響を与えた。著書に世界各国でベストセラーとなった『ザ・ゴール』『ザ・ゴール２』『チェンジ・ザ・ルール！』『クリティカルチェーン』『ザ・チョイス』『ザ・クリスタルボール』（いずれもダイヤモンド社刊）などがある。

訳者略歴

三本木 亮（さんぼんぎ・りょう）
1960年生まれ。早稲田大学商学部卒。ブリガムヤング大学ビジネススクール卒、MBA取得。在日南アフリカ共和国総領事館、大和證券を経て1992年に渡米。ブリガムヤング大学ビジネススクール国際ビジネス教育センター講師を務めたのち、日米間の投資事業、提携事業にも多く携わる。翻訳書に『ザ・ゴール』シリーズ全作の他に、『ゴールドラット博士のコストに縛られるな』『ウォルマートに呑みこまれる世界』『一球の心理学』（いずれも小社刊）などがある。現在、日米間のM&Aアドバイザー、ベンチャー企業のインキュベーション事業に携わる。アメリカ・ユタ州在住。

解説者略歴

稲垣 公夫（いながき・きみお）
ジェイビルサーキットジャパン㈱社長。著書に『アメリカ生産革命』『TOC革命』『TOCクリティカルチェーン革命』（いずれも日本能率協会）、『ＥＭＳ戦略』（ダイヤモンド社）がある。

ザ・ゴール２
思考プロセス

2002年２月21日　第１刷発行
2025年９月24日　第29刷発行

著者／エリヤフ・ゴールドラット
訳者／三本木　亮
装丁／藤崎　登

製作・進行／ダイヤモンド・グラフィック社
印刷／堀内印刷所（本文）・新藤慶昌堂（カバー）
製本／ブックアート
カバー加工／トーツヤ・エコー

発行所／ダイヤモンド社
〒150-8409　東京都渋谷区神宮前6－12－17
https://www.diamond.co.jp/
電話／03-5778-7233（編集）03-5778-7240（販売）

ISBN 4-478-42041-6